谢刚/著

老五

人民文学出版社

图书在版编目（CIP）数据

老五/谢刚著．—北京：人民文学出版社，2022
ISBN 978-7-02-014874-5

Ⅰ.①老… Ⅱ.①谢… Ⅲ.①长篇小说—中国—当代 Ⅳ.①I247.5

中国版本图书馆CIP数据核字（2021）第242639号

责任编辑　曾雪梅　陈　悦
装帧设计　李思安
责任印制　任　祎

出版发行　人民文学出版社
社　　址　北京市朝内大街166号
邮政编码　100705

印　　刷　三河市宏盛印务有限公司
经　　销　全国新华书店等

字　　数　211千字
开　　本　880毫米×1230毫米　1/32
印　　张　10　插页3
印　　数　1—5000
版　　次　2022年4月北京第1版
印　　次　2022年4月第1次印刷

书　　号　978-7-02-014874-5
定　　价　49.00元

上／篇

想你的时候来看我

1

老五是我的大学同学，在我们那个寝室，他排行第五。

老五也姓武，大号"武修德"，四川广元人。

南方的男人个子普遍不是很高，玲珑清秀，老五却是个另类。他不光个子长到了接近一米九，而且生得虎背熊腰、膘肥体壮，若不是时不时操几句"格老子"，很多人都会认为他是地道的东北汉子。

我们的学校就在东北。

东北可比不得咱们首都北京，九十年代初，大学住宿的条件普遍还很差。我们的宿舍楼就是一幢饱经风霜的老建筑，老得谁都说不清楚它的来历。有说是伪满洲国时的监狱的，也有人认为是当时的临时警察局。无论监狱还是警局，待在里面的，似乎都算不上忠厚老实、安分守己之辈。后来做了大学生宿舍，也就把这"传统"一茬茬因袭了下来。既然这里面住过的人从根上算起就喜欢为非作歹，那我们也犯不上改头换面、革故鼎新。毕竟胡作非为易，断恶修善难，都是十八九岁，也正是无法无天、肆意妄为的年纪。

宿舍楼虽然很老，很破旧，但房间却足够大。我后来走过很多学校，除了贫困山区孩子们睡的大通铺，就从来没有见过这么大的学生寝室，每间都足足有二十多平方米。寝室溜墙边码了六张双层床，那时候还流行叫上下铺，铺着学校提供的草垫子。草垫子嘎巴嘎巴新，新得仔细嗅还能嗅出未散去的泥土香和裹在草里的牛粪的酸臭味儿。

房间大也有好处，虽然一间房里住了来自天南海北的十二条汉子，但如果把凳子一股脑堆到走廊里，房间里竟然能挤出个空场打乒乓球。

能供十二个人同时吃饭的大桌子就是现成的乒乓球台子。

那时候，寝室的地板还是实木的，已经用了很多年，红漆都磨得没了面目，但却很有弹性，脚踩上去，软绵绵、颤巍巍的，心好像都能随之荡漾起来。自从老大做出"这地板，踩在上面就他娘的像蹬着大姑娘的屁股一样"的权威发布后，这破旧的地板立刻在我们心里产生了另类效应，连它的吱吱呀呀响，都让人觉得既刺激又撩情。

蹬着大姑娘的屁股什么感觉我们那时都不知道，别说用脚蹬，手都没摸过。但语言是有张力的，何况我们都是学文学的，又都是正骚动着的年龄。每天下课后，大家争先恐后地抢乒乓球拍，灵巧地在饭碗、脸盆、暖壶、拖把和围观起哄者之间卖弄般摇曳着身姿，用汗水拌着笑语，拌着对这软绵绵地板的尽情踩蹦，无所顾忌地宣泄着旺盛的荷尔蒙。

不过，第一个寒假过后，我们就蹭不到"大姑娘那坚实的屁股"了。木地板在寒假期间被拆掉了，据说木材被运到南方支援国家建设去了。只要是国家需要，我们都坚决拥护和赞成，虽然想不明白国家要那么多破旧的、被我们汗水多次浸过的木地板有啥用，再说南方好像也不太缺木材。

新铺的水泥地也照猫画虎地刷了红色的油漆，但毕竟以假乱不了真，何况又假得那么离谱。水泥地刷了再艳丽的红漆，还是又冷又硬，脚丫子的觉悟可没有脑袋那么高，踩在上面，没有弹性，心旌自然就难以荡漾，那令人骚情的"咯吱声"更是听不到了，打乒乓球的激情和兴致也就淡了下来。摇曳的身姿没有机会再卖弄，我们只好改打扑克、打麻将、打赌、打架、打沙袋。

上过大学的人一般都会在宿舍里"拜把子"，就像进了瓦岗寨，投了梁山泊。女缔金兰契，男结英雄榜，排座次，定规矩，这是必需的程序。不过在寝室里排座次，论的不是武功，讲的不是资历，全凭年龄。

以年龄排座次其实是蛮有科学道理的，一般乱不了套。一家人大姐二姐大哥二哥，不会等老三生出来了说你们靠边我是老大这样的荒谬事。别说老大不能干，当爹的一个耳刮子就能把他抡回娘胎去。长幼有序，天经地义，也省了当爹娘的很多事。你看历史上，皇帝要确定个接班人总时不时地引发宫廷政变，就是当爹的不靠谱，喜欢颠倒来颠倒去，摆不平。严格按年龄排就没有那么多麻烦，从来没听说过哪个寝室为了争老大打得头破血流的。

但凡事千万别说得太绝对，一般乱不了的事，在我们寝室就乱套了。一入学，我们寝室排座次就遇到了大麻烦。

不知道当时老师们是怎么分宿舍的，竟然稀里糊涂地把老大老二两个同年同月同日生的同学分到了一个屋里，这不是给大家出难题吗？

你让这英雄榜咋个结？

老大硬说他比老二早出生了小半天，这事儿可真没有什么证据。那时的户口本上也不标明出生时辰，只能由着本人说，自然就不那么让人服气，至少，不那么让老二服气。

偏偏老二是个死犟的山东人。也不知道山东对"老二"这个称谓有什么狗屁说道，我们这二哥是宁可当老三，绝不当老二。

当老三就老三嘛，把老二空缺，也没什么大不了。人家国家评奖还常会出现一等奖二等奖空缺呢，我们寝室空缺个老二算个尿事呀？大家依次往下排就是了，可我们寝室住了十二个人，排在最后的老疙瘩偏偏又是个广东人，他又不干了。

"我明明是老 Q，凭啥让我做老十三呀？人家还以为我十三点呢。这事儿，宁死不能从。"

碰上几个爱较劲的人，事儿都不好办，这把子就拜不起来了。

僵持着肯定不是办法。其他寝室都大哥二哥叫得挺欢实的了，我们寝室还都张同学李同学地称呼着，显得很生分。

老大这老大做得毕竟不那么理直气壮，而且还当上了寝室长，政教合一的大权都握在手里了，自然要显示一下自己的亲民与民主。

晚上的时候，老大坐到老二床边，拉开与老二促膝而谈的架势，还亲切地递了支烟给老二说，要不咱们都不叫"老二"，叫"不二"行不行？说一不二，"不二"不就是"一"嘛。

瞧老大当年的前瞻性和想象力。现在有本书就叫《不二》，卖得那个火爆，"不二"这个词，二十年前就被老大率先发掘出来了。

可惜老大的"天才提议"当场就被我们这些鼠目寸光的小弟给集体否决了。

有人当时就说了，老五是不是可以叫"不三不四"呀？

后来老大又提出了"副一"这个词。

老大蛮有造词的天分，应该到商务印书馆编《现代汉语词典》去，你看现在不少词典生造出的"词"，很多都没有技术含量和意境，比我们老大的水平差远了。

有"造词"天赋的老大偏偏碰上一群没情趣的猪队友，所有的天才创意也只能付之东流了。大家又为是"副一"还是"负一"争论个不休。最后还是老二自己让了步，不叫"老二"，也不叫"副一"，就叫"二当家的"，但是要享受与老大一样的待遇，叫"双核心"，这才算最终定了案。

人的命，名注定，有时候不信还真不行。

老二后来参加工作，做过副科长、副主任、副主编，就一直没有当上过一把手。老二憋了一肚子气，下海自己创业，做总经理，结果媳妇当了董事长，说起来还是个二把手。我们每次聚会，老二都抱怨说，就是当时排座次排坏了，老大的"副一"给闹的，"副"字加在头上，一辈子没转了正。

扯远了，扯远了，今天不讲老二的事，我们说的是老五。

老五还是老五，没有被冠以"不三不四"。

在排座次时老五也没有参与热烈的讨论，那时候，虎背熊腰的他还是一个很腼腆的人。

第一次开班会，班主任要求同学们都要到讲台前做个自我介绍，大家都经历过初中、高中的入学，对这一套其实还是驾轻就熟的。介绍自己，介绍自己的家乡，舌绽莲花、滔滔不绝，高考作文都能拿高分的人，说几句冠冕堂皇的应酬话还有什么作难的？班会自然就开得谈笑风生、热火朝天、意气昂扬。

偏偏轮到老五时就完犊子了。

老五上台时，倒也是走得大步流星、虎虎生风，站在讲台上，居高临下，气势磅礴，仿佛泰山压顶一般。只不过一张嘴，就蔫茄子了。老五刚说了句"我叫武修德"，就开始卡壳，两只大手拽着衣角扭捏起来，脸憋得通红，满脑门子冒汗，耗了半晌，竟语无伦次、莫名其妙地蹦出了句"晚安，再见"，没等大家反应过来，就狼狈地蹿了下来。这要是声音小一点也就含糊过去了，偏偏老五这个大闷腔，把"晚安，再见"说得还挺浑厚高昂，同学们都听得清清楚楚，一时错愕在那里，不知道该不该鼓掌了。

辅导员老师是高我们几届的师兄，比我们大不了几岁，也是个爱搞笑的人，遇到这种情况，应该紧急救场呀。他也算是救场了，表现得却不能算很厚道。

他笑眯眯地看了看窘迫的老五，看了看大家，还装模作样往窗外观望了观望，又抬起腕子来煞有介事地看了看手表，才慢吞吞地说："修德同学是四川广元人，如果不是他的老家出过中国历史上唯一的女皇帝武则天，我还以为广元地处美国呢，我看了一下，这个时候应该是西半球人道晚安的时间。"

大家哄堂大笑，这才开始鼓掌，只有老五的脸涨红得像被开水烫过的猪肝。

老五只要一紧张就会语无伦次，张着大嘴，除了说格老子，就只有"啊啊啊"。这个规律很快就被我们几个摸清了，大家开始乐此不疲地调戏他，尤其是伶牙俐齿的老四，最喜欢撩拨挑事，总把个老五气得哇哇叫，拿大拳头砰砰砰砸墙，要么就砸自己的大脑袋。

2

老五虽然长得五大三粗，却是个相当内秀的人，当年高考语文考过百分的全国都没有几个人，其中一个就是老五，要知道，那时语文满分是一百二。

那是正流行朦胧诗的时代，大家都爱读舒婷、北岛、顾城、王小妮，留着长发，颓废着、邋遢着吟诵几句谁也听不懂的朦胧诗，说几个不着四六的哲学名词，特容易招单纯的女孩子崇拜和喜欢。我们老大身高还不到一米六，就是在宿舍大楼门前翻着白眼背诵朦胧诗时收获了他的爱情。

老五也十分渴望爱情，在老大的怂恿下，也经常下了课跑到宿舍大楼的门口去背朦胧诗。老大个子小，虽然翻着白眼，但黑眼珠往上，看到的是来来往往的姑娘；老五个子高，黑眼珠往上翻，看到的是宿舍楼前白杨树上盘踞的老鸹窝。

老大收获了爱情，俘获了一个个子比他还高不少的外校女生的心。校里校外个子能比老五还高的女生还真罕见，老五忙活了一两个月，只收获了一个"神经病"的绰号。

后来宿舍管理员来找，说你们屋那个叫什么德的每天像个铁塔似的堵着宿舍大楼的门，对着破老鸹窝念念有词，不会是得了什么毛病吧？我们赶紧把老五从宿舍门口拽回来。好家伙，大家都沙漠一样期盼着爱情雨露的滋润呢，要是让人知道同屋里住了个神经病，哪个姑娘还敢跟我们交往呀？

老大用朦胧诗"朦"了个女朋友，就不再"朦胧"了，老五没有收获爱情，就一直"朦胧"着。老五整天念叨的"太阳在天空中流淌，人们在异乡死亡"，我们揣摩这灵感应该源于那个老鸹窝。

从宿舍楼门口站桩回来后老五就真的迷上了朦胧诗，不光吟诵，而且还创作。

老五迷得很疯狂。

本来老五就有些跳跃性思维，嘴笨得赶不上思考的节奏，这一爱上朦胧诗，就更加云天雾地、不着边际了，说话往往头上一句脚上一句，让人摸不着头脑。正吃着饭，突然一拍脑袋："我靠！我靠！纸呢，纸呢，灵感来了！"他那灵感来得比喝多了啤酒时的小便都频繁，比闹肚子提着裤子找厕所时的大便更急迫，灵感一来，马上稀里哗啦地拿纸拿笔，要抓紧记下来，嘴里嘟嘟囔囔，表情如醉如痴。

我们特别恐惧老五半夜里在睡梦中来灵感。

他经常一个鲤鱼打挺从床上蹦起来，把下铺正在梦中巫山云雨的老三惊个半死。老三被他这一惊一乍折腾得心脏受不了，也不再计较下铺比上铺方便的事了，非常坚决地跟老五换了位置，睡到上铺去了。

老五换到下铺后折腾我们就少多了。

晚上老五来了灵感，就拿着纸笔直奔厕所，蹲在茅坑里声情并茂尽情地咏诵自己的诗作，我们周边这几个寝室的人都知道半夜三更在男厕所里鬼哭狼嚎的人是老五，日子一久，大家也就见怪不怪、习以为常了。

闹出乱子来，是因为有个外校留宿的同学半夜上厕所，或许也了解我们这个宿舍楼过去当过监牢狱，出过屈死鬼，本来就有点心惊胆战。正提心吊胆蹲坑呢，突然被隔壁茅坑里老五撕心裂肺的一句"让我脱离这永世凄苦之海吧"，愣是惊得失了魂，被七手八脚弄到校医院，掐了半天人中才慢慢缓过来。

厕所这片由着老五尽情发挥的天地，肯定也是待不下去了，再吓傻一两个，管理员真得吃不了兜着走了。那时候宿舍管理员还都比较和蔼可亲，不像现在一个个把脸都板得跟麻将牌似的。

宿舍楼每晚要锁大门，管理员就悄悄告诉老五大门钥匙存放的地方，这样他可以早晨五点起来，替管理员开了大门，到宿舍楼对面的小树林里尽情去吟风咏月、诗情洋溢。

就是嘛！偌大的一个大学校园，还容不下诗人一副激情四溢的嗓子吗？

这话还真别说，这副激情的嗓子竟真没能容下。

老五高昂的诗情持续了还不到一个礼拜，就被树林里练气功的大爷大妈们追着打了回来，脑袋上起了好几个大血包，我们帮他揉了好几天才消下去。

练气功的大爷大妈们说得也在理。这边厢刚悠悠运气到丹田，那厢里老五一嗓子，把几个老头老太太血压一下子就惊到两百多。老人家哪受得了这个呀，虽然练气功的多数都是学校里的退休老师，也都算是文雅人，可文雅人打人打得一点都不文雅，提着太极剑，拿着大扫帚，全然顾不得体面直追得老五东躲西藏、抱头鼠窜。

一个天才的诗人就这样被几个练气功的大爷大妈们活活"闷杀"在了一个小树林里。

被扼杀了诗情的老五整天怏怏不乐。

作为寝室"双核心"的老大和二当家的看在眼里，急在心里，为此还专门开了寝室大会，要开展"十一帮一"活动。大家也都踊跃响应，纷纷献计献策，有的说要教老五学抽烟，有的说要教老五学喝酒，有的自告奋勇要教老五打麻将。

还是老大高屋建瓴，他动情地说："我是饱汉子很知饿汉子的饥，我觉得我们要群策群力，想办法让老五谈场恋爱。"这话引起了大家的强烈共鸣和坚决拥护。因为除了老大，寝室里还有十一条嗷嗷叫的饿汉子。

二当家的在寝室享受与老大同等待遇，自然也要出点主意，以显示他的"核心"地位，他想出的办法是让老五搞搞"收藏"，转移一下注意力，后来验证，这确实是个"馊"透了的主意。

二当家的一向是我们寝室的能耐人，想法活，点子多。

他说吃大蒜能杀死细菌预防感冒，鼓动大家集资买大蒜。瞧瞧，我们二当家的在计划经济还未退场、市场经济刚刚起步的时代就尝试了"众筹"模式，不光意识超前，而且手段极为隐蔽，自然大获成功。我们这帮半大小子们刚离开爹娘跑到冰天雪地的东北，很自觉地上了当，大家踊跃集资，有钱的出钱，没钱的出饭票，买了长长一大辫蒜，足有一百多头。

买好了大蒜，二当家的又及时给大家洗脑，不留痕迹地出台了吃蒜的方法和流程。他说，早晨起来，细菌比较活跃，比较适合吃大蒜；等午饭、晚饭时，细菌已经在休息了，吃了也不起作用。

大蒜就锁在二当家的皮箱里，每天吃早饭时才开箱。早晨大家习惯睡懒觉，起来吃早点的本来就少。再说一大清早，齁辣的，谁吃得下生蒜呀？只有老二这个山东人，自小吃蒜长大，就着油条豆浆，吧唧吧唧一顿饭干掉两头蒜，让人看着特来气。

不过他这套大蒜防感冒的理论很快就被打了脸，长春一下雪，差不多一个人干掉了整整一辫大蒜的老二先被冻得鼻鼻齇齇地卧床了。

老二说他的收藏理论源于"心无旁骛似明镜，无风何处起涟漪"，说人一定要心有旁骛，才能从被伤害的事情中挣脱出来，多干点闲扯淡的勾当，就对伤害自己的事不再那么刻骨铭心了。老二这么说，也确实是这么做的。

我们不知道老二被什么伤害过，反正闲扯淡的勾当他确实做了不少。每次到饭馆吃饭，老二一定会偷偷藏兜里一个喝白酒的小酒杯，有时候我们不喝酒，他也会到邻桌蹚摸一个揣兜里。后来老九考试挂科了，心情沮丧了好一阵子，也被老二教导到蹚摸的队伍里来，出去吃饭就开始藏筷子，两人还经常端着洗脸盆到处炫耀他们的战利品。

被老二拉进"收藏"队伍的老五起步有点高，直接从盛菜的大盘子入手，倒也得手过好几回，很得意地拿筷子敲着他"顺"来的大盘子对着我们唱莲花落。直到有一次跟老二一起被人家揍得鼻青脸肿地逃回宿舍。

老大看他们被人揍得那熊样，就埋怨二当家的。

老二也觉得很委屈，说："不怕神一样的对手，就怕猪一样的队友。你问问老五，哪有他这样的？跟明抢似的，也不拘什么场合。我们去饭馆吃饭，一共就点了一个菜，刚吃完他就把盛菜的大盘子揣怀里了，两个大老爷们，就那么眼巴巴对着个空桌子吃饭呀？再说了，你偷东西藏裤裆里呀，谁还去摸你裤裆呀，他非要扣到肚子上，你又没怀孕，那鼓鼓囊囊的谁还看不出来？"被揍得脑袋大了一圈的老五也觉得自己确实不是偷鸡摸狗的料，也就草草收了手。

老九攒了一把又一把的筷子，整天哗啦来哗啦去，后来也觉得没意思了，也就金盆洗手改打麻将去了。

只有坚韧不拔的老二，四年大学如一日，孜孜不倦、乐此不疲，毕业时从床底下搬出满满两洗脸盆五花八门、各种式样的小酒杯，我们一个个从窗户里往下扔，砸在地上，摔得粉碎。

按照当初的安排，由二当家的负责教老五喝白酒。

一酒解千愁。老二总说愁，所以，老二总喝酒。

二当家的做事虽然不咋靠谱，倒是一个负责任的好老师。

那天，他拿出了两只偷来的小酒杯，还准备了两头大蒜和半袋花生米，咬咬牙把自己藏在皮箱里的大半瓶五十六度通惠大曲也取出来了，跷着二郎腿等老五。老五上完晚自习一进屋，老二就殷勤地说："来吧，老五，哥哥今天教你怎样品酒。"

老五说了句"好"，就放下书包，抄把椅子坐在老二对面。

通惠大曲在当时算是好酒，老二很得意地把酒瓶子递给老五，让他闻一闻，先感受一下酒的香气。老五会错了意，以为让他喝，就拿着酒瓶子，像土匪山大王一样一仰脖咕咚咕咚往肚里灌，等老二反应过来扳着酒瓶子哀求"给我留点、给我留点"的时候，瓶子差不多已经见底了。

这可是大半瓶高度白酒呀。

老二心疼着他的白酒，我们则恶毒地期盼着老五"推金山倒玉柱"哐当摔倒的那一刻。结果呢，人家又是刷牙又是洗脚，还跟着老大弹了半天吉他，竟跟没事人一样。

大家领教了老五的酒量，就再也没人带他去喝酒了。酒量大，成本自然高。老五也终于知道了自己竟然身怀异禀，出去吃饭就也不再扭捏地说自己不会喝酒了，而是拍着桌子，直接叫嚣着换大碗、换大碗。

老大自告奋勇教老五学抽烟，进展其实也不顺利。

老五拿烟就像捏筷子，咋看都不像个老爷们，好不容易调教规范了，他动作幅度又太大，一扬手就把老四的床帘烧了个洞。还有一次学着老大玩潇洒，烟头像抛物线一样扔出去，差点儿落到来串门的大嫂新烫的头发上。老大虽然也很爱兄弟，但毕竟这是个爱情价更高的时代，一怒之下就把老五逐出了门墙，不教了。

被老大逐出门墙的老五与我们一样，也一度热切地渴盼着爱情的春天。

我们这些情窦朦胧的小伙子，对爱情充满了好奇和憧憬。可

"春姑娘"只在我们寝室曼妙地拧了个腰就匆匆离开了，腰只拧给了个子最小的老大。

虽然老大在我们面前总是一副虎虎雄风、颐指气使的模样，见了女朋友立即变成了温顺的小绵羊，前倨后恭，满眼柔情，我们嘴上嘲笑着老大像只哈巴狗，可行为举止间不自觉地模仿着老大摇尾乞怜的媚态，心里跃跃欲试地期盼着有一天也被哪个姑娘来豢养。

老大因为有了女朋友，号称过来人，自然在我们这帮青涩的生瓜蛋子面前高高在上、趾高气扬，虽然他在女朋友面前温顺的作态让我们有所鄙夷，但为了让春风也能缭绕到自己，我们都放下清高，争先恐后去做老大的门下走狗。

老大说，他女朋友准备把她们寝室的女孩们给我们拉郎配，她们寝室只有六个人，我们可是十二只饥渴的狼。

有欲望就有竞争，老大深谙此道，每天都要把拉郎配的事情说一遍，无耻地吊着我们的胃口。当无法通过武力赢得竞争的时候，献媚就成了最有效的手段。我们每个人都鲜廉寡耻地巴结着老大，尤其是老五，硕大的个子哈着腰跟在矮小的老大屁股后边，像马戏团里被猴子牵着遛圈的大狗熊。

不过，由于竞相献媚，我们发现了老五藏着的一项独门绝技，那就是煮方便面。

那时候上大学，学费还很低，国家也还定量给饭票，每人每月三十斤，二十五斤细粮五斤粗粮，这个量对于我们还马马虎虎，对于老五这样人高马大的汉子来说就肯定不够吃了。刚上学时，与女同学还都不很熟，老五面子又薄，不好意思去讨要。再说，人家女同学还要拿饭票换牙膏换袜子呢。

到了月底，老五就经常挨饿，晚上饿得实在睡不着，就去厕所里背诗词，后来厕所里待不下去了，老五就使劲喝开水，一茶缸一茶缸子往肚子里灌。实在扛不住了，也会跟我们一样去买包方便面。我们那时都是直接用热水泡方便面，只有老五用电炉子慢慢煮。

一开始我们也没有人去抢他的，知道他要不是饿得肚子抽筋造反，是绝对舍不得花这四毛八分钱的。

可是老五欠儿呀，要献媚呀，非要去巴结老大，让老大尝尝他煮的方便面。老大一尝，眼睛瞬间就乐开了花。老大尝过了，老二自然要尝。老二要尝不是因为饿，而是要显示他这个二当家的与老大平起平坐的待遇。老二是个嘴巴不把门的人，吃了一口，立即赞叹，太他妈好吃了，还要再吃时，老三已经上来了。

老三与老五换过床铺，自诩是有恩于老五的，上来就是一筷子，等到大家都尝过，老五碗里就只剩下面汤儿了。

后来只要老五煮方便面，大家就都拿着筷子等，老五不好意思不让哪个尝，只好动用四川人最凶猛的防御手段，使劲往方便面里加辣椒粉，一包方便面已经加到半碗辣椒粉了，老五还是只能喝点儿剩汤，倒是把我们这些人吃辣的本领一个个都训练出来了。

3

老大尽情地享用着寝室弟兄们的"巴结"，喝着老二的小酒，吃着老五的方便面，颐指气使了好一段时间，眼见大家要失去耐心了，才郑重其事发布重大"利好"消息，说与女朋友约好了，与她们以建立"友好"寝室之名，下周末领大家去她们寝室做客。

"同去，同去，"老大豪迈地挥着手，"我们兄弟，一个都不能少。"

期盼这一天已经好久，盼得都有些疲惫了，但听到老大一发布消息，大家依然很激动，虽然没有热泪盈眶，但还是毫不吝惜地用伟大的、光荣的、正确的、战无不胜的、"指路明灯""情海航行靠舵手""大哥滋润兄弟壮"等肉麻词语歌颂老大。

老大觉得很受用，以过来人和成功者的角色挑剔和指导着我们。

"老三，你穿这件衣服容易吸引女孩子目光。"

"老四，那天要穿你那双黑皮鞋，多打油，擦得亮点。"

大家群情高昂、摩拳擦掌，似乎那些未曾谋面的女孩子马上就要被领回来做我们的新娘，连从来不洗衣服的老八都到处去借洗衣粉了。

临去"相亲"的头一天下午，老四和老五不仅理了发，而且还都是平生第一次用上了吹风机。

吹完头发回来的路上，老五扭扭捏捏想借老四那条白色的围巾。那条围巾老五围过一回，大家都说像电视剧《上海滩》里的许文强，老四其实第二天是准备围那条围巾的，那会显得很有"民国知识分子范儿"，为此还专门向老九借了黑毛衣。

但那时候大家都很好面子，虽然心里不情愿还是要表现得大义凛然、先人后己，老五张了口，老四支支吾吾不想借，却又找不出个理由来拒绝，脑子在盘算，脚步就不自觉慢了下来，落在老五后面了。

老八当时正搬着凳子去取晾在楼道里的衣服。

老八绝少洗衣服，而且从来不洗袜子。他检验袜子是否脏了的标准就是站在两米外把穿了几个月的袜子往墙上甩，粘到墙上不掉下来，说明袜子该扔了，如果掉下来，他会抖搂抖搂接着穿。因为不常洗衣服，老八不知道取衣服要去借晾衣杆，也不知道他当初是咋挂上去的。

老八踩着凳子取衣服，还缺一截够不着，正准备跳起来往上蹿，一扭头看见老五回来了，就连忙喊道："五哥，五哥，快来帮个忙。"

帮忙的事情老五倒是经常干，尤其是挂衣服取衣服，充分发挥着个子高的优势。老五一边笑话老八胳膊短，一边抬脚就往凳子上踩。可能是用的力气有点猛，一起身凳子就哗啦滑出去了，"咣当"一声，把老五摔出去好几米。

老四正走在后面，那句"还没当上毛脚女婿呢"的讥讽话刚脱口就看见老五满脸全是血了，一块大玻璃碴子在老五腮帮子上扎着呢，登时把老四和老八吓得嗷嗷乱叫。

"快来人！"老四和老八一边喊叫着，一边去扶老五，寝室其他同学听见动静都出来看，一看老五满脸都在流血，大家不敢怠慢，架着老五就往学校医院跑。

老五脸上扎扎实实缝了六针，脑袋包得像个大粽子，刚吹的头发也被裹在了纱布里，心情沮丧到了极点。晚上大家都坐在宿舍里，陪着他。虽然老大说，一个兄弟都不能少，可谁都知道，老五这个熊样子还咋去"相亲"？

鲁迅在《一件小事》里写榨出"我"内心的那个"小"来，老四说他当时真是"心有戚戚焉"，觉得如果不是自己在心里盘算着小九九，可能就走在老五身边，说不定就会顺手扶他一下，也就没有后边这些事了。老四良心发现，就主动说："老五，明天我就不去了，我在宿舍陪你。"

老八觉得这事因他而起，看老五那个难受样，也仗义地说："五哥，是做兄弟的对不住你，因为我把你弄成这样，明天我也在宿舍陪你。"老五的嘴一半被胶布糊着，说话嘟嘟囔囔，那意思是谁也用不着。

脸色一直凝重的老二突然说："老五，明天我也在家陪你，你伤口拆线前所有的饭我都包了。"大家很纳闷，铁公鸡一样的二当家咋突然这么大方了？而且老二为了明天的相亲会，还专门跑到桂林路批发市场买了件呢子外套呢。

在大家的一再追问下，老二才带着哭腔懊恼地说："他妈的，扎了老五的那块玻璃碴子是我扔的呀。"

原来，老二下午回宿舍时屋里没人，掏钥匙开门时不小心把手里的酒瓶子掉地上了，他粗枝大叶地把碎玻璃清扫了一下倒掉了，没想到还是有块玻璃碴子漏了网，也是巧了，就是这块碎玻璃硬生生杵上了老五的腮帮子。

4

雄心勃勃的相亲大军战果并不辉煌，不仅没能"攻城拔寨"，没过多久，连"大嫂"都改旗易帜了，可以说是一败涂地。

反倒是老二信守了诺言，每天坚持给老五打饭，把老五照顾得像大熊猫一样。我们也都把老五当"国宝"对待，时不时买个水果罐头，买个八宝粥。老五代替老大，当了七八天颐指气使的"大爷"，当得顺溜了，拆线好几天了还用纱布包着嘴装病号，直到被我们瞧出破绽，猛捶了一顿才了事。

虽然相亲活动很失败，但建立"友好寝室"这个冠冕堂皇的理由却被坚定地继承和发扬了下来。

被踹了的老大并没有因此而气馁，在"哪里倒下就在哪里爬起来"的英雄精神感召下，坚毅地率领我们寝室的兄弟们像十二条黄鼠狼一样到处挖洞，找女老乡，找女同学，找各种关系与女生寝室联络，以"友好"之名行"叵测"之意。

那时候，一周才休息一天，每个周末，我们都脚步匆匆、兴趣盎然地行进在拜会友好寝室的征程中，不仅外系，连周边的学校，甚至两百公里外的四平师范学院我们都去"友好"过，握了无数柔软的小手，留了一连串的芳名地址，激动得老八高喊着"我内心的航程已经扬帆了"，为了写情书，竟然一次买了一百张邮票。

大家的春天果然悄悄来临了。

老三老四老六老九老Q都已经在自己爱情的旋涡里徜徉了，老八老十也有了钟情的对象，每晚奋笔疾书，用热烈的、肉麻的语言对自己的初恋展开急风暴雨般的攻势。老大业已梅开二度，领着一个还是高出自己半头的女孩逼着我们叫大嫂。只有老五，连个花骨朵也没结，连个芽苗儿也没有发。

老五心里急呀，我们心里为他急呀！

为了让老五在女孩子们面前有展现才艺的机会，我们给他脑袋上绑上红布条，教他跳霹雳舞。

老五的霹雳舞跳得真不错，骨节一段一段舒展开，惊涛骇浪一般，好像都能听到骨头间传递的咔吧声响。现在有个电视剧叫《乡村爱情》，有个演员总歪着嘴，脸一抽一抽地，竟然红遍大中华，这雕虫小技都是二十多年前老五玩剩下的。

只是老五时运不济，那个时候脸部一抽一抽不是特点而是毛病，老大很敏锐地指出来，说表演身体过电，你嘴角老抽干什么，老五觉得表演要真实呀，身体过电了，脸又不是绝缘体，也得过电才行呀，这不就是文学课上讲的自然主义嘛。

追求真实自然主义的老五最终没有得到太多表演霹雳舞的机会。因为女生宿舍很少有那么大场地让一个身高一米九的大汉上蹿下跳地"霹雳"，女同学都对自己的暖壶呀镜子呀比较在乎，老五在一个女生寝室蹦碎了两只暖水瓶后就再也没有"霹雳"过，绑脑袋的那根红布条拴在我们寝室门后的镜子上，一直到毕业还在那里飘荡。

老五虽然个子大，但身体柔韧性特别好，为了让他与女同学能亲密地接触，我们冒着被他的大脚丫子踩骨折的风险教他跳交谊舞，寝室跳舞好的几个兄弟脚面子都肿过，不无夸张地一瘸一拐去上课。老五的交谊舞跳得确实不错，既能跳男步，也能跳女步，这倒也不是我们教得有多好，是寝室的那个破拖把有耐心，老五搂着它练舞步，整整练了半学期。

5

虽然老五与我们一样也饥渴地盼望着自己的春天，周末也与我们一起行进在"拈花惹草"的路途中，但老五在学习上从来没有松懈过，老五一直是勤奋上进的好学生，从小学到中学到大学，一直都是。

好学生老五上课非常认真，基本不缺课，不像我们，天一冷就懒得起床，说一声"老五帮忙点个卯"就继续睡下去。老五每次都尽职尽责地帮答"到"，遇上较真的老师还要捏着鼻子变换个声音。老师们都喜欢老五，有时候也会开他的玩笑。

有一次教文论的老师点完名，头都没抬，说道："武修德，这次替八个人答的'到'吧？"

"没有呀，都在呢，都在呢。"老五装出一脸无辜的样子。

"都在？都在哪里？你指给我看看，别以为捏着鼻子我就听不出你那大闷腔？"老师当场就戳穿了老五的鬼把戏。

老五已经不是以前那个一紧张就"我……我……我"的老五了，老五也开老师的玩笑，说："那也是七个呀，至少还有一个是货真价实的吧。"引得大家哈哈大笑。

老五不光负责答"到"，还负责帮我们做作业，有的老师喜欢在课堂上临时考个试，不来的就没办法答题，老五答应帮忙就会帮到底，答上好几份卷子，写上别人的名字交上去，有一次竟然忘了自己，亏得老师还算厚道，说：

"舍己为人固然可嘉，但合伙瞒骗老师就算不上仗义了。"

"不仗义"的老五还有一手拿手绝活，那就是记笔记。

老五能边听课边把笔记整理得条理清晰、层次分明，而且整整齐齐、井然有序。下了课，无论男生女生都喜欢抢老五的笔记来抄，只要把老五的笔记浏览两遍，考试基本能过关。连一向目空一切、睥睨全班的"公主"，看到老五的笔记都点评了句：

"是够详细的，连老师咳嗽、打喷嚏都照单全收了。"

别觉得这话不中听，这样的话能从"公主"嘴里说出来那就是表扬了。公主是谁呀？那可是真正的学霸。

现在动不动就用"学霸"这个词，以为学习好就是学霸，这充其量只是理解了这个词义的一半，光学习好，没有点目空一切的霸气，怎敢妄称"学霸"呢？

要说公主，也是一副楚楚可人的美人坯子，个子虽不很高，却也眉清目秀、文文静静，笑起来也会绰约多姿、仪态万千，但公主笑的时候少呀。我们平时所见都是公主乜斜着眼睛，目使颐令、傲睨自若、居高临下、咄咄逼人。公主的简傲绝俗、孤芳自赏是根植在骨子里的，绝不是现在演艺圈子里那种故作深沉、拿腔作态。

第一次同学见面会时，公主就把我们全镇趴在那里了，让我们知道了什么是底气，什么是差距。

公主介绍自己叫苏禹，字画州，名字取自《左传》的"茫茫禹迹，画为九州"。看看，不光名字讲究，通着典故，人家还有自己的字，这让我们这些武修德、孙继祖、张根宝之辈情何以堪呀？

苏禹说自己平时只爱看书："浮生哪得长无事，愿读平生未读书。"

她的理想就是成为陈寅恪、钱锺书那样学贯中西、博古通今的大学者。那个时候钱锺书刚热起来，大家还略微知道这个博闻强记的"学界大神"，陈寅恪的名字我们当时连听都没听说过。

老五当时在同学面前说话都紧张得语无伦次，又道"再见"又说"晚安"的，可人家公主不仅气定神闲地谈了自己的理想，而且毫不客气地说："有缘，我们成为同学；不幸，你们与我同班。你们为争夺亚军而努力吧。"温文尔雅的小姑娘说出这样一段不知天高地厚、霸气十足的话，让我们这些号称"天之骄子"的重点大学的新生们个个愤愤不平。

"幼稚、任性、狂妄"，见多识广的老大还没评论完，就被她的高中同学拉着做了注脚："她可真没吹牛，以她的平时成绩，考北大清华玩儿一样，我们可是全国重点中学，全年级连续三年的第一名，那可不是盖的，人家父母是省里的大领导，舍不得让她远行，才保送到咱们学校呢。否则，想跟人家做同学都没机会，以后就等着被'碾压'吧。"

老大到底不是爱冲动的老二，也就乜斜了眼睛，阴阳怪气地说："哟，省里的大领导，这敢情还是位公主呢！"

那位同学知道老大话里有话，也就笑笑，说："等着瞧吧。"

老大的评价也有几分道理，后来我们也知道了，公主确实"幼稚""任性"，跟不食人间烟火似的，据说连东西都不会买，每天除了读书还是读书，典型的书呆子。也许就因为这原因吧，父母才舍不得她到外地。其实苏禹的父亲就是省里的一个厅长，按说也不是多大的官儿，但在省城里，这就不得了了，出来进去的都有轿车坐，加上她又是独生女，自然被父母当作宝贝，连学校都没有住，寝室的床铺一直空着，成了同寝室的女孩们公用的地方。

我们上大学是奔着毕业证去的，老五比较贪婪，他不光想要毕业证，还惦记着一等奖学金。一等奖学金每年评一次，奖金高达三百元，但全年级只有一个，不论其他，只看成绩，总分成绩第一名的自然获得。

三百元在当时可正经是笔巨款，那时候刚毕业的大学生一个月收入还不到一百元。

老五给人家做一次家教，来回骑车要一个半小时，加上两个小时的讲课时间，还要时不时地备备课，迟到了还经常被学生家长夹枪带棒地抢白几句，就这样含辛茹苦忍辱负重，每次收费才五块钱，你想想，这三百元的奖学金对老五来说有多大的诱惑力呀。

老五的家境似乎不咋好，他连个装衣服的箱子都没有，背了床被子就来上大学了。我们从来没见过老五家里往学校汇过钱，信都写得很少。我们只知道老五上了大学没多久就开始做家教，每到休息日就四处借自行车，也不知道他在外面揽了多少活儿。

苏禹上大学是为了圆她的学者梦，既不在乎奖学金，也不在乎毕业证，但苏禹在乎第一名，在乎她在学习上不可撼动的地位。苏禹在入学时的同学见面会上把话满满地说出去了，"公主"怎么能食言呢？何况苏禹不仅自信，而且任性，很任性。

傲慢而任性的公主怎么也没有想到她在大学第一年真就栽了个跟头。

学年末所有成绩出来，一统计，公主总分竟然只得了第二名。

虽然所有人包括各科老师都承认，公主绝对是我们班以至我们整个系读书最多、学问最好的学生，可偏偏分数就摆在那里，得了第一名的，竟是那个每天只会兢兢业业上课抄笔记、公主根本就不屑一顾的武修德。

这真是奇耻大辱。

得知自己成绩排在了武修德后面，公主愣了半天都没缓过劲来，脸蛋儿涨得通红，高耸的胸脯起伏了半天，竟猛然冲到老五面前，吓得老五慌忙站起来，一不小心还把铅笔盒划拉到地上，钢笔、铅笔散乱一地。

公主怒气冲冲冲过来，我们都等着看好戏，公主用练过钢琴的手指头指着老五都要流出汗的鼻子尖，指了好一会儿，才一字一句地说："武修德，好样的，咱俩这就算下战书了，看下学年我怎样让你折戟沉沙。"说罢，脚一跺，屁股一扭，扬长而去。

这应该是同学一年来，公主与老五说的第一句话。

愣在那里的老五不知所措，扭捏得很，想解释又不知道说什么好，连笔盒都忘了去捡。

这时候，老大竟然带头鼓起了掌。这掌当然要鼓，因为我们知道老五在学习上是多么刻苦，付出了多少辛苦。而且，虽然我们都很佩服公主的渊博，但也愤懑她的自信和傲慢。第一学年，让老五抢了第一，大家都觉得很解气，舒坦哪！况且老五的人缘一贯不错，谦虚平和憨厚实在。老大一起头，同学们也都哗哗地为老五鼓起掌来。掌声响起，老五更加不知所措，紧张的毛病又犯了，呆站在那里，大张着嘴，支吾半天，竟然又闷头闷脑地冒出来一句："对不起。"

6

公主果然言出必果，雷厉风行，斩钉截铁。

新学年伊始，公主就拉开了要与老五一决雌雄的架势，上课再也不看其他书了，不光认真听老师讲课，而且还开始做笔记。老师们也乐意看到比着劲儿学习的学生，往往由着公主在课堂上针锋相对地"虐"老五。

老五也不是一个轻易服输的人，十八九岁，正血气方刚。一开始，老五还真就应战了。虽然老五嘴上不说，我们都看得出来，老五学习比过去更加刻苦和努力了。

过去老五还偶尔在寝室里与我们逗逗闷子聊聊天，时不时跟大家一起混混学生舞会、友好寝室，现在下了课，根本见不到老五的影子了，不是在教室上自习，就是到图书馆看书，人也瘦了不少，眼圈经常黑黑的。一起吃饭时老大有时候也会提醒一两句，二当家的则阴阳怪气地说："人为财死，鸟为食亡呀。"

老五对二当家的冷嘲热讽毫不在意，都知道二当家的除了怪腔怪调扎人心外，基本上不会好好说话，老五也就权当没听见。可课堂上公主众目睽睽、肆无忌惮地"虐"老五，这让老五就有点受不了了。

只要老五在课堂上回答问题，公主总会点评一句"枉曲直凑""离弦走板"或者直接用"stupid""clumsy"，故意让老五下不来台。

有一次教古典文学的老教授讲到温庭筠，想了解一下同学们对这个花间派的鼻祖知道多少，就让同学们背几首温的诗词。

因为总被公主虐，老五上课发言已经很不积极主动了，看老师的提议一直没人响应，就站起来背了几首，刚坐下，公主就发话了：

"这等雕虫小技，还好意思站起来炫耀？这不都是朱东润《中国历代文学作品选》里选编的吗？连中学生都会背。要了解温庭筠，如果不读《温飞卿集》《金奁集》至少也要读读《花间集》吧，《花间集》里收录了温庭筠词共六十六阕，不会不知道吧？"

一边说着，一边站起来，从"蕊黄无限当山额"开始，一口气背了几十首，背得老师和同学们都目瞪口呆，老教授都带头鼓起掌来，得意的公主坐下前依然不忘嘲讽老五几句："武同学，大学生还是要渔经猎史、博识多通，若揭日月而行千载。如果还停留在写写作业抄抄笔记阶段，即使考试得个好分数，那跟中学生有什么分别呢？"把老五臊得脸变成了大红布，脑袋恨不得垂到裤裆里。

公主虽然不怎么与同学来往，估计也听说了老五对奖学金很在意，刻苦学习的目的赤裸裸，这让把学问看得无比神圣的公主怎受得了？公主是不食人间烟火的，自然视金钱为粪土，浑身充满铜臭味的对手也就必然要被公主轻视、鄙视和蔑视了。

最终让老五灰心丧气、自甘堕落地败下阵来的导火索是一堂外语课。

老师让翻译"吃一堑长一智"，老五翻译成"Loss make us more cautious"，本也无可厚非，公主是研究过钱锺书的，自然引用了钱锺书的经典译法：A fall into the pit, a gain in your wit，据说这是钱先生的神来之笔、得意之作，连金岳霖都很佩服。

钱先生的翻译固然精彩，老五的翻译至少也没有错误，但公主评价老五的翻译太"philistine"这就有点欺负人了。"philistine"可以理解为"低级"，也可以理解为"市侩"，我们不知道公主想表达的是哪种意思，但老五已然接受不了了。

老五其实是一个自尊心极强的人。

虽然经济上困难些，对自己很苛刻，有时候一个钱恨不得掰成两半花，但老五绝不是一个小气的人。班里各项捐助活动老五就没有落后过，更从来不会占别人的小便宜，老五觉得"市侩"是对自己极大的羞辱。但老五是个涵养很好的人，自然不会与女同学发飙。老五虐不了别人，只能虐自己，他强压着怒气和委屈，恶狠狠地摆着拳头，把骨节捏得嘎巴嘎巴响，嘴唇都要咬出血来了，心里的怒火把眼睛烧得通红。

自那次被公主冠以"philistine"后，老五内心就很受伤，好几天萎靡不振，学习的劲头也没有以前足了。

一开始没有人发现，因为我们一天到晚都松懈着，谈恋爱，打扑克，实在没事干了才去教室晃晃，在老师们面前露个脸。二当家的连脸都懒得露，靠着老五的笔记也能混及格，有一次突发奇想跟我们去上课，老师还以为自己的课吸引了外系的旁听生呢，那堂课讲得格外卖力气。

二当家的是我们寝室里名副其实的大款。不光是因为他有一个早早承包了当地百货大楼的爹，他自己一上大学就开始倒腾着做生意了。

二当家的是山东定陶人。

"骨子里哗啦啦地流淌着的都是陶朱公的血。"——老二这样评价自己。

陶朱公就是范蠡，史书上倒是说他帮越王勾践完成霸业后躲到山东定陶去了。二当家说陶朱公是他远祖，我们姑且听之，不过老二确实有商人的算计和抠门，这或许确实得自他远祖的传承。

"经商就是靠占便宜呀，大生意占大便宜，我是个小生意人，当然要时不时地占点小便宜了。"老二占小便宜被大家指责时总是振振有词。老二吹牛有时候不过脑子，经常吹得自己下不来台。有天喝高兴了，竟然说自己身上还有西施的基因，被老四当即一阵臭损：

"虽然传说里范蠡与西施有一腿，但历史上有没有西施这个人都难说，就算有，我看西施退化一万年，退化到原始社会，生出来的子孙也不可能长成你这样的一副嘴脸呀。"

老五虽然已经兼了两份家教，但两份活儿合起来一个月收入也就二三十块钱，如果没有三百块钱奖学金的支撑，老五的日子就会过得很窘迫，可公主就像横亘在老五面前的一座大山，不仅难以逾越，而且在攀登的路上还总被夹枪带棒地殴虐，这让老五很气馁。

灰心的老五被老二拉着结伙做生意，本来老五的初衷是给二当家的打工，不知道怎么就被老二游说成了股东。

两人高调宣布正式成立"一五六托拉斯"。我们说，明明是个老二加老五，咋变成"一五六"了？老五当上了总经理，连忙替董事长打圆场："二加五不就是七了吗？我们有原则，童叟无

'欺'，所以名字里不能有'七'，'六'才顺呀，再说，二当家的跟老大都是一把手，说一也可以，'一五六'就是这么来的。"老五很耐心也很得意地解释。

"就两个人，还敢自称托拉斯？政治经济学咋学的，托拉斯不是大企业集团的联合体吗？在宿舍楼里卖几双袜子就成托拉斯啦？连个体户都算不上吧。"老四嘲讽道。

二当家的现在是董事长了。二当家的后来说起，他这辈子也就当过这么一回正职，还是自己任命的。

他背着手，迈着方步，派头十足地踱到老四面前，腆着肚子，打着官腔，手指着老四，学着香港人的样子，说："这位先生，讲话很不得体嘛。第一，我们不是光卖袜子、卖扑克啦……还增加了方便面、茶叶蛋，已经多种经营、多元发展啦……第二，要用发展的眼光看问题啦……我们是有宏伟蓝图和远大规划的啦……我们不仅要冲出宿舍楼，走向全校，走向全市，一直到冲出亚洲，走向世界。中国足球队做不到的，我们，一五六托拉斯一定能做到。同志们有没有信心呀？"

老五正专心用牙齿开啤酒瓶子，没有呼应，二当家的过去推了他一把，又重复了一句："同志们有没有信心呀？"

"有！"老五这才明白领导的意图，立即大声附和。喊得很卖力气，虽然声音依旧闷声闷气。

二当家的好不容易有发表演讲的机会，自然滔滔不绝，"滔"得老四已经不恋战了，拿起牙刷准备刷牙，老二还追着屁股说："这位先生，你出言不逊，已经严重伤害了敝联合托拉斯的声誉，按说应该削你一顿的。"

回头看看老五，说："削不削？"

老五立即装模作样、装腔作势地撸胳膊挽袖子，说："削！"

老四端着大牙缸子，桀骜不驯地挑衅着："来、来、来，老五和二当家的，一起，一起来削我试试？"

老五先不好意思低下头，说："哪能真削呀。"

老二则大言不惭，继续说："敝公司……"

"敝托拉斯。"老四故意纠正道。

"差不多嘛，老四，你可真欠削。不过，敝托拉斯一直尊奉顾客是上帝、是老天爷、是观音菩萨、如来佛的宗旨，绝不打骂顾客。老四，鉴于你已经是我们尊贵的顾客了，我们不削你，但你必须得买我们一件东西。"

老四当然不干，说："哪有你们这样做生意的？强买强卖。再说我啥也不缺呀，即使缺，我也不买你们的。"

二当家的那是泼皮牛二出身，软磨硬泡非逼老四买包方便面，好让托拉斯开个张，屡被拒绝，就耍起赖来，说："老四，你今天要是不买一包方便面，晚上等你睡着了我往你茶缸子里撒尿。"

"我吐痰，大浓痰。"老五一边附和一边开始干咳。

这哥俩为了开张简直无所不用其极。

老四被逼无奈，终于妥协，说："好吧，但是老五你必须帮我煮。"

"那没问题。"老五承诺得很痛快，"我们保证送货到门、服务到家。"

这些承诺，屁用没有，"货"就在老五床底下的纸箱子里，屁股都不用抬，"货"就送到家了。

托拉斯一成立，老五就更加忙了。

课，老五是不敢缺的，一是从小就没有逃课的习惯，逃一次课，会内疚好几天，再者说，老五不上课，我们抄谁的笔记去呀？

不光我们抄，女同学也要抄的呀。虽然老五在我们班没有发展到女朋友，但在女同学中的人缘却是顶好顶好的。女同学那边有些力气活，一般都是喊老五帮忙。老五古道热肠，愿意帮助人，用老五的话说："咱那把子力气不用不也攒不下嘛。"很多人知道老五吃不饱，女同学抄完老五的笔记，还回来时一般就夹几斤饭票，这让老五很感动，感动了的老五就更加认真记笔记，好供大家抄。

好在"一五六托拉斯"多是夜间活动。

每天吃完晚饭，二当家的就率领老五开始行动。在每个宿舍楼里串，挨个屋梆梆梆敲门，吆喝着"拿饭票、粮票、钞票换袜子、扑克、方便面——"，老五不好意思吆喝，就做跟班，抱着一个纸箱子，跟在老二屁股后边。

拿粮票换袜子利润是挺高，可大家又不吃袜子，没事换那么多袜子干吗？何况还有不少老八那样的男生，恨不得一双袜子穿一学期。销量大的主要是方便面和茶叶蛋，其实宿舍楼下面就有小卖部，方便面明码标价四毛八，老五他们卖五毛，只有懒得下楼的人，特别是冬天，楼外冰冷刺骨，才就情愿多花两分钱。

老二本想与楼下卖茶叶蛋的老大娘谈个批发价，可是老太太犟得很，死活不同意，说："你一次想要那么多，其他同学来了吃啥呀？大冷天的，不能让人家孩子白跑一趟不是？"嘿，别说不便宜，想多买人家还不卖呢。

老太太卖的不光是茶叶蛋，卖的也是"道"。

茶叶蛋只能当附加服务了，有人需要时，老五就下去买，五毛钱买的五毛钱卖，好在腿脚不值钱，多跑几趟也没啥。

老二要动嘴，老五要动腿，一晚上下来也蛮辛苦。一个人的时候老二都会喝杯小酒犒赏一下自己，何况现在还有了一个会煮方便面的老五，方便面又是自家的"货"。收工回来，两人一般就合着喝一瓶啤酒，煮一包方便面，日子过得倒也逍遥、惬意。

"我们才是一步迈进了共产主义呢。"俩人总喝着小酒，吃着方便面，得意地向我们炫耀。

这样的好日子维持了一个月，气焰嚣张的托拉斯就分崩离析了。

月底，两个合伙人大张旗鼓地算账分红。老二俨然地主老财一样，叼着烟，耳朵上还夹着一支笔，一只脚踩在椅子上，拿着他们平时收款的纸盒子，老五也是两只脚踩着椅子，屁股坐在椅子靠背上，还不无夸张地拿了平时吃饭用的大碗，用筷子敲打着碗底，扯着脖子喊："乡亲们哪，翻身啦，我王老五啥时候见过这么多钱哪！"我们都饶有兴趣地看着他俩耍活宝。

结果，俩人算了好几遍，不但没赚到钱，每人还赔了七八块。这生意做的，老四本来习惯地想嘲讽一句，话还没出口，就被老大制止了。老四看着两位股东瞬间都成了瘪茄子，到嘴巴边的话又硬生生地吞了回去。

赔个七八块，老二也倒没在乎，反正都变成啤酒和方便面进了肚子里，可老五不行呀，不赚钱老五就没得花。

后来，老五又被他的一个老乡撺掇着卖了几次电影票，也没赚到什么钱，倒是寝室的弟兄们跟着老五看了好几回免费的电影。

<h1 style="text-align:center">7</h1>

老五自觉不是做生意的料，穷途末路之际，只好又回归课堂乖乖当好学生去了。

老五也盘算，一等奖学金有公主这座大山横亘着，遥不可及，但二等奖学金还是很有希望的，一百二十块钱虽然一下子解决不了自己一年的生计，但毕竟也是收入，总比老赔钱强呀。

课堂还是老样子，公主依然跋扈嚣张着。老五其实也没有缺过课，每次也是与公主低头不见抬头见，只是前一段时间心思都在生意上，目光也松懈了。公主一如既往地找老五的麻烦，老五也只是退让着。老五想，一等奖学金我都不争了，你羞辱我，我也不怒了，你还能怎么样？

不再想与公主去竞争一等奖学金，老五的心态反倒平和了。放松了的老五有时候也与我们踢踢足球打打篮球。

老五篮球打得非常好，在我们心目中那就是出神入化，再加上他膀阔腰圆个子高，在篮球场上自然是虎虎生风、霸气十足。学校篮球队动员老五加入校队，三番五次来劝说，都被老五拒绝了，老五的理由很庸俗，说校队只发衣服不发钱。

老五的足球水平就很烂，简直烂到家了。虽然纸上谈兵也说得头头是道，但一到球场上就晕菜，总下意识地想用手去抓球。就他这样的烂水平，我们竟然夺得了学校"寝室杯"足球赛的冠军，老五还混了个最佳球员。

这其实应该归功于我们的教练兼队长老大。老大知人善任，果断让自称是"中国伊基塔"的二当家当了超级替补兼后勤，让在球场上见球就想用手抓的老五改做守门员。老五像座铁塔一样往球门线前一站，摆出一夫当关万夫莫开的架势，加上大家脚法一个比一个臭，能打正球门就不错了，射正了的也基本过不了老五的十指关。

就靠我们这几瓣烂蒜，竟然跌跌撞撞稀里糊涂就闯进了决赛。

二当家果然是好后勤，不仅踢球时保证我们总有汽水喝，决赛那天，还把全班同学都忽悠来了，连公主都放下书本跑来了。公主虽然学习上很傲慢，但对班级荣誉还是很看重的，对班里的事情也是热心肠。

男男女女一大群，站在场边喊加油，喊得我们荷尔蒙升高了好几度。

老大当了四年的寝室长，没当上国家足球队的主教练，真是屈了大才。刚上场踢了没几脚，老大就看出对方水平比我们高出太多，虽然我们的前锋老八一见有女同学在场边就大脑充血，神勇过度，人跑得比球都快，嗷嗷叫地往前冲。老大还是理性的，他果断地把我们全都撤回到后场打防守，死缠烂打、死皮赖脸地把对方拖进了点球大战。

一射点球，立分高下。对方守门员见球扑面而来总下意识地往后躲，不像我们老五，奋不顾身，左挡右扑，身上摔得青一块红一块，虽然场面不好看，但我们赢了球。尤其老五，竟然扑出了对方的两个点球，立了头功。

赢了球，我们都开心跑过来捶老五，老五咧着大嘴笑，欢快地炫耀着他那使不完的劲，见人就抱起来抡一圈。

那天公主来看球，穿了运动服，戴了棒球帽，打扮得活像个假小子，也跟大家一起嘻嘻哈哈去捶老五，老五抱起来才看清怀里竟然是公主，这一圈就再也抡不下去了，愣了半天，俩人都弄个大红脸。后来，我们都揶揄老五，说他是假装没看清，其实心存歹念，想趁机抱公主，老五赌咒发誓说破了天，每天像个祥林嫂，但大家都故意说不信。

纵然得了足球赛的最佳运动员，老五爱的还是篮球，依然坚持每天中午我们睡午觉时他一个人到篮球场上去练球。练得一身臭汗，回来到水房里去冲个冷水澡，顺手把汗水湿透的背心短裤洗干净，洗完后，把洗脸盆往肚子下面一扣，光着屁股溜溜达达就回寝室了。

不光老五，几乎所有喜欢运动的同学都这样做。男生宿舍嘛，女生很少来，何况还是午休时间。

老五那天洗完衣服，像往常一样，哼着小调，把洗脸盆往身前一扣，大摇大摆往寝室走，刚出水房没几步，迎头看到楼道另一头正有两个女生，说说笑笑地往这边来。老五往回退几步就是男厕所，大不济也可以退回到水房里，即使快跑几步蹿回寝室，时间应该也富余，当然也就没有了后边的故事。因为右手边正好是我们班另一个男生寝室，大家整天混在一起的，老五自称当时是灵机一动，顺身就钻了进去，脑袋留在门外，看着两个女同学走过去，还戏谑地自言自语道："想看老子的光屁股，可不是那么容易的。"

等两个女同学走远了，老五才突然意识到身后似乎有些异样。要是搁在平时，肯定会有其他同学上来拍他的屁股，或者嘲讽他几句，今天这寝室竟然鸦雀无声，死一般寂静。脑袋还在门外的老五把脸一扭过来，当时要死的心都有了。寝室里坐了半屋子男男女女，大家正目瞪口呆地看着一丝不挂拎着个洗脸盆的老五，全都像被人点了穴道一样僵住了。

关于老五大曝光的事，后来流传出了好几个版本。

老五自己说是洗脸盆在屁股后面扣着，身子一直冲外，房间里的人只是看到了他没穿衣服的后背。

当时在屋里睡觉的一个男同学说不光看到了老五的屁股，老五的前面也暴露无遗，因为看到了满屋子的女同学，老五吓得洗脸盆掉地上了，他就是被洗脸盆哐当掉地上的声音惊醒的。

另外一个男同学说，老五当时看到了一屋子女同学，下意识地把洗脸盆捂脸上了，而且从学术上找到了论据，说这就是著名的"钻头不顾腚"的"鸵鸟定律"。

当然，还有的说老五看到女同学后，生理上一下子有反应了，所以当时在屋里的公主才脱口说了句"sexy man"，如果没有生理反应，人家咋会突然冒出这个词呢？

老五真是百口难辩。

班长说，屁股肯定被看到了，因为老五进了门，一直撅着屁股往门外看，脑袋在外边，屁股肯定在屋里了。

"然后呢？"我们都急切地问。

因为班长住在那个男生寝室，当时是他召集了家在长春的同学，商量着给班里创收的事，作为目击人，班长的版本或许可信些。

"哪有什么然后？大家当时都愣了，反应过来时老五就嗷的一嗓子跑了呗，跑的时候还没有忘记拿他那个洗脸盆子兜着屁股呢。哪有什么鸵鸟、捂脸之类的。"

"那、那、那公主说没说老五 sexy man 呀？"老八好奇地问。

"说了，说了，但不是你们想的那样，老五狼狈地跑了，大家才哄堂大笑，笑了半天，都很尴尬，尤其女同学，面红耳赤地，不知道说什么好，公主开了句玩笑，说老五用别具一格的形式向大家展示了他是个 sexy man。我觉得光冲这一点，公主就是个宽宏的厚道人。"

8

我们寝室的这帮坏小子们时不时就拿裸体的事儿来敲诈老五，乐此不疲地拿老五开涮，会画几笔的老 Q 甚至专门创作了一幅《老五走光图》，把老五画得像个露阴狂。我们厚颜无耻、肆无忌惮地剥削老五帮我们煮方便面，威胁说胆敢不从，就让老五"广布四海，流芳百世"。老五自然知道这帮坏蛋们无非敲诈勒索他的劳动，还能真让他广布四海？

你别说，广布四海的机会还真就来了。

班长动员家在长春的同学帮着联系勤工俭学的机会，给班里创收攒班费。我们帮杂志社抄过信封，帮图书馆做过卡片，还帮一个副食商场搬运过不计其数的大白菜。这次，家在长影的同学给揽了个大活儿：拍电影。全班去给长春电影制片厂正拍摄的电影《别了，李香兰》当群众演员。

在那个传媒匮乏的年代，拍电影是多么高大上的事呀，何况又能赚钱还能露脸。激动人心呀，让人兴奋呀。说不定再碰上哪个大明星，说不定再被哪个导演一不小心给看上，那人生岂不是就此大翻盘呀？周润发、史泰龙不都是这样成名的吗？大家越说越兴奋，躺在床上激动得睡不着觉，默默在心里设计着明天拍摄时用什么样的表情、摆什么样的 pose。

拍电影是个新奇好玩的事，又是班里的集体活动，连班里最懒散的几个同学都破天荒地没有迟到，大家早早地到了片场，东瞅瞅西看看，觉得一切都很新鲜。

公主也早到了，坐在一块大石头上安安静静地看书，任凭寒风把长发吹起，撩绕着俏丽的脸。看见我们大部队走过来，举着书本，微笑着与大家打招呼。等我们走近时，突然淘气地把刚才坐着的那块大石头举了起来，追着大家吓唬人，俨然力拔山兮气盖世的壮士，原来那石头是用泡沫做的。

片场一片乱糟糟，可能刚拍过战争戏，地上坑坑洼洼，像被大炮轰过一样，被火烧过的树杈上还挂着焦煳的皮鞋、腰带，到处横七竖八地扔着废弃的车轱辘、钢盔、枪炮零件。还有一堆锅碗瓢盆、破烂衣服堆在一起，脏兮兮的，像被叫花子舍弃的。

我们的角色就是扮演在炮火中拖家带口扶老携幼四处逃难的百姓，那堆叫花子都不穿的比老八半年不洗的臭袜子味道还大的破衣服就是我们的行头，还有那些锅碗瓢盆，就是我们的道具。

一个头戴鸭舌帽、耳朵上夹着铅笔、身上背着一个电喇叭的中年男人给我们分配着角色，其实哪有什么角色可分，只是根据男女随意地分配着衣服，搭配着道具，这电影拍得也太随意了。

一个女同学分到了一套不知道是老农民还是老猎人的翻毛大皮袄，跺着脚道："我是女生呀，女的。"夹铅笔的男人直起腰，见怪不怪地说："嚷嚷什么呀？女的……女的……"边说着边在衣服堆里扒拉出个棉帽子，递给女同学，"好啦，戴上这个帽子你就是男的啦。"

公主分到的倒是女装。她拿着一套棉絮在空中飞舞的红花布棉袄裤、一条绿不拉叽的头巾，还有一双大大的乌拉靴子，皱着鼻子试探地闻了闻，立即被熏得皱起眉头，怎么也下不了决心把这些脏衣服往自己雪白的衬衣和崭新的蓝色背带裤上套。

老五早早换上了他分到的也是到处露着棉花的破棉袄破棉裤和一顶带护耳的破帽子。只是他个子大，棉袄棉裤都露着半截手脖子、脚脖子。他就把裸露在外边的地方抓了把灰黑的泥土抹了抹，又抓了一把抹在脸上，算是给自己化了化妆，然后挑着一副前后都有箩筐的担子，在同学中间晃晃荡荡，穿来穿去。

我们换衣服的时候，来了几个工作人员，把我们踢得乱七八糟的车轱辘、烂箩筐都摆了摆，又在几个泥坑里倒了些沥青之类黑乎乎的东西，拿火一点着，立即浓烟滚滚，臭气就更加浓烈了。

我们饰演的是一群在枪林弹雨中逃难的老百姓，枪一响，我们就跑，摄影机在我们背后追着拍。

大家都穿着差不多的破棉袄，从后面看，连男女都分辨不出来，更别提露脸了，拍一回电影只露个后脑勺，大家心里自然有所不甘。我们可都是大学生，一个个冰雪聪明，还能没有点小计谋？所以，一开拍，我们全都扭着脸跑，有的甚至倒着跑，摄像机在后面，肯定能拍到脸，但逃难的人怎么能扭着脸倒着跑呢？急得耳朵夹铅笔的中年男人一遍遍拿电喇叭喊："扭过脸去，扭过脸去！"

老五个子大，又有箩筐做道具，光看后脑勺都能认出他来，所以老五比较听话，挑着担子，一直大步流星往前冲。摄像机好不容易逮着一个听话的，几次都追着老五拍。公主本来也是闷头往前跑的，感觉摄像机快到身后了，公主猛然往回扭过了脸，还顺势撩了一把飘在脸上的头发。这一回头不要紧，她身后就是冒着火的大坑，公主背着身跑，自然没看见，被地上的树枝绊了一脚，一个趔趄，眼见着就要栽进火坑里。

我们很多人还都在扭着脸往后看，只有老五正往前冲，一看到公主打了趔趄，老五嗷的一声，连人带扁担带箩筐就蹿出去了。

纵是老五扑得急，箩筐还垫了一下，公主的头巾还是沾上了火苗子，头发都焦了一大绺，老五一个猛扑，一把就扯去公主头上已经着了火的头巾，顺势就把公主的脑袋按在了怀里，就地打了两个滚，又用帽子噼里啪啦一阵摔打，才把公主身上的火苗扑腾灭了。我们连忙跑过来，把他俩拉起来，公主身上还好，老五屁股上后背上都沾了不少滚热的沥青，正刺刺冒着黑烟。

"悬吧，悬吧，扭脸，扭脸，不看路，多危险哪。要不是这位大个子同学奋不顾身，你这条小命说不定就搭进去了，至少也是个毁容！"一看出了状况，工作人员和摄影师都围过来，耳朵夹铅笔的男人跑得笔都丢了，一看到公主就声嘶力竭地吓唬。

公主长这么大说不定都没有挨过训，竟被骂得面红耳赤、眼泪汪汪，连一句反驳的话也没敢说。倒是老五说了句："没事就好，没事就好。"说罢，胡噜胡噜屁股上的沥青，一瘸一拐地去捡他的那副担子和箩筐了。

因为有了这一档子事，大家也都老实了，后面拍得就顺利多了。

电影放映后，我们一遍遍看，根据轮廓和后脑勺，也都找到了自己，尤其是老五，除了担子外，那破棉裤屁股上还露了几个洞，都是沥青烧的。老五打趣说："拍了回电影，没露成脸，却露了个腚。我这也算是出过镜了吧。"

9

公主什么时候喜欢上了老五，这问题一直让我们很困惑。因为到了大学三年级期末，我们尚不知老五已经与公主谈上了恋爱。

二年级的一等奖学金由公主理直气壮毫无悬念地获得了。但三年级时，公主依然在课堂上有意无意地冷嘲热讽着老五，老五也时不时垂头丧气地哀怨着，这其实就有些不合情理了。可惜，那时候我们都没有意识到，这是俩人在做戏给大家看，玩的是障眼法，拍了次只露个后脑勺的电影还训练出了两个好演员来。

老八认为应该是拍电影后两人偷偷好上的，老五的奋不顾身，可能让公主芳心暗许。二当家的却坚信公主爱的火苗应该点燃于足球赛，他煞有介事地分析说："什么女孩能经得起我们老五那粗鲁又忘情的一抱呀？再加上没多久又卖弄了一回他那 sexy 的屁股，从这个意义上说，这个媒人还是我呢，足球赛是我把公主拉来的。"每当讨论到这里的时候，老大都抽着烟，不说话，一副老谋深算的样子。也是，谁能比得了老大呀，大学四年级时，老大已经换到了第四任女朋友了。

当然，我们也多次使用旁敲侧击、循序渐进、单刀直入、猝不及防、急不暇择等手法拷问过老五，老五向来诚实，不会说谎，但只要一提到与公主有关的事，老五就装傻了，只憨憨地笑，一句话不说，守口如瓶。这事儿自然没人敢去问公主，知道去了也会碰钉子。

到了四年级下学期，公主已经时不时地公开来寝室找老五了。有次二当家的看公主情绪很高，与我们有说有笑，就突如其来插问了一句："我说公主呀，要从寝室里论起来，我是老二也是你二哥呢，当哥的有必要问一句，你是啥时候喜欢上我们老五的呀？"

二当家的也不容易，为了解开心里的谜团，连老二都自称上了。我们立即支棱起了耳朵，本来有说有笑的公主突然愣了一下，翻了翻白眼，然后笑眯眯地走到老二耳朵边，轻轻说了一句，说完就扯了老五的手，溜溜达达地出去玩了。临出屋门前，还不忘扭过头来，笑嘻嘻地揶揄道："我要真是公主，放在大清朝，你这大不敬就该被掌嘴喽。"

看公主走远，我们立即凑过来："刚才咋说的？咋说的？"

老二揉了揉被羞臊的脸，把屁股从椅子挪到了桌子上，盘起一条腿，慢条斯理地说："成功者都是要懂得不耻下问的，虽路径曲折，但不问怎么能得到第一手的信息呢？所以嘛……"

"所以个屁，"老八看二当家的在那里矫情，"公主说的是，关你屁事呀，我就站你旁边了，听得清清楚楚，一字不差。"大家哈哈大笑。

无论怎样猜测，我们都很清楚，肯定是公主向老五示了好，他们才往一起走的，否则，给老五八个胆子，他也不敢去攀折这枝带刺的雪莲花。

不过，老五与公主谈恋爱这个大新闻当初是老八爆出来的。

老八当时与四平师院的一位姑娘正打得火热。那姑娘深度近视，眼镜片有瓶底子厚，摘了眼镜啥也看不清，走路估计得靠摸了。别看这姑娘高度近视眼，一副文文静静的模样，心却狂野得很，不仅喜欢到处跑，而且超级喜欢探险。

老八这恋爱谈得真苦呀。几次南下四平，搀着姑娘把周边的大山小河都跋涉了个遍。姑娘也经常来长春找老八，长春既没有岭也没有坡，两个人也只能手牵手在大街小巷里遛，遛着遛着，那天就突发奇想去了郊外的净月潭。

按说净月潭不算是个公园，只是长春郊外一片广袤的水域。远离尘嚣，安宁静谧，烟波浩渺，水光潋滟。水边还有成片的树林子，草绿花香，蓊蓊郁郁，倒也风光旖旎，别有一番景致。只是由于交通不便，要坐郊区的长途车才能过去，除了单位搞个野炊什么的，一般人都不会往那边去。潭里也有几艘小船出租，都是脚蹬船，两块钱就能蹬上一天。

老八没想去蹬船。他和女朋友是临时起意，坐错了好几次车，折腾了大半天，赶到净月潭时都已经下午了，一路坐车，人被颠得要散了架，连精力旺盛、喜欢户外探险的姑娘也累得一屁股坐地上就不想再起来。两人找了个大树下面的阴凉地，铺了块塑料布就顺势躺在上面打起了盹儿。

眼神不好的人往往耳朵都很灵，老八的女朋友靠在树上，眯着眼看着打瞌睡的老八，嘟囔道："你说这边荒凉得兔子都不拉屎，你听，那边不还是有人在划船吗？"

老八正困意蒙眬，就慵懒地回了句："哪有人？划船不去南湖公园，谁会跑这荒郊野外来呀？"话虽这么说，耳朵却也就不自觉地留了意。

"你去退押金，我把垃圾清理一下，得抓紧了，要不咱俩就赶不上这趟车了。"远处传来的这句话，把老八惊得一骨碌就坐了起来。这声音好熟呀，关键是那句闷声闷气的"好嘞"，一下子把老八震在那里了。

这大闷腔不是老五还能是谁呢？

惊诧莫名的老八立即悄悄起身，躲到大树后边，偷眼往码头那边看。

果不其然，就是老五和公主！

公主穿了件白色的长裙，外边披着的那件红色运动服，不正是前几天老五篮球比赛时穿的队服吗？码头上有风，吹着公主的长发，让被硕大运动服包裹着的她有种弱不禁风般的婀娜。老五跑着去窗口办完押金，又匆匆跑回来，一步不停地拎起公主脚边的垃圾袋，小跑着扔进垃圾桶，再快步跑过来，抢过公主手里的大包和小背包，往右肩膀上一甩，左手顺势就搂住了公主的腰，公主也很自然地把头歪过来，靠在老五的肩头上。

直到他们走远，老八大张着的嘴巴都没有合拢。

"我靠！我靠！"老八差点叫出来。近视眼的女朋友诧异地问了好几遍："怎么了？谁呀？是熟人？你们同学？"老八都没心情回答。

"不会吧，你肯定看花眼了。"

老八悄悄把老五与公主谈恋爱的事说出来时，我们都被惊着了。

二当家的还俨然一副兄长的模样，摸了摸老八的额头，说："没发烧呀，咋大白天说起胡话来了？"

看到老八都赌咒发誓了，大家才相信，愣了半晌，一个个突然都义愤填膺起来。

虽然我们义愤填膺得实在莫名其妙。

公主虽说不是我们班最漂亮的，但在我们心中，却是超凡脱俗的，是高不可攀的，或许因为学识，或许因为气质，或许因为形象，当然，或许因为家境。虽然我们号称"天之骄子"，但所有的骄子一股脑混在一起，也就成了"饺子"。在公主面前，我们都或多或少有点自卑感和自惭形秽的心态，似乎公主就是我们心中的王语嫣，王语嫣可以在江湖上历经磨难，渡尽劫波，但就是不能谈恋爱，每次王语嫣低三下四地向慕容公子表白，都让我们有种剜心般的刺痛。

很难揣测当时我们这些毛头青年的心理。

虽然老五是我们自己的兄弟，公主对我们平时也是爱搭不理的，可一听说老五连公主都搂上了，我们的心态还是瞬间失衡了。

似乎，老五抢走了本该属于我们的东西，虽然，大家心里很清楚，公主不是我们的，不是我们任何人的。但一听到这样的消息，依然内心崩溃，除了心底的一些酸，一些嫉妒，甚至还有那么一点点恼怒。

凭什么是他老五？

我们当然知道，谁都没有权利阻止或者指责老五与公主谈恋爱，妒忌、吃醋也只能窝在心里，但那怒火在心窝里奔突，就要找借口发泄出来。

"老大，我觉得老五不够意思，这事一直瞒着大家，太不把我们兄弟们当回事了。"老四率先发难了。

"开香堂，老大，必须得开香堂审老五。"二当家的一只脚在地上，一只脚踩到椅子上，把手里的湿毛巾啪啪地抽着桌子，附和道，"我早就看他不对劲了，原来瞒着兄弟们干这事，过分，这太过分！"

老大心里说不定也是酸溜溜的，但看着大家穷凶极恶的样子，倒是一本正经地"端"起来了。他说："嚷什么？你们嚷什么？凭什么我们老五不能跟公主谈恋爱？我们兄弟配不上？老八，你当真亲眼所见？这事可不能瞎说。"

老八急得直跺脚，说："真的已经搂上了，俩人还腻得很，我犯得着为这事说谎吗？公主又不是我的，再说，老五真要是娶了公主，我是真心为他高兴的。"

老大沉吟了一会儿，老谋深算地说："老五与公主谈恋爱是好事，应该为他们高兴才是。公主虽然霸道了点，但为人、做事、品貌、家庭配咱们老五都没问题。我也生气，老五都发展到这个程度了，还瞒着大家，眼里哪还有我们这些当哥当弟的？我其实已经发现老五有些反常，只是没往这方面去想，你们是不是也有发现？"

"有，太多了，太多了……"我们几个都抢着说。

"如果老五不反常，上周我们篮球赛怎么可能输呢？那是什么破队，真丢人，老五头一天肯定他妈的干坏事了，伤元气了，跑都跑不动。下午比赛，上午他在屋里睡觉，老五什么时候白天睡过觉？"老三愤愤地说。

"老五比过去更抠门了。"老九说，"我发现这一个多月老五连菜都不买了，你看他都不回寝室来吃饭了，就在食堂用辣椒酱拌米饭。"

"我提供个情况。"老八若有所思地说，"应该是上个学期了，我在楼下的收发室帮着抄小黑板，接了一个女人的电话，一开始挺有礼貌，说，师傅，请帮忙叫一下 321 寝室的武修德好吗？我说老五不在，我是他室友，有什么事我给你转达。还没说完，那边电话就突然挂了。我当时就觉得那声音有些耳熟，现在看，应该是公主打的。说不定那个时候两人就好上了。老五肯定瞒了我们半年多了。"

"我去，老大，必须得审老五，老五背着我们干的事儿太多了。你们看看，老五还去卖血了，这不是收据吗？还有，这发票，买什么的？"老二一边说着，一边在老五床头翻腾，老五一直没有皮箱，东西就很好找。

"我去，老五就是篮球比赛那天去卖的血，你看这日子，就是那天，这小子完全置寝室的荣誉于不顾呀，如果他不去卖血，发挥正常，我们说不定篮球也是冠军了。必须得好好审他，这是典型的色欲熏心、重色轻友。"老三跑过来，看了老五卖血的收据，咬牙切齿、煽风点火地说。

"二当家的，二当家的，别老翻老五的东西，这行为不好。"老大制止老二，"等他回来，我们开香堂，审这个不成器的东西，太不把我们这些兄弟们当亲人了，我们要撬开他的嘴，看看他心里还藏着多少猫腻。"

10

老五回到寝室时，老大正在水房里刷牙。二当家的早就急不可耐了，一边到床上去取铁格尺，不知道从哪个寝室借来的，有三四十厘米长，一边努嘴给正在写情书的老八，说："去喊老大，就说老五回来了。"

老五诧异地看了老二一眼，一边放书包，一边脱衣服，看老大进了门，就抬起脸来，说："老大，你找我？"

老八不光喊回了老大，把在隔壁屋打麻将的老九也拽回来了，老九一进门，就急切地问："他招了吗？"

老大倒是很沉得住气，放好牙刷茶杯，用毛巾擦了擦嘴边的牙膏沫子，拉了把椅子，坐在椅背上，脚踩着椅子——老大个子矮，总喜欢坐椅背，这样可以居高临下地看人。

"老五，我待你如何？"老大慢吞吞地，边说边点烟。

老五把自己脱得只剩下背心和短裤了，一边脱着，一边随口道："很好呀。"

"我们这个小集体，我领导得怎么样呀？"老大还是慢吞吞地。

老五脱完了衣服，站起来，打个立正，还行了个礼，朗声说道："老大千秋万载，一统江湖。"

"说正经的吧，老大，别绕弯子了。"老二在那边急得抓耳挠腮，手里的那个铁尺子啪啪地打在自己胳膊上，"老五，你要敢不如实回答，就家法伺候。"

"我怎么了，欠你方便面钱呀？"老五不买账，顶了二当家的一句，就顺手去拿脸盆，准备去洗漱。

"站那儿！"老二和老三同时暴喝道。

"审判呢，太不严肃了。站好了！"老三又补充了一句。

"怎么了我？"老五把洗脸盆放下，也就顺势坐到了椅子上。

老大抽了一口烟，还是慢吞吞地，说："你与公主是怎么回事儿？"

老五愣了一下，低下了头，过了半天，才闷闷地说："没事。"

"你俩没事？你敢说你俩没事？"老四冷不丁从床上坐了起来，"在净月潭你俩干啥啦？敢说没事？"

老五脸唰地就红了，头垂下去，一句话也没有。

"都跟人家要上床了，还不承认。"老四不依不饶。

"我没有。"老五抬起头来，眼睛盯着老四，"我发誓，没有就是没有，不许你乱说。"

"抱了吧，搂了吧，亲嘴了吧？还冤枉你了？！"斗嘴，谁也不是老四的对手，老五又红着脸垂下了头。

"多长时间了？"老大又问。

老五低着头，半天才说："有一段了。"

"摸过了吧？肯定摸了。"老九话还没说完，老五突然站起身，抄起桌上的一个杯子，一杯水直接就泼到了老九脸上。这是我们同学三年多以来，老五第一次动粗。

"不许你侮辱她！"老五厉声说道。

"老五，干什么你？"老大忙制止。老二也在那边，拿铁尺子啪地打在桌子上，说："你还有理啦？你困难时，哪个没帮你？你谈恋爱谈你的呀，谁还跟你抢怎么的？为什么要瞒着大家，你根本不信任我们这帮弟兄。"

老五坐下，又站起来，取下床头上晾着的毛巾，啪地扔给了老九，闷声闷气说："对不起。"

老九早就擦了脸，看老五把毛巾甩过来，还是伸手接了，放在桌子上，没说话。

老大一直抽着烟。老大是个大烟鬼，一天要抽两包烟。

老大长长地吸进一口烟，半天才吐出来，对着老五说："老五呀，你和公主谈恋爱，兄弟们其实都是为你高兴，只是表达的方式不一样。但你这事处理得不仗义，你瞒着大家，大家伙心里肯定不舒服，对吧？我是过来人，知道谈恋爱必然要有花销，逛个公园还需要门票呢，遇到困难，我们也可以一起帮你想办法。但不能去卖血，更不能不吃菜，身体搞垮了，也是对你爱的人不负责，你说是不是？"说完，又看了看气哼哼的老二，"二当家的呀，这事老五是瞒骗了咱们，也是情有可原吧，你想，以公主那样的脾气，不让他说他也不敢呀，是不是？今天话说到这里，以后谁要是谈了恋爱，不主动报告，看见老二那把尺子了吗？"

"抽死他！"老二又把那铁尺子啪啪抽了两下桌子。

我们大失所望，开了半天的"香堂"就这样不痛不痒地过去了。

老大看我们都还竖着耳朵，又叮了一句："都赶快洗漱去吧，一会儿要熄灯了。"

老五在床边上垂着脑袋，又坐了半天，才拿起洗脸盆去刷牙洗脸。老五站起来的时候，他的眼睛是红红的。

那时候我们的课已经不多了，大家都在忙着写论文，一个礼拜才去一两回教室。老五肯定已经把我们知道他们谈恋爱的事汇报给公主了，虽然公主上课还一如既往地趾高气昂、目不斜视，但从我们身边走过时，她的脸突然就红了。

纸是包不住火的。

同学们很快也都知道老五与公主好上了。

大家的反应很平淡，觉得这事很正常，甚至还认为两人很般配。后来再上课，公主也就索性大大方方地与老五坐了同桌。

教我们古代文学的是原来的系主任，国内知名的老教授，看他俩坐到了一起，竟然大发感慨，抛开讲义，从赵孟頫、管道昇讲到李清照、赵明诚，一直讲到陆侃如、冯沅君，讲得公主和老五面红耳赤，不敢抬头。老教授讲到高兴处，竟跑下讲台，站在两个人对面，激动地说："你们这对金童玉女，如果继续读我的研究生，你们都不用参加考试，我找校长去，直接录取！"

以公主和老五的成绩，确实够保送研究生的，那时候愿意读研究生的人并不多，系里如果觉得是块料，都会千方百计鼓动留校深造。

但两人都拒绝了保送。公主选择自己考，把保送的机会让给了其他同学，老五则选择先工作，赚钱供公主读书，工作地点就瞄准了长春市。

一开始我们都觉得老五在开玩笑：以公主那家庭条件还用得着你去赚钱？

　　大家后来才知道，原来人人都有心底的痛，家家有本难念的经。

　　公主家庭条件虽然很优越，但她其实过得并不开心。公主的爸爸工作忙，又是开会又是应酬，经常顾不上回家。她妈妈本来是做老师的，后来上调到了省教委，工作倒是清闲，但丈夫一天到晚不着家，当妈的自然把所有心思都倾注在这个独生女儿身上，也就把公主管得比较严。公主从小到大，一直行走在学校和家这两点一线上，所有的事情妈妈都给安排好了，公主所能做的，也只有读书了。

　　问题就在于公主读了太多的书。

　　公主不光读唐诗宋词八股文，公主也读金庸琼瑶易卜生。读书就会思考。虽然公主兜里没有多少零花钱，虽然公主每天陪妈妈吃早饭吃晚饭即便出门晚上九点前也要必须回到家，虽然公主从来都是乖乖女，对妈妈言听计从，虽然公主单纯得像超凡脱俗的仙子，每日只徜徉在知识的海洋里。可是，哪个女子不怀春？哪个女孩心里没有一个玫瑰色的梦呀？

　　何况公主又读了太多的琼瑶、亦舒、席慕蓉。

　　人生沧海横流，社会光怪陆离，把女儿作为慰藉的妈妈始终像老母鸡一样把公主护在羽翼之下，处处设防，步步惊心，唯恐不谙世事的女儿为人所诱、遇人不淑。

　　但公主还是"遇人不淑"了，这"不淑"的家伙就是淳朴的老五。

　　如果没有第一年老五出人意料地在考试上赢了公主，让心高气傲的女学霸第一次栽了跟头，丢了面子，晚上回家哭到半夜，把老五恨得咬牙切齿，或许，老五和公主就是两条平行线，四年大学读下来，话都不会多说几句。虽然公主也自认为第一学年有些大意了，让老五出其不意拔了头筹，但在公主眼里，老五至少是不愚蠢的。

公主在课堂上屡屡挑衅，肆无忌惮地羞臊着老五，老五从不反唇相讥，每次都憨憨地低下头，退避三舍，在别人眼中或许就是窝囊，可在读了无数爱情小说的公主心里，这是老五的宽厚、大度、知礼仪。

当球场上雄壮威猛的老五霸气地把公主抱起来时，老五是错愕的，是羞臊的，是茫然不知所措的。公主第一次被一个陌生的男人这样大力地抱起来，恼怒、胆怯、娇羞万状，"两脉秋泓，尽是慌张""心几烦而不绝兮"。但身子像柳条一样低软下去，心却像云絮一样高飘起来。

老五高大威猛、器宇轩昂、朴实敦厚、心地善良，很多小说中不都是这样描写好男人的吗？那一晚上，公主竟然失眠了。

"碧云暮合空相对""黄昏却下潇潇雨"，公主虽然时不时也会沉醉在"山月不知心里事，水风空落眼前花"的哀婉和"不到园林，怎知春色如许"的浪漫情思中，但毕竟是羞涩的、矜持的，也是骄傲的。如果不是凑巧老五在拍电影时那义无反顾、势不可当的一跃，纵是足球场上老五那有力忘情的一抱，也可能只会化作公主未来记忆里一个浅浅的微笑。

可是，偏偏那天公主就意外地掉进了火坑，偏偏老五就毫不迟疑、奋不顾身地赴汤蹈火了，有力的臂膀、宽厚的胸膛，结结实实地包裹住了公主娇弱的身躯，虽然有惊无险，可还是在公主的心里泛起了汹涌的波澜。

靠得住呀，这样的男生。这是公主从爱情小说中得出的经验。

故事自然要从说声"谢谢"开始。这也是爱情小说里常用的桥段。

11

公主是个浪漫的女孩，生长在衣食无忧的家庭，读着爱情小说长大的女孩，哪有不浪漫的呀！

浪漫的女孩留齐腰长发，穿过膝的连衣裙，喜欢头发被风吹得轻舞飞扬；浪漫的女孩喜欢泛舟湖上，坐在船头，哼着小曲，看所爱的男人孔武有力地划着船桨；浪漫的女孩喜欢去野炊，躺在如茵的绿草地上，头枕着男生雄壮的臂膀，跷着腿，望着星空，述说着衷肠；浪漫的女孩喜欢去电影院、舞厅，一只手被男人紧紧地牵着，一只手炫耀般举着甜得发腻的棉花糖。

虽然公主约会的时候也会穿长裙，与老五划船时也会哼着小曲，也喜欢与老五手牵着手去看电影，枕在老五的肚皮上吟诵唐诗宋词。可公主是个博览群书有学问的姑娘呀，有学问自然就要有自己的独特见解。

"这样不行的。"公主很认真地对与她同桌而坐的老五说，"约会是需要两个人预约的，你趴在我耳边说，下课后咱俩一起去图书馆吧，这样太随意，不能算正式约会。"

为了佐证自己的说法，公主还跑到讲台上，从老师们留在那里的工具书堆里专门把《现代汉语词典》搬过来，查到"约会"的条目，指给老五看："你看，约会是预先定好时间地点见面的活动。看到没有？是要事先预定的，否则，怎么能体会收到邀约时的惊喜和等着赴约时幸福的期待呢？"

"那……那如果提前约好一起去图书馆看书写作业，这算不算正式约会呀？"老五有点糊涂，但老五也是一个在学术道路上执着追求的好学生。

"应该算。"公主用铅笔敲着自己的脑袋说，"你看，字典里并没有限制地点，也没有限定约会一定要干什么，弗吉尼亚·伍尔夫和她丈夫莱昂纳德，萨特和西蒙·波伏娃，就经常相约一起读书的，约会的核心是约。"公主对老五的愚钝循循善诱。

老五还是有些困惑，说："那他们怎么约呢？是靠传纸条吗？"两个在学习上出类拔萃的学霸在人生第一次恋爱时，其实是茫然的，这样的课老师没有教呀。呆头呆脑的老五自然地想起中学时男女同学之间的"传纸条"，虽然问出了口，心里毕竟是惴惴的。平时光知道老大他们谈恋爱，并没有仔细观察他们是如何约会的。

"写信呀，当然是写信。"公主虽然也是第一次谈恋爱，但却自信满满。

"My blind eyes are desperately waiting for the sight of you. You don't realize of course, E.B., how fascinatingly beautiful you have always been, and how strangely you have acquired an added and special and dangerous loveliness..."

公主脱口就背了一大段英文，老五还在脑海中努力地翻译着的时候，公主歪过头来，眼睛发亮，看着老五一脸认真的模样，恍然大悟地说："对，写信，这是表达爱情的最好方式，你看，这是理查德·波顿写给伊丽莎白·泰勒的情书——我愿目不见物，只盼再看到你。当然，你无法感受得到，伊丽莎白，你魅力无边，你可爱到危险——多么有激情的语言呀，翻译得也好。"出口就能背诵，这样的能耐也只有公主有，老五只有崇拜的份。

"写信好，写信好。"老五点头附和道，"有些话不在信里写还真说不出口，我晚上就写，明天一上课就交给你……"

"不行，老五，信是要寄的，当面交显得多么不正式呀。"公主打断老五。

"寄到哪里呀？你又不来宿舍，寄到你们家？"一听说寄，老五有点迟疑。

"不寄我家，我妈妈肯定会偷看的，她啥事儿都管，情书可是私密的话语，只属于咱们俩。"公主悄声说。

"那寄哪里呀？总不能在宿舍前面的大树上挖个洞，跟敌后武工队传递情报似的吧。"老五有点吃不准公主的想法。

"讨厌，"公主笑着捶了老五一拳，"还是寄到宿舍吧，我可以来宿舍取。"

"那多辛苦呀，你专门坐半天公交车，就为了取封信？"老五有点不明白。

"哎呀傻瓜，为了爱情我愿意呀，你寄信给我，我也寄信给你，准备去约会和期盼恋人的来信都是很浪漫的等待，过程是很幸福的，很多书里都是这样讲的。"

爱情是美好的，自然，为美好爱情所做的一切都是甜蜜的。

两个沉浸在爱情幸福里的人经常相约去图书馆，在一张书桌前为坐在对面的恋人书写甜言蜜语，信写好后，还不能交给对方看，而是各自放进信封，贴上邮票，投到学校门口的邮筒里。

日复一日，欢乐无比。

当然，老五也有按捺不住趁公主写信时偷看的时候，被一丝不苟的公主严肃制止了。

"这样不行，老五，你不能现在看，现在看了就体会不到等待和盼望来信时的那种幸福和浪漫了。"

自从公主把老五当作自己的恋人，俨然变成了依人的小鸟，再也不疾言厉色地对老五说话了，对老五最严厉的批评也只是一句"这样不行"。当然，这样的温柔也只有老五才享受得到，对待我们，公主依然一如既往地白眼呵斥，只是横眉立目之际会不自觉地脸红一下。

信笺如快乐的天使，在空中飞舞一夜后，第二天准时落到两个渴盼着的恋人面前，浪漫又温馨。不过这天使飞一晚是有成本的，虽然是市内邮寄，每封信只要四分钱邮票，可这架不住两人每天都要寄呀。老五是精打细算的人，也就盘算着如何省下这每天都要付给邮局的八分钱。

毕竟跟着二当家的做过生意，名师出高徒，经过观察，老五很快就掌握了邮递员每天开邮筒的规律。下午，老五和公主经常手拉着手兴冲冲地把信投进了邮筒，傍晚邮递员开邮筒取信时，老五已经等在那里了。

"不好意思，师傅，我把信地址写错了。"老五红着脸跟邮递员说。

东北人谈不上个个都是活雷锋，但心地都还善良，看到在寒风里冻得龇牙咧嘴直跺脚的一个大小伙子，邮递员也就信了老五的话，把两封信扒拉出来还给了他。

第二天老五又准时等在了那里，邮递员不免有些诧异，"怎么？又写错了？"

老五只好红着脸点头。第三天再见到老五时，任他说破嘴皮子，还把自己的学生证拿出来，以证明信就是寄给自己的，邮递员认定了这个大个子学生是在恶作剧，他不由分说地把信收起来，一股脑都装进了自行车后面的帆布袋子里，一溜烟地骑走了。

老五后来怎么做的说服工作我们就不知道了，但都知道他与那位邮递员成了朋友，有时候老五错过了开信箱的时间，那位厚道的邮递员还会等他一会儿。

老五取回了信，就把自己写给公主的那封送到她们宿舍楼下的收发室里。

收发室外边的桌子上有个糊了好多层牛皮纸的盒子，每天上午邮递员都会准点把寄到宿舍楼里的信送来，如果是挂号信或者电报，宿舍管理员就在墙上的小黑板上写上收信人的名字，以示提醒，如果是平信，就往纸盒子里一丢，任同学们下课后自己去翻检。取信的同学当然也不是仅仅取自己的信，看到同宿舍的，也就帮忙一起取了。也有无人认领的信，被无数的手揉搓，直到信封的字迹看不出来，才会被管理员扔进垃圾桶里。

那段时间，到宿舍楼下的纸盒子里翻检老五的来信成了公主的一件快乐的事。

纵然老五每次信封上都贴着盖了戳的邮票，大部分是从老八那里征集来的，做得很逼真了；纵然老五每次都是等宿舍楼快关门时才去把信"投递"到公主楼下的纸盒子里。但世间不少事，总会被"赶巧"坏掉了。

这事吧，严格来说也不能完全怪老五。

一般情况下，公主都是白天和老五一起学习，一起写情书，晚上则要回家陪妈妈吃晚饭，然后在家读书的。老五呢，晚上要么去做"家教"，要么就去上晚自习，快到宿舍关门时，才把从邮递员那里"截留"的信投递到公主宿舍的楼下，一切都恰到好处，本没有什么问题。偏偏那天"赶巧"我们班与公主同宿舍的一个女同学，晚上失眠，睡不着觉就在楼下晃荡，看到放信的那个纸盒子，就闲极无聊地随手扒拉了一圈，偏偏就发现了写给公主的信，也就帮她取了上去。

第二天早晨公主到宿舍楼下，找了半天也没有发现自己的信，正怏怏不乐，这好心的女同学说："昨晚我看到有你的一封信，帮你拿上来了。"

"昨天晚上？"公主没多想，信到了就好。但公主是个治学严谨的人，虽然一口气看完了信，心里却不免纳闷。明明是昨天下午才跟老五一起寄出去的，怎么晚上就寄到了呢？再仔细看信封，立即发现了破绽，只有一半邮戳，盖在邮票上，本该盖有另一半邮戳的信封上干干净净。公主是何等冰雪聪明呀，立即明白这肯定是老五"捣的鬼"。

"这样可不行，"公主很正式地与老五谈话，"你怎么能给我们的爱情掺沙子呢？你这个不解风情的家伙，这些信都是我们爱的见证，我每封都按照日期收藏起来了，你咋能在爱情信物上缺斤短两、投机取巧呢？"

公主没有疾言厉色，还像过去那样柔声细语，可老五已经臊得不行，恨不得找个地缝钻进去。公主不明白老五为什么把世俗的东西夹杂到神圣纯洁的爱情里，就像老五不明白为什么情书不直接交给心爱的人，非要让它到邮局走一圈一样。

公主是个通情达理的姑娘，知道老五肯定是心疼那几分钱的邮票钱，也就没有太计较，甚至和老五再去逛公园时，也不逼着老五遵纪守法一定要买门票了，也学会直接踩着老五的肩膀翻越铁栏杆了。

但寄信这事，公主没有让步，信是要寄的，而且邮票是一定要贴的。

当然，公主也"罚"了老五，罚老五去读亦舒、琼瑶、三毛的爱情小说。"那是我十四五岁时天天看的书，这个课你得补上，要不，你如何懂得女孩子的心思呢？"公主对老五谆谆教导。

公主的话，老五自然遵从。有一段时间，老五常躺在床上拉着帘读书，举止甚是怪异。这当然逃不过我们的眼睛，大家立即就发现老五在偷偷读琼瑶的《一帘幽梦》，虽然老五专门包了皮，书皮上还装模作样地写上"局外人，加缪"的字样。

老大总说老八谈了恋爱就丢了脑子。老八说："有爱情了，还留脑子干什么？"我们也嘲笑老八，自从谈了恋爱，瞬间弱智了一半，本来心眼就不够用，现在更是严重缺损。

老五也觉得热恋中的公主与以前不一样了。

过去读书，废寝忘食犹嫌时间不够，现在竟然每天坐公交车到学校，坐在寝室，眼巴巴地只是为了等信，而且还逼他看这些毫无逻辑的爱情小说。变傻了的公主竟然还干了一件匪夷所思的荒唐事，她竟然两个月不吃午饭，省下钱买了一条金利来牌领带给老五做生日礼物。要知道，老五不仅没有西服，连件能系领带的衬衫都没有。

"爱情小说里，都是女孩子给男生送领带，男生给女孩儿买戒指的。"公主这样给老五解释。

两个在学业上无坚不摧、攻无不克的好学生，面对汹涌澎湃的爱情，本能地拿起了书本，生搬硬套、纸上谈兵。

老五兼了三份家教，拼命帮杂志社抄信封、誊稿件，甚至还去卖了一回血，才凑足了钱，在公主过生日的前一天，买了一枚蓝宝石戒指。公主一向视金银为粪土，更对首饰嗤之以鼻，可对老五送的这只并不昂贵的戒指，却喜欢得不得了。

不过，这只戒指跟老五领带的命运差不多，公主虽然喜欢，却很少有机会戴，在家不敢，在校不妥，也只有两个人出去玩时，悄悄取出来，兴高采烈地戴在手上，让老五翻来覆去地看，小心翼翼，恋恋不舍。

12

在中文系所有老师和同学眼中，老五都是不折不扣的好学生。不调皮，不捣乱，安分守己，成绩好，爱学习，全面发展。拿奖学金，在各种活动或者征文比赛中获奖，老五也倒是经常跟着大伙儿一起上主席台，但在全系师生面前独自表演，却是在做检讨，这让所有人都大跌了眼镜。

老五开创了历史，开创了中文系学生做检讨屡次被雷鸣般掌声打断的历史。老八说，掌声有二十多次，班长坐在前排，说他看到坐在主席台上的老师们都眼含泪花。

不过，老五这检讨做得有点冤。

大学四年级的时候，课已经很少了，大家都忙着实习、写论文。有门路的同学已经开始联系工作单位了。没有门路的也完全不用担心，大学生当时还是抢手货，找工作不犯愁。临近毕业时，大家见面打招呼，问的都是你们班现在到"一比几"啦？这个"几"，就是要人单位。中文系嘛，就业门路广，来要人的单位多，所以刚过完春节，我们就已经"一比四"了，那就意味着班里三十个同学面对一百多个就业单位，连排名最差的人都可以尽情挑拣，何况老五这样成绩拔尖的？

前程无忧，自然轻松自在，打麻将这种在学生宿舍被严格禁止的娱乐活动也就滋生蔓延了起来。

老九是个麻将迷，整天神出鬼没的。只要吃饭时他杵在大家身后，我们就明白最近打麻将他肯定又输了。老九一输基本上就不买菜了，端着饭碗站在别人身后，看谁不注意上去就是一筷子。所以，一旦老九端着饭碗站到了大家身后，吃饭的人立即就紧张起来，一只手捂着饭碗，一只手加紧把碗里的菜往嘴里扒拉，稍一疏忽就会被抢劫。不过，老九也有赢的时候，老九赢了钱，就买两份酱骨架，坐在椅子背上热情地招呼大伙儿一起啃。

一开始老九只是在其他寝室打麻将，后来发展了老大和二当家的几个人，就把麻将牌摆到了我们寝室里，每天吆五喝六地耍起来。

学校明令禁止在校园打麻将，甚至多次张贴一经发现立即开除的严厉告示，但屡禁不止，让负责纪律工作的学生处很头疼。

为了制止学生打麻将，学生处经常出其不意地到宿舍检查。

俗话说，上有政策，下必对焉，学校抓，学生自然不甘俯首就擒，也就想出各种办法来对付。就像我们宿舍楼，大家就与守在一楼大门口的宿舍管理员沟通好，看到学生处的人来"飞检"，立即就冲楼上连喊几声"314的电话"，314是三楼水房的门牌号，只有住在我们楼里的人才知道，这就是暗号。老牌迷们听到暗号，立即用毯子把麻将一包，扔到床下，装模作样看书，即使来不及扔麻将，只要没被抓到现行，死活不承认，检查的人除了没收麻将外，也只能干瞪眼。

老五从不沾麻将，他不光输不起，也没有那么多闲工夫。热恋中的男人，脑子里只有爱情，他忙着做家教写情书，还要忙里偷闲补琼瑶。

那天也是合该出事。

老五早早回来准备去洗衣服，刚进屋，书包还没放下，就被正打麻将的老三一把拉住，说："我靠，可算回来人了，老五，你快替我抓一把吧，我着急上厕所，你再晚回来一会儿我就拉裤子里了。"

"我不会玩呀，要不我去隔壁屋帮你叫个人？"老五忙摆手。

"去哪里叫人呀？隔壁那帮人出去喝酒了，快坐下吧，四川人还有不会玩麻将的？"老九正忙着洗牌。

"快坐下快坐下，你不会玩正好，帮他点几炮，今天就老三手气壮，赢了我那么多。"二当家的嘴里叼着烟，一脸坏笑。

"老五你是好人，救人三急，等于造五六七八九级浮屠。"老三估计已经憋得够呛了，一把把老五按在他刚才坐的座位上，边解裤子边往外跑，一边跑还一边嚷："你尽管玩，输赢都算我的，算我的。"

老五实在抹不开面子，也就坐下跟着抓牌，牌还没抓完，忽听得楼道里传来急促的脚步声，紧接着一阵骚乱。

"快跑。"老九久经"麻"场，有经验，说时迟那时快，早一个箭步从窗口就蹿了出去。老五还没有缓过神来呢，学生处的几位老师已经堵在门口了。再看老大老二两个人，都正捧着本书一脸茫然地看着门口的不速之客，只有老五还傻愣愣地坐在麻将旁边，被结结实实地抓了个现行。

老三听到动静，从厕所里提着裤子出来，看到这情形，一个转身又缩回到厕所里了。

老五只说在自己码牌玩儿，死活不肯招认一起打麻将的同伙，也说不出麻将牌是哪里来的。后来被带到校学生处扣到半夜，还是系里出面，表示一定要严肃处理才将他领回来。

老五是中文系有名的好学生，虽然系里一再表示要严肃校纪系规，老师们还是不免做了些袒护，让老五在全系师生大会上公开做检讨就算是处理过了。

老五的检讨书写了八千多字，态度很诚恳，反思很深刻，行文很流畅，言语很煽情。老师和同学们听了都唏嘘不已，低年级的女同学更是眼泪汪汪。多年之后网上曾经流传过一篇帖子，叫

《老师，再给我一次机会吧》，感觉好像就是照抄了老五的检讨书，只是，老五当时检讨的题目叫《老师，请拉我一把》。

中文系的老师们都很仁厚，老五做了长篇检讨，这事也就过去了。

老五的义气让老大老二老三老九他们几个十分感动。哥几个凑了份子，在学校旁边最豪华的金刚山饭店请老五暴撮了一顿，我们也都跟着沾了光，大家吃得撑肠挂肚，喝得东倒西歪，话也就多了起来。我们谈理想，谈抱负，谈未来，个个豪情万丈，指点江山。

问到老五，老五说他只想在长春找个踏踏实实的工作，赚钱供公主读研究生。

"公主？公主读书还用得着你供养？"我们都嗤之以鼻。

老五在全系师生面前"出丑"做检讨，并没有为大家所鄙夷，那篇情真意切、洋洋洒洒的检讨书，感动了不少人。

不过熟悉老五的都知道，他肯定是替别人背了黑锅，也觉得他仗义，连公主都在上课前跟老五开了个玩笑，伸出大拇指，说了句："真爷们！"

公主平时说话多用书面语，"爷们"这样的粗鄙的字眼从她嘴里说出来，大家觉得很好笑，老五脸都红了，老八在旁边又接了一句："爷们也是你家的。"大家跟着哄堂大笑，老五更不好意思，公主则羞得直接趴桌子上了。

13

研究生考试成绩下来了。我们虽然知道公主肯定会是第一名，但没想到她竟然以接近全分的成绩拔得头筹。

我们很多人英语四级还在等着补考，公主英语六级成绩竟然得了九十六分，在全国排名第一，这让整个学校都轰动了。

更让学校轰动的是这样一个成绩优异、出身高干家庭的漂亮女孩竟然正与一个因打麻将在全系师生面前做检讨的"坏"学生谈恋爱，这真让人想不通。所以，老五和公主到图书馆看书时，经常会有人对他们指指点点，即使两人走在路上，也会有人盯着他们看，在背后窃窃私语。传闻多了，老五怕影响公主，有一段时间下课后专门与我们一起走，故意与公主拉开一段距离，公主倒显得满不在乎。

再有两三个月就毕业了，毕业分配方案还没有出台，除了公主顺理成章成了老系主任的关门弟子，我们都还不知道自己的分配去向，因为事关自己的未来，大家就禁不住到处探听消息。

长春来要人的单位比较多，今天是这个厅、局，明天是那个公司，老五学业成绩最优秀，肯定会有优先选择的机会，大家也就打趣他，说这个厅你可不能去，公主的爸爸当厅长，说不定会整死你；税务局那个要人名额你让给我呗，你整天钻在钱眼里，肯定会横征暴敛，容易犯错误。老五知道大家无非是想探听他选择分配的意向，以避开这个强有力的竞争对手，也就很直接地说："我想考虑那个进出口公司，据说那边赚钱多。"

那段时间，老五似乎特别缺钱，菜都很少买，每天就吃辣椒酱拌米饭，大家凑份子聚会时他也多数会缺席，只是疯了一样到处揽家教，在外边帮工，忙得一天到晚见不到人，头发乱蓬蓬地，也顾不上剪，公主有时候都找不到他，常跑到我们寝室来。

过去公主很少来我们寝室，即使来了，也只是规规矩矩坐在老五的床边，不像老八的女朋友。那姑娘一来就脱鞋钻被窝，两人拉上帘子嘀嘀咕咕，也不知道在里面干点啥。

　　公主在寝室立等老五，一般就是拿本书，安安静静坐在老五床边看，全然不管我们在那里喷云吐雾胡诌八扯聊大天。大家与她打招呼，她也只是挥挥手，笑一笑。老五回来看到公主，总是一副歉疚，匆匆洗把脸，就带公主到食堂打饭。公主倒也不恼，看到老五就眯着眼睛笑，扯着老五的衣襟，欢快得像只没有方向的蝴蝶。

　　只有公主来时，老五才会买菜，买很多菜，两人端上来，在寝室里与大家一起吃。吃饭时，我们喜欢云山雾罩侃大山，呼三喝四，边吃边聊。公主吃饭很细致，总是把嘴里的饭咽到肚子里，再拿老五的杯子喝口水漱漱口，才开始说笑话。

　　公主喜欢冷幽默，她讲的笑话总把大家乐得够呛，嚼在嘴里的饭都喷出来。

　　有一次老二刚放嘴里一瓣大蒜，公主讲了一个段子。那时候也有段子，东北人特擅长这玩意儿。老二一笑，大蒜卡在喉咙里，辣得像猴子一样上蹿下跳，我们都乐岔气了。公主也歪着脑袋迷蒙着眼，坏坏地笑，老五拿着勺子看着公主，满眼都是爱和喜欢。

　　我们整天都盼着公主来吃饭。

　　公主哭着跑到我们寝室那天，是个周末的下午。

　　我们正准备去打球，老五也收拾着要去上家教课，门是被公主一脚踢开的。

公主是讲礼貌的人，从来都是轻轻敲门，笑语盈盈地与大家打招呼。那天，公主根本没敲门，直接闯进了我们寝室，全然不管老二正光着膀子，一进门就冲我们嚷道："你们都出去，都出去，我跟老五有话要谈！"

老二本想开个玩笑，老大却看到了公主满眼都是泪水，立即制止了老二，招呼大家说："走，走，我们打球去，谁也不许留屋里。"

老五一脸愕然，看到公主在哭，心疼得要死，忙不迭地从老四的床头取了面巾纸，一边笨手笨脚地给公主擦眼泪，一边焦急地问："怎么了，出什么事了？"

公主扑在老五怀里，哇哇大哭，哭得肩膀耸动，浑身颤抖，半天喘不过气来。老大把我们赶出门，有点不放心，一边挥手让我们走，一边和老二站在门外，竖起耳朵听。

老五抱着公主，轻轻拍着她的后背，好半天，公主才哭噎着说："妈妈知道我跟你谈恋爱了，她不同意，要我与你断绝关系，否则，就把我送国外去，我……我……我要跟你生米煮成熟饭。"

立在门外的老大和老二大惊失色，一下子都愣住了，两人相互看了看，谁也没说话，呆立半晌，老大才拽起老二，倒退着蹑手蹑脚地离开了。

在球场上，我们问发生什么事了？老二吭都不吭，只埋头练球，把篮球哪哪地往篮板上砸。老大倒是点了一支烟，慢吞吞地说："年轻人谈恋爱，哪有不闹点小别扭的？"

我们知道，应该不是闹点小别扭那么简单。而且很明显，那别扭不是闹给老五的。

我们回来吃晚饭的时候，公主已经走了，只有老五一个人呆坐在屋里，眼睛通红，神情呆滞，还打开了老大的一包烟，问他怎么了，一句话都不说。

那天晚上，老五一夜没睡，男厕所的窗台下，扔了一地的烟头。

从那天起，公主就再也没有来过我们寝室。

老五情绪很低落，神情有些恍惚，每天不说一句话，搞得我们都不知道该怎样劝他。反正只要老五在，寝室里气氛就异常沉闷。

日子过得很无聊。

有一天，老二百无聊赖地坐在窗台边，抽着烟，看着外边的行人，突然啧啧赞叹起来。

"怎么了？看到美女啦？"

"美女倒是没有，有辆小汽车停在咱们宿舍门口了。靠，这娘儿们派头十足呀，下车还得让司机来开门，自己没手呀？哟哟哟，这屁股拧的，你这是要上天呀！"

"上什么天？这不是上咱们宿舍楼里来了吗？"

老二和老四还在闲磨牙，"嗒、嗒、嗒……"楼道里就传来了高跟鞋撞击地面的声音，急促而有力。

"朝咱们这边来了。"老八正在桌边喝水，听到高跟鞋响，忙放下水杯，准备扒着门缝往外张望，刚走到门后，就听到了"咚咚咚"的敲门声。

果然气场很足，门一开，我们立刻就感受到了扑面而来的冰寒，有些杀气腾腾。

"阿姨，您找……"老八还没有说完，就被女人毫不客气地打断了。

"你们哪位是武修德？"

"他没在屋，我去外边找找看。"老大感觉到来者不善，他站起来，选了个干净点的杯子，一边让老八给阿姨倒水，一边笑着说。

老大还是有些敏感的，女人那盛气凌人的架势让他觉得势头有些不对，本想去把上厕所的老五拦在外边，正往外走时，老五却推门进来了。

从我们慌乱的眼神里，女人马上明白了。老五一进门，她就迎了上去，劈面问道："你就是武修德？"

"阿姨，您是……"

宿舍里猛然有个女人堵着自己，老五不免一愣，也就下意识地点了点头，问候的话还没有说出口，女人却柳眉倒竖，冲着老五抬手就是一个大耳光，老五猝不及防，被打得一个趔趄。

宿舍里的人顿时都愣住了，老五更是晕头转向。

"阿姨，有话好说，您别动手。"就在女人第二次抡起巴掌的时候，老大忙一个箭步冲上去，拉住了女人的胳膊。

"她是谁呀？"一边拦着女人，老大一边扭脸看向老五。

或许，老大以为这是老五做家教时结识的哪个学生的家长呢。

老五却一脸茫然地摇了摇头，说："阿姨你是否认错人了？我不认识您呀。"

"今天就让你认识认识。"女人说着，对着老五又是一巴掌。虽然老大横亘在女人和老五中间，但老大个子矮，女人的胳膊直接越过老大的头顶，啪的一声，结结实实地打在老五的下巴上。

"我……我……我……"老五本来嘴就笨，这下挨了打，更说不出话来，只是捂着脸，在那里结巴着。

"你什么你？你不就是老五武修德吗？打的就是你。"女人边说，再次抡圆了胳膊，从老大头顶上扇向老五，扇得老五捂着脸节节败退。

寝室里的男子汉们念了几年大学，平时也常发"恨不逢乱世、仗剑觅封侯"的感慨，可从中学到大学，谁也未曾真正踏足过社会半步，哪里见过这阵势？一时间，仿佛突然变成被叫了家长的中学生，一个个都耷拉了脑袋委顿着，面面相觑，不知所措。

只有个子最矮的老大，老大很忌讳别人对他的身高品头论足，但女人两次羞辱般从他脑袋顶上抡过巴掌，这应该是把老大彻底激怒了，这般奇耻大辱，让他以后在兄弟们面前还怎么混？老大发了怒，自然就拍了桌子，大声嚷道："朗朗乾坤，大学宿舍是你闹事的地方吗？"说罢，似乎感觉气势还不够，又猛地蹦起来，蹿到了椅子上，一只脚更夸张地踩到了桌子上，就像《列宁在一九一八》电影里发表演说一样，居高临下，厉声喝道："你到底是什么人？凭什么打人？"

老大一嚷嚷，大家才反应过来，我们已经是天之骄子的大学生了，何况，这是我们的主场呀，一群五大三粗的汉子们被一个半老的女人欺凌着，还有一个捂着腮帮子躲在角落里，被揍得鼻青脸肿，这成何体统？看到老大振臂一呼，也都一个个缓过神来，纷纷站起身，在那女人身后七嘴八舌地吵道："动手打人，那还了得，今天要不说清楚，就别想出这个门。"

虽然是一群孬蛋，但搁不住人多势众呀，大家一吵吵，那女人的气焰也就收敛了些，嘴上却依旧嚣张："看把你们能耐的，还大学宿舍！大学怎么了？大学也归我管着呢，你们校长都得给我面子，你们几个小毛孩子，怎么着？还想打群架吗？"

老五这个时候也揉了揉被打的脸，嘟囔道："那您也不能随便打人呀。"

"哼！"女人鄙夷道，"你也算个人？也不照照镜子看看自己啥模样，癞蛤蟆还想吃天鹅肉？"

小汽车、管大学、癞蛤蟆想吃天鹅肉……一直没咋说话的老四像突然想起来什么似的，怯怯地问了句：

"阿姨，您不会是公主……不、不，苏禹的妈妈吧？"

"我丑话告诉你，姓武的，你就死了这条心吧，你再敢纠缠苏禹，我一定让人打断你的腿。"女人没理老四，继续炮轰老五。

但这话已昭然若揭。大家再次面面相觑。尤其是站在椅子上正摆着造型的老大，尴尬地僵在那里，愣了半晌，还是灰溜溜跳下来，臊眉耷眼地指挥着哥儿几个刷杯子找茶叶。

但苏禹的妈妈根本不吃这一套。

老二从皮箱里拿了自己都舍不得喝的茶叶，把茶泡好，双手递过去，见女人正眼都没有瞧他，也就把茶杯轻轻放到女人前面的桌子上，讪讪地说："阿姨，您喝口茶，消消气。苏禹是我们同学，她人聪明，成绩好，我们都很佩服她，她也常来我们寝室……"

或许这句"常来我们寝室"的话刺激了苏禹妈妈，她突然失控了，脸色一变，抄起桌子上的茶杯，冲老五就扔了过去，似乎觉得不解恨，又抓起桌上的一个不知道谁吃剩还没洗的饭盆，照着老五的脑袋就砸过去。

"你个王八蛋，小兔崽子，上周末在这里，你跟苏禹干啥啦？

你个王八犊子乡巴佬，打麻将，全校做检讨，不嫌丢人，竟然还敢欺负我的女儿！"

茶杯砸在老五脑袋上，砰的一声，滚烫的茶水顺着老五的脸流到脖颈子上，老五没有躲，也没有去抹满头满脸的茶水，只是梗着脖子一遍遍地说："我没有欺负她，我绝对没有欺负她。"

"欺负"这个词，或许是一个爱女心切的妈妈一时慌不择言，对于情窦初开的我们，并没有特别了解其背后的深刻含意和所指。老四还赔笑劝解道："阿姨，您不知道，只能是公……不是，是苏禹欺负老五，老五绝不会欺负苏禹的。"

只有老大和老二，那天他俩出门时听到了苏禹说"要把生米煮成熟饭"的话，两人相互对视了一下眼神，都低下了头，谁都没说话。

"他俩只是哭来着，啥也没干。"老八突然站出来，冲到女人面前，"阿姨，您可能误会了。那天的事我最清楚。下午，苏禹是来了，哭着来的，让我们都出去，我那天正发着烧，在床上躺着睡觉。您看，那边那个，角上的那个上铺，就是我的，因为拉了帘子，他俩没看到我。我那天生病确实不想动弹，当然，我可能也想偷偷看看他俩要干啥，就一直躺在床上，没有动。那天苏禹一进来就哭，说妈妈知道他俩谈恋爱了，坚决反对，要他俩分手，她说要按书里说的那样，把生米做成熟饭，逼迫妈妈同意。老五就劝她说不能那样，要慢慢做妈妈的工作，只要他俩真心好，谁也阻拦不了。两个人就在那儿，您坐的那边，一边哭一边聊，整整一下午，一直在嘀嘀咕咕说话，什么都没干，连水都没喝。天地良心，我要说了半句假话，让我出门被汽车撞死。"

老八说得正气凛然，连自己的龌龊想法都和盘托出，这让大家都有些愣住了，连苏禹的妈妈也一时愣在了那里，有些不知所措，嘴里却不停地埋怨："真是个傻孩子，真傻呀。读那么多书，还是傻呀。"

老三干咳了一声，清了清嗓子，又沉吟了片刻，似乎鼓足了勇气，也站起来，说："阿姨，您刚才骂老五，不，武修德，打麻将，做检讨。我们班的人都知道，老五从来不打麻将，这事学校和系里追查了几次，我都没承认。那天，打麻将的人其实是我，我去厕所，央求老五替我抓了把牌，结果就被学校逮着了。他和苏禹的事，同不同意在您，但他打麻将是为我背的黑锅，这话我得跟您说明白了。"

苏禹妈妈看看老三，又看看老八，摇了摇头，突然抽泣起来。

老四慌忙从皮箱里翻出面巾纸，递过去，女人抽了几张，说了声"谢谢"。老四又转身把面巾纸递给老五，老五没有接。迟疑了一下，老四还是凑过去，抽出两张纸巾，轻轻地帮老五擦去了脸上和脖子上的茶叶。

"你们都是同学，我也是做家长的。"苏禹妈妈用纸巾擦了擦眼泪，叹了口气，"武修德，我告诉你，苏禹将来是要出国留学的，你们不可能在一起，我也绝不会同意她与你在一起。你要真心为她好，就死了这份心，离她远远的，你们就此拉倒，我可以既往不咎。如果你再敢纠缠她，你就试试，你们校长与我熟得很，何况你们也应该知道苏禹爸爸的能量。"

说完，把纸团往地上使劲一丢，站起身，摔门而去。

大家面面相觑，一时无语。

老二和老四见女人出门，立即贱兮兮地冲到窗边，目送着趾高气扬的苏禹妈妈走出宿舍大门，等她坐进车里，离开后，二人才把目光转回来，不约而同地都耸耸肩，不明所以地相互叹了口气。

老大拿了湿毛巾，帮老五清理脑袋上的饭粒。

一直没有下床的老九突然问道："老大，她最后好像说苏禹爸爸的能量，应该是能力吧？能量不是一个物理名词吗？"

老大没理他，或许他也不清楚吧。

这些从未出过校门的书呆子们，走入社会后，才算真正明白"能量"所体现的内在含义哪里是"能力"这个单薄的词语所能表达的。

14

遇到大事时，老大不表态，大家即使在底下嘀咕，充其量也只能算作"酝酿"。最终的板一定是需要老大拍的，也不仅仅因为他是寝室长。

老大虽然只比我们大一岁，人生阅历也不见得比我们丰富多少，或许在高中时，也是别人身后的跟屁虫。但在寝室里，他是老大，自然就有了无法推却的责任，也就成了我们理所当然的主心骨。有时候，老大也会忍不住童趣未泯地放纵一下，我们当即就会提出抗议，揶揄道："你怎么能这样？你是老大呀。"道德的勒索和语言的绑架迫使这个与我们一样稚气刚脱的青年，不得不装模作样地老成持重起来，四年下来，老大倒真像个大哥了。

老大和老八用脸盆打了水，绞湿了毛巾，帮着老五清理头上、身上的茶叶和饭粒子。老五像个死人似的由着他俩摆弄，一句话也没有，目光呆滞，神情沮丧。

相比老大，同年同月同日生的老二则基本属于不正经，虽然在一入学时他撒泼放刁地争取到了"二当家"的称号和与老大同等的待遇，但这家伙用一系列不靠谱的言行不仅顺利地让自己威信下岗，而且光荣地让声名快速狼藉了。似乎老二并不在乎，他自称"学业犹未成，厚颜已纯青"，这还真不是老二吹嘘，二当家的脸皮那可真是宠辱不惊、刀枪不入。不过话又说回来，要不是老二一天到晚地插科打诨、耍宝逗乐，老大那整天一本正经的神情说不定会被我们理解成道貌岸然了。

老二从老五身旁经过时，瞧见老五额头上肿起了一个大包，像犀牛一样，明晃晃的大肿包上还沾着一片黑色的茶叶。老二一边哎呀着，一边充满怜惜地走过去，轻手轻脚地帮老五取了下来。

不过，这不靠谱的家伙怜惜的竟是那片未泡开的茶叶。

老二把茶叶拿在手里，吹了吹，自己放进嘴里，边嚼边摇头晃脑地感慨："上好的茶叶呀，满口清香，我一直舍不得喝……"这就太欠揍了，果然，话还没说完，老大一脚踹在老二屁股上，踹得他直翻白眼。

二当家的也知道，即使真心舍不得好茶叶这个时候也要表现得仗义疏财、慷慨大度，耍宝逗乐好像有点不合时宜。挨了老大一脚，二当家的也没有再执拗啰唆，只龇了龇牙，咧了咧嘴，吭都没吭一声。晚上，还主动帮老五打了饭，估计于心不安，也算是亡羊补牢吧。

但老五一口也没吃。饭就一直在那里搁着，老五也就一直在那里呆呆地坐着，一直到晚上熄灯。

其实，从苏禹妈妈离开后，我们就开始轮番劝导过老五。

虽然没有像上次的"十一帮一活动"那样隆重和高调，但也是步调统一的集体行动。

当然，步调也不是那么很一致。

按说，我们学中文的，摆事实讲道理都很在行，尤其是写文章，笔底生花、洋洋洒洒，但事关爱情，哪里有什么道理可讲呢？

何况，我们又不是真的特别看好老五和公主的未来，就内心而言，或多或少也有那么一点点酸楚和幸灾乐祸。

只是，老五是我们的兄弟，我们的好兄弟，他遭受感情挫折，被未来的丈母娘扇了大嘴巴子，无论从情感还是道义上，我们不仅不能袖手旁观，而且一定要表现得同仇敌忾、义愤填膺。

在轮番次第地吟诵过一通又一通古今讴歌爱情坚如磐石、有情人终成眷属的名篇警句后，对乡土文学情有独钟的老四试图用赵树理的《小二黑结婚》来诠释老五他们当下的窘迫，正说得起劲，老八却横生枝节跳出来表示了反对。老八认为，小二黑和小芹的爱情是遭到了双方家长的钳制，而老五他们的感情阻力是单方面的，只有女方一家，如果堪可比拟的话，似乎更像现代版的《梁山伯与祝英台》。

虽然正说到兴头上被一向"杠头"的老八跳将出来反对，老四一开始也没有特别恼怒，但老八千不该万不该在发表完自己的观点后又画蛇添足地说了句"山药蛋派太土气"，这就等于捅了老四的马蜂窝了。老四向来认为植根乡土、反映农民疾苦才是文学的圭臬，老八对山药蛋派的轻蔑立刻激起了老四的强烈反弹。在我们寝室，老四的口才是最好的，平时无理都要搅三分，何况他还认为自己占着理。

老四是极善于辩论的，一顿旁征博引就把老八逼得只有招架之力，又迅即把话题拉回到现实，以过去写大字报常用的"穿靴戴帽"法不留痕迹地挤对说："梁祝的结局你也清楚，你这是要逼着老五做梁山伯，让公主学祝英台以死殉情吗？"

大帽子一扣，这就要把老八"将"死了。公主是否以死殉情姑且不论，但五大三粗膀阔腰圆的老五肯定不是病恹恹的梁山伯，虽然他们都有些呆头呆脑。

"与其苟且着活，倒不如浪漫地死……"这就越来越不像话了。老八的话还没说完，老大就发火了，一拍桌子，把两个人都赶到了楼道里。

两个不甘示弱的人端着水杯在楼道里继续你来我往、唇枪舌剑了半晚上，据说第二天早晨解大号时，蹲在各自的茅坑里依然斗志昂扬地各抒己见、互不相让。

大家的劝导能否纾解老五心中的苦痛，我们并不知道。反正，那天晚上，老五始终神情木讷，一言未发。倒是老大被他手下的这帮弟兄们的苦口婆心聒噪得有些心烦意乱，早早地上床睡了。

第二天一早，我们醒来的时候，老五已经出去了，饭盆也刷干净放在了桌子上，饭盆下边还压了个纸条，写着：

　　谢谢众兄弟。

想想，也没有什么大不了的。爱情嘛，本来就不是一件能天遂人愿的事。古今中外，能进入到文学作品里的爱情，哪一个不坎坷磨难、渡尽劫波呀？一帆风顺的感情，或许就像那温吞的白开水，咕咚咕咚灌一肚子，倒是真能解渴，但没味道呀。

　　再者说，我们一个个也都在囫囵吞枣地谈着情说着爱，那是没有经过家长，要是父母知晓了，说不定也会东飞伯劳、棒打鸳鸯。老五和公主一出手就精耕细作，即使遭遇些风浪和冰霜，只要两人真心相爱，也不一定就会樯断桅残、折戟沉沙。

　　那个时候，我们还都没有经过社会的洗礼，还没有体会到人生无常、世道沧桑。

　　老五晚上回来时，似乎也并无特别的异样，除了少言寡语和一身的疲惫。

　　一连好几天都是如此，一大早就不见了踪影，晚上快要熄灯时，才急匆匆赶回来。也不能说匆匆，老五只是走得急，很明显，他满怀心事，步履十分沉重。

　　我们都不敢问老五，知道问了也白问，老五回到宿舍就洗漱，往床上一躺，除了粗重的喘息声，一点动静都没有。

　　我们只能问老大，关键是老大也不明所以。

　　问得多了，老大就以一个过来人的身份感慨，"感情遭受了挫折，男人嘛，要顶天立地。"一边说着，一边还拍拍自己并不强壮的胸膛，"再苦再难，也只能挺着，胸口舔血，自我疗伤。男子汉嘛，没事的，过一段就好了。"

　　过了一段，还真没好。

　　一天，老四匆匆跑回来，说："老大，我觉得老五可能又去卖血了。"

"怎么可能？"老大把手里的烟往地上一扔，"上次的奖学金他应该还没花完吧？现在又不用跟公主出去了，他哪里还会有急着用钱的地方？不可能的。"老大不信，把脑袋摇得像拨浪鼓。

"我也觉得不可能。可是今天我去医院探望亲戚，看到有个人在血站那里排队，挺像咱们老五的，你也知道他个子大，比较醒目。"老四坚持说。

"那……那你没过去看看？如果是他，拽他回来呀，即使年轻，也不能总卖血啊，人会垮掉的。"老大批评老四。

"我也这么想来着，当时脑子只是一闪就过去了，等明白过来，再回去找，就没看到人了。他回来，你问问他，也可能是我看错了。"

"行，等他回来我问问。"老大答应着，又像突然想起啥事似的，"除了跟公主这事，你们说这小子是不是还有其他事瞒着大家呀？就像前段时间，他整天往外跑，让公主在寝室里一等就大半天，如果不是遇到什么要紧的事，以他对公主的那份殷勤劲儿，不应该这样呀。"

"他是有些问题。"二当家的也凑过来，"总让人觉得有些神出鬼没，好像在私底下做啥买卖似的。我不是说他跟我抢生意，这个……这个……我格局没有那么低，我主要是怕他被骗。老五肯定是在做跟钱有关的勾当，而且很隐秘。我是经商的人，鼻子比狗都灵。老四，你把嘴撇到耳朵根我也坚持这么说，你爱信不信。"

"那就开香堂拷问他呀。"老四果然撇着嘴。

"那倒不用。"老大接话道，"咱们还是要充分尊重个人隐私的，老五既然不说，咱也别强问，他现在心情这么差，毕竟大家兄弟一场，在公主这个事上，咱们也确实帮不上什么忙，好在那天老三老八都算仗义，尤其老八。"老大感慨着，抬头环视了一下寝室，"哎，老八呢？这两天好像也不在寝室里晃荡了。"

"用功去了。"自从上次舌辩后，老四对老八的行踪就一直比较关注，"他不是英语四级没过吗？下周就补考了，最后一次机会，听说过不了就只给毕业证不给学位证，老八正在拼命备战呢。"

"平时不努力，临时抱佛脚。"老大摇摇头，又关切地对老二说，"二当家的，你四级不是也还没过吗？不再试试了？"

"不受此辱了。"老二叹口气，快快地说，"娘的，考也考不过，本想找个人去替考，据说这次教育部直接督办，查得特别严，只要作弊，抓到就立即开除。犯不上啊，真撞枪口上可就惨了。"

老大取出烟，扔给老二一支，自己点上，抽了一口，感叹道："你这样想就对了，临近毕业，可得小心，四年下来不容易。学生处那帮人，上次对系里只让老五做个检讨没给处分老不满意了，憋着坏收拾我们呢，你们几个，"老大冲着寝室里的大伙说："都听着啊，麻将、扑克绝对不能碰了，还有电炉子，我回头也给老五说，千万千万别用了，只要顺顺利利毕了业，咱们兄弟们天天醉生梦死都行，这段时间，还是先把尾巴夹起来吧。"

"行嘞，老大，放心吧，装大尾巴狼咱们都擅长着呢。"哥儿几个赶紧应和道。

"扑克没说不让打吧，老大。"老九心有不甘，嘟囔了一句。

"行啦，老九，我告诉你，别的屋能玩，咱屋也别玩，咱们不是有前科吗？你以为老五在学生处坚持说，没有同伙，自己在那里码牌玩，人家信吗？鬼才信呢，为什么人家一直说老五态度不老实，就是因为没把咱们供出来，长点心吧，憋几天能死呀？"老大有点恼火地训斥老九。

"放心吧，老大，我他妈再玩，就把手跺了。"老九见状，赶紧表决心。

"我来跺，一刀下去，保证从这里到这里一块全下来，送到饭店，用酱油这么一烹，再加点糖色，瘦中有肥，肥而不腻，喷喷，红烧蹄髈，正好下酒。"老二一边打趣老九，一边在老九胳膊上比画。

"懂不懂啊？烧蹄髈要油脂肥厚，至少要带上大半个手掌。"
"真恶心，老九上厕所可是不洗手的。"
大家七嘴八舌。

"行了，都正经点吧。"老大止住吵嚷，"马上毕业了，我们即将远行，很快天各一方，再相聚还不知道要等到啥时候呢。"

一阵伤感突然涌上心头，大家谁也没再说话，寝室里，一片沉寂。

15

老大晚上没出去，等着与老五谈谈话，但那天晚上，老五竟然一夜未归。

第二天晚上，都快要熄灯了，老五才回到寝室。

老大没有察觉到老五苍白的脸色，只感觉到老五满身的疲惫，等老五上了床躺下，他才搬了个椅子，坐在老五床边，隔着床帘，轻声问：

"老五，昨天晚上你没回来，怎么回事？你去哪里啦？"

"噢，有个老乡，有事让我帮忙，他们同学有出去实习没回来的，昨晚就借住他们寝室了。"

老五对老大还是很尊重的。不光老五，我们对老大也都很尊重，明摆着的，大哥的江湖地位在那里摆着呢。

"最近没什么事吧？"老大很关切地问。

"没事，老大，不用担心我，都挺好的。"老五躺在床上，依然平静地说。

"公主的事，我们也帮不上忙，想不到她妈妈竟是这样的人，好事多磨，兄弟们都是希望你俩能成的。"老大叹口气。

"嘿，她妈妈性格就那样，她也是个不幸福的人。老大，没事的，我俩商量好了，最近不见面，免得刺激她妈妈。等毕业后，反正都在一个城市里，慢慢地做她父母的工作就是了。我相信她，她也相信我，你就放心吧。"

老大在黑暗中，摸着不知道谁的杯子，喝了口水，犹豫了半天，还是很轻声地说："其他没什么事吧，老四说你又去卖血了，有这事吗？"

老五似乎一愣，把头从帘子里钻出来，在黑暗中看了老大一眼，又把头缩了回去，否认道："没有，没影的事，老四肯定看错人了。"

"没去就好，再好的身体也不能透支，老五，你记住，要是缺钱什么的，就说话，我们十二兄弟，一定会同舟共济的，没多有少，都会尽心，不能遇上事闷在心里，家里也没什么事吧？"

老大不放心，又追问了一句。

"没有，没有。真的，不缺钱，老大，哥儿几个已经帮我很多了，我有收入，有家教呢。"老五慌忙解释。

"那就好，可别再用电炉子了，最近查得严，快毕业了，咱不惹麻烦，小心驶得万年船。"老大又啰唆了几句。

"嗯。"老五答应着。老大似乎意犹未尽，但感觉老五已经困意萦绕，也就站起身，在走廊里抽了支烟，蹑手蹑脚回来，摸到自己床边，睡下了。

老五出事后，老大极端自责，有次说起来，突然啪啪抽了自己两个嘴巴子，嘴角都渗出了血，说："我他妈的什么都想到了，知道他不打牌，就嘱咐他别用电炉子，谁能想到他会鬼迷心窍去给别人替考呢？这一句话没嘱咐到，就出了这档子事。"

这是后话了。

老五出事前，我们还见到过一次公主，是在中文系的礼堂里。

一个多月前，老五就是在这里做了深刻检讨，用八千言哀感天地的检讨书把老师和同学们感动到热泪盈眶，连听会的老系主任都颤巍巍地站出来，感慨道："我们教育的目的不就是让人知错改过吗？难道教育就是为了惩罚？这样深刻的反思，触及灵魂的拷问，还不够吗？我们非要给孩子一个处分，装进他的档案里，让他因为一次偶然的不慎去背负一生的枷锁吗？"

老主任一语成谶。

命运的天平没有因为老五逃过了这次处分就眷顾他，沉重的枷锁像一座大山呼啸而来，把老五困在其间，只能苟延残喘。

这次会议没人做检讨。

这是毕业前的动员会。

其实动不动员都得拆凉棚，散宴席，各奔四方。

大家心里清楚，动员会也就开得马虎敷衍，连主席台后面背板上新贴的大标语"从这里再起航"几个毛笔字都写得有些荒率潦草，老八和老四两个"杠精"立即就应该是"起航"还是"启航"展开了争论。

主席台上摆了长长的一排桌椅，长到最边上的桌子腿都已经悬空了。几乎所有在系里从事行政工作的老师们都坐在了台上，脑袋靠着脑袋，肩膀压着肩膀，一个个像急着送女儿出嫁的母亲一样把自己先梳洗得油光粉面。

虽然主席台上挤得满满当当，发言的却只有系主任和总支书记，所谓毕业前的总动员，无非是要求大家树立积极的就业心态，要有信心去实现自己的人生目标，以及鹏程万里、大展宏图之类的套话和祝福语。

当然，在谈到要适应新时代，勉励大家为党和国家的伟大事业做出积极贡献时，两位发言人都说得铿锵有力、激情澎湃。

公主来得比较晚，她进来的时候，我们都已经坐好了。

公主还是穿着那件蓝色的背带裙，白色的圆领 T 恤衫，梳着两个小辫，简简单单，干干净净。好多天不见，人明显清瘦了不少。虽然她依然与过去一样，微笑着跟大家打招呼，但神态里似乎有种说不出的哀愁。

老五与我们坐在一起，两只手托着腮帮子发呆，公主进来时，有意无意地朝我们这边瞟了一眼，但很快就扭过脸去了，我们从她眼睛里看不到有任何表示，老五也是一动不动，神态上也没看出有什么异样。

动员会，只是毕业前必须走的一个程序，发言也多是历年来的陈词滥调。说者照本宣科，听者兴趣索然，所以没多久，也就草草结束了。倒是不少同学跑上主席台，拉了系主任、书记和一些老师，在礼堂里合影。老师们一边说着"急什么，过几天毕业典礼时再尽情照"，一边努力摆着 pose，对着镜头，露出非常慈和的微笑。

也有女同学去拉公主一起与系领导合影，公主刚站起身，还在整理着头发，一个年轻小伙子已经推门进来了，拿起公主的书包，趴在她耳朵边，嘀咕了几句，公主愣了一下，脸色立即就阴沉下来，似乎很不情愿却又无奈地跟着小伙子出了礼堂，临出门时，还扭头冲我们这边看了一眼，也只是看了一眼。

"你不赶快过去一下？"老大推了一把发傻的老五。

老五摇了摇脑袋，没有动，也没有说话。

"车里好像有个人，嗯，女人，肯定是她妈妈，就在车里等着呢。已经上车了，唉，开走了。"老二站在窗台边，一边往下看，一边现场直播着。

那是我们毕业前最后一次见到公主。

16

老五出事是因为替考。

老四看到老五去卖血的那天，老五的一个老乡给他拉了个

"皮条"。

他们寝室有个家境很好的同学，英语四级没考过，最后一次补考就想着找人替考，开出的价码是五百元。

这在当时是个惊人的数字，我们一年的生活费也就四五百元。虽然知道要冒很大风险，但这条件确实太诱人了。也许是为了表示诚意，也许是为了显示自己的经济实力，或者，也许怕老五临时变卦，一见老五被说动了，这个"大款"同学立即预付了老五两百块。

但也把丑话说在了前边，如果没考过，这两百元还要退回来。

老五英语六级考了八十多分，四级对他来说简直就是小菜一碟，虽然考完六级后，老五就不怎么看外语了，但凭着过去的基础，考不过那是基本不可能的。

虽然老五把钱看得比较重，但还是很懂规矩的人，当场就抽出三十元给了老乡，作为中介费。

唯一担心的就是监考。

那天晚上，老五没回来，确实住在了老乡那里，三个人研究了半夜。

虽然"大款"同学也长了个大脑袋，模样与老五也有几分相似，但毕竟还是两个人，为了保险起见，三个人决定把准考证上换上老五的照片。

人一有钱，交际就广。

大学里，能人多。"大款"就认识一个会刻章的同学，对着准考证，用泥巴做了个章模，在电炉子上烤了半天，再用灌满水的茶缸子往照片上一下一下蹾，不到一刻钟，就真跟压上了钢印一样，不仔细看，还真看不出是假的来。

这下老五踏实了。

考试那天，监考果然很严格。在老五那个考场，就捉出来好几个作弊的，也有两个替考的，直接被监考老师没收了考卷，赶了出去。

好在题目对于老五并不难。老五在战战兢兢中一口气就把题目答完了，监考老师在老五身边转来转去，还时不时瞅几眼他放在桌子左上角的准考证，搞得老五很心虚，汗就顺着脑门子往下淌。

老五答完了卷，坐在那里胡思乱想，觉得考过肯定没问题，说不定还能弄个高分，这样提心吊胆在考场里坐下去，夜长梦多，说不定再节外生枝，于是，老五就提前交了卷。

补考的学生，不仅全部题目做完了，而且还提前交了卷，这让监考老师有点狐疑。

"站住，这位同学，你等一下。"监考老师叫住正要出门的老五。

"老师，肚子疼死了，着急上厕所。"如果是老四，这个时候肯定会立即捂着肚子，局促不安地摇摆着身子，可怜兮兮哀求。

"上次失误没考好，惭愧呀，这次准备得比较充分，看来还是得多请老师辅导几次才对。"如果换作是老大，肯定会镇定自若。做贼不心虚，就容易蒙混过关。

但现在是老五，老五听到监考老师喊着让他站住，立即慌了神，惊慌失措的老五第一反应就是逃跑，夺门而跑。

事情就这样败露了。

虽然在考前，学校三令五申，还专门给参加补考的人开了会，说四、六级考试都是教育部直接监管的，千万不能替考，不能作弊，甚至威胁说，只要捉到，立即开除学籍。但还是有铤而走险的，这不，连替考带作弊的，全校抓到了十几个。

毕竟马上要毕业了，老师们还是有恻隐之心的，学校也念及四年大学读得都不容易，所以，处理起来也是高高举起、轻轻落下，虽然喊着要开除，到最后，所有作弊、替考者都只给予了记过处分，包括找人替考的"大款"。

然而，给老五的处分竟然是："劝其退学。"

因为老五不光替考，还动手打了人。

老五从考场夺路而逃，把事情原原本本说给"大款"和老乡听，"大款"当即就不乐意了，明明没有被监考老师发现，是因为你老五沉不住气，自作主张，提前交卷，把个好端端的局面搞砸了，导致前功尽弃、全盘皆输。老乡也很生气，大骂老五成事不足败事有余，这下可好，把大家都拖下水了。

大款一边骂，一边逼着老五把预付的两百元退回来，老五其实也很懊恼，一开始只是用大拳头砸自己的脑袋。

退钱让老五很崩溃，老五只得了一百七十元，另付三十元给老乡做了中介费，要退，也只能退一百七十，大款当然不干，我明明付你的是两百元，没考过是你的责任，中介费那是你自己的事。老乡也有自己的说辞，我的中介任务已经完成了，中介费就是我的劳动所得，考没考过是你俩的事，所以，这中介费是坚决不退。三个人吵作一团，吵着吵着，就动起了拳头。

在学生处，老乡和"大款"一致指责是老五先动手打了他俩，用他们的话说，本来是相互埋怨，吵嘴，吵着吵着，老五突然暴怒，连摔了两个暖水瓶，咆哮着挥起拳头，把他俩揍趴下了。

劝架的也做证说，他们过去的时候，看到老五像野兽一样嚎叫着，眼珠子都是红的，非常吓人。

虽然老五身上脸上也都挂了彩，可看看那两位鼻青脸肿的样子，再加上老五已经因为打麻将在学生处"挂了号"，有前科，又动手打人，这种极不老实的学生必须严惩呀。

这些事我们都不知道，老五还是早出晚归，他任谁也没说。

据说系里一直到接到学生处的通知书，才知晓学校已经对老五做出了"劝其退学"的处分。

系主任和党总支书记还在到处找我们班长和老五时，学校的布告栏里已经贴出了处分决定，不仅盖了学生处的大印，还罗列了老五打麻将、替考、打架斗殴等"罪状"，说多次违反校规校纪，屡教不改。如果不是我们对老五很了解，仅从通知的表述看，这样的"害群之马"早就应该被开除学籍了。

这下全校都"炸锅"了。

一个四年级的学生，再有不到一个月就毕业了，被劝退了。四年大学，岂不白读了？

而且，老五在学校里多少还算是个名人，年年得奖学金，几次上光荣榜。最让大家议论纷纷的，当然是他的女朋友竟是那个以接近满分的成绩考取研究生的学霸"公主"。

虽然班长专门跑到我们寝室，说了学校对老五处分的事，老大还是不信，一定要拉着我们几个跑到学校大门口的布告栏里去看。果不其然，在那个布告栏里，白纸黑字，下边盖着学生处的大红印章。

看完布告，我们几个突然就觉得两腿像是灌了铅，浑身发冷，四肢无力，都是挣扎着往回挪着走。

老二见向来烟不离嘴的老大虎着脸，既没抽烟也不说话，就从兜里摸出烟，递给老大，老大叹了口气，只说了一句："我抽不动呀。"眼泪跟着就下来了。

17

老五回来的时候，已经很晚了。

我们都没有睡觉，或坐在桌边，或歪在床头，谁都没有出声，老五愣愣地看了我们一眼，也没有说话，就急匆匆去洗漱了。

最近老五瘦了很多，瘦得都有点脱相了，整天心事重重的样子。我们一直认为是与公主恋爱的事，也都没有过多打探。老八有一次还跟老五开了个玩笑，看老五没有理睬他，也就讪讪地找了个台阶自己下了。我们做梦都没想到，甚至他有几天脸上挂了彩，我们也都没有往其他地方想。"劝其退学"，对于我们这些还没有出校门的大学生来说，这不就相当于天塌了吗？

可我们又能做什么呢？

等老五收拾停当了，要睡下了，还是没人吱声，寝室里静得跟有老师在场的图书馆似的。连一向伶牙俐齿喜欢多嘴饶舌的老四都闷头傻坐着，屁都不放一个。

大家都眼巴巴地瞅着老大。

老大对着黑漆漆的窗外，默默地抽烟，一支抽完，又续上了一支。不回头，也不吭声。

老二实在沉不住气了，从后边轻轻地推了老大一把。

"唉！"老大重重地叹了口气，把手里的烟捏灭，转过身来，似乎调整了一下情绪，虽然眉头紧锁，但还是装着很轻松的样子，走到老五床边，轻描淡写地问：

"老五，明天还去上家教吗？"

老五已经把床铺好躺下了，正准备拉上床帘，见老大问话，就在床帘边留了个缝，人缩在床里，轻声说："这就要高考了，有个孩子还差最后两次课就复习完了，明天还得给他上一天。"

老大心有不甘地摇摇头，说："这课就那么要紧？明天必须得去？"

"答应人家了，那孩子也可怜。"老五说得很平淡。

老大不知道该怎样接话，就端了茶杯，一边准备喝口水，一边看着我们。

"别拐弯抹角了，老大。"老三见两人对话不着边际，有点着急，就催促道。只是他话还没说完，寝室的灯突然熄了，已经晚上十一点。

寝室里一片漆黑。

"我都知道了，老大，你们不用为我担心。"虽然没有挑明，老五也知道老大想说什么事。

但他又能说什么呢？

迟疑了片刻，老五还是把刚才留着的那个床帘缝拉上了。

老大犹豫着。在黑暗里，他又点上了烟，抽了一口，才试探着说："明天还是不要去补课了，晚一天也没啥，这事要紧，我陪你再去趟系里，请系主任到学校争取争取。"

"没用的。"老五很干脆地否决了，"该试的，我都试过了，这或许就是我的命，我的宿命。"

"什么宿命，狗屁！"黑暗里，老八突然抢白道，"你老五一向乐观，啥时候信过命？"抢白里，带着伤心和悲愤。

"老八！"老大怕刺激到老五，立即制止道。

好一阵子沉默，老五突然叹口气，道："我也不想低头，可现实……现实……已经让我抬不起头来了。"

"别说这话，老五。"老大打断了老五的话，颇有点动情地说，"你老五从来就不是孬种。再说了，我们有十二弟兄呢，大家一起面对，一起克服，办法总比困难多。"

"这次……这次……我捅了天大的娄子。没人能救得了我，我对不起弟兄们，也给咱们班、给中文系丢人了。"说着，老五有些哽咽起来。

"没啥大不了的。"老大豪迈地说，"天塌了，自有大个子顶着。谁还没遇到过沟沟坎坎呀？我们同仇敌忾、同舟共济，否则，要我们这些兄弟们干啥？"

要搁在平时，老大说出"天塌了，自有大个子顶着"一定会被大家口诛笔伐，甚至还可能会被老三老五老七这几个威猛的大个子羞辱一顿。但今天，谁也没有说话，也没人去关注老大豪迈讲话时是否用上了他惯常使用的"悬空劈"动作。

"我们兄弟荣辱与共，学校要是真敢开除你，我们集体上书，全都罢学，看学校拿我们怎么办？"老二急不可耐地表态。

"净出馊主意。"在黑暗中，老九直接怼了老二，"学校有怕学生的吗？会在乎几个学生的要挟？一旦把事情闹大了，更不好收拾了。"

老二早就习惯了被戗，更何况，大局当前，不可内讧。老二不仅没有反唇相讥，而且降低了姿态，虚心问道："那你有啥好主意？"

"找人。"老九毫不犹豫，"老大，老五，还有我们大家，得赶紧想办法找人，我们人微言轻，再闹腾也白搭，得找能跟校领导说得上话、学校会买账的人。"

老九的话一落地，寝室里突然就安静了下来，因为在一瞬间，大家可能都同时想到了一个人——苏禹的妈妈。

可谁都一时张不开嘴。很显然，那女人恨透了老五，要是她对老五的倒霉再落井下石呢？这事一旦弄巧成拙，岂不是害了老五和公主一辈子？

没有人再吭声。

黑暗中，也没法面面相觑。大家都躺在床上，大睁着眼睛，翻来覆去地"烙饼"。

"我找过她了。"过了好久，老五才怯怯地、闷声闷气道。

我们这个时候才知道，老五不光已经找了苏禹的妈妈，还去找过德高望重的老系主任。

18

那天，在学生处里做完笔录，鼻青脸肿的老五才清醒过来，猛然意识到自己闯下了泼天大祸，即将付出极为惨痛的代价。但后悔已经来不及了。

学生处的老师对老五打麻将的事印象深刻，当时就声色俱厉地训斥道："玩麻将、赌博、替考、行凶打人，每一条都够开除的，你就等着吧！"

老五肯定不甘心等着被开除。

能考大学，对老五来说已是穿荆度棘了，大学四年，更是饱经风雨、历尽磨难，马上要毕业，马上能工作，马上就可以踏踏实实挣钱了，却要被开除了，这飞来横祸、灭顶之灾，简直就是让老五生不如死。

老五脑子时常短路，有时候就是转不过弯来，要不然怎么可能在临毕业前这关键档口犯糊涂闯下这样的大祸呢。但老五又是聪明的，一个在学业上敢与学霸公主一较高低的人也并非泛泛之辈。是的，老五不仅擅长思考和分析，而且，在虽然不长但充满苦难的人生历程中也磨练出了忍耐、退让和那么一点点小机灵。

替考、打架，是很丢人，但学业更重要，在面临生与死的抉择时，脸面和尊严可以暂时先放置一边。

盘桓思酌了良久，老五觉得自己认识又跟学校能说得上话，有可能让校领导网开一面的只有两个人：一是老系主任，一是公主妈妈。

但不到万不得已，老五肯定不会也没有胆量去面对那个飞扬跋扈的女人。

所以，老五先去找了对自己极为赏识的老主任。老人家虽然已经退居二线，但毕竟是知名学者，业界的泰斗，校领导按理说应该会给他些面子。

上次系里顶着学生处的压力，大事化小，没有给老五处分，除了系里的老师们对老五比较了解外，老系主任在检讨会上的一番慷慨陈词也是起了作用的。老五对老人家一直心存感恩，带着羞惭与愧疚，在路上，老五认真准备了一套在他认为应该能打动老人家的说辞。

而且，老主任还是公主未来的导师，老五与公主曾经几次去他家里吃饭，与老人家也很谈得来。

但师母的一番话，给了老五当头一棒。师母说先生出差了，要到学校毕业典礼前才能回来，根本联系不上。

老五有些不死心，在一阵拐弯抹角后，师母才悄悄告诉他，老主任是高考命题组成员，已经被封闭隔离了，别说见面，就是电话、写信都不可能的。

仿佛一盆刺骨的冰水从头浇到了脚后跟，老五当时想死的心都有了。

看来，也只有苏禹妈妈这一条路可走了，老五没办法，只能厚颜无耻地豁出去了。

虽然大家都知道，苏禹的家庭是有些地位的，但公主的傲气只在学习上，她并不是一个喜欢炫耀的人。入校时填报的学生登记表，都在辅导员那里封存着，自己不说，大家也很难洞悉每个同学的家庭状况。"妈妈在省教委工作，"这是两人在卿卿我我时公主告诉他的，"不过，也是闲职，不用每天去坐班。"公主又补充道。

虽然我们的学校直属于教育部，但省教委还是很有话语权的。

老五当时对公主说到妈妈在省教委工作并没有特别在意，甚至苏禹妈妈在呼了他几个嘴巴子后说我与你们校长熟得很时也没有特别惊诧。他与公主谈恋爱，自然对她家的情况知道得要比我们多得多。人家家是有能量的，能量到底有多大，他也想象不出来，也超出了他这个小山村里出来的懵懂青年的想象力。

好在公主觉得那些东西与她都无关，她情意绵绵地爱着老五，老五也真心实意地爱着她，两个人不食凡间烟火般地相爱在云端。

但这个时候，老五就不能不在意了。

可老五无法向公主求助。

他从来没有去过公主家，也不知道公主家的电话号码，即使是两人写信，也都是寄到公主的寝室。两人恋爱的事被她妈妈发现后，为了平息她妈妈的怒火，两人也是相约暂时不再联系，一切等到毕业后。

"不相见，每天体验着分离后那种刻骨铭心的思念，说不定是另外一种别有情致的浪漫呢。"

老五其实是心里有一点点不赞成这种浪漫的，他觉得能时不时地牵着公主温润的小手比独倚高楼、望断南飞雁更实在。但他一来不想扫公主要把爱情小说中各种浪漫桥段都想尝试一回的兴；二来，他也要设身处地地为公主着想，苏禹是个孝顺孩子，总觉得妈妈过得不快乐，她不能在个人感情问题上跟妈妈闹得不可开交。更何况，老五正为手头事忙得焦头烂额、分身乏术，有时候不免让公主等着他，他真心不舍得让公主受半点委屈。

"因为不相见，一定很煎熬，我们要把自己的心境记下来，将来交换着看。"见老五点了头，公主很兴奋，甚至还有些期盼，全然没有目断魂销的难过和黯然神伤的悲戚，老五也没有表现得缠绵悱恻、恋恋不舍，在那时的他们看来，无论雨雪雷电还是万水千山都阻止不了两人的感情，他们的爱情是撼天动地，是经得起任何考验的。

老五也确实按照公主交代的，每天在日记里倾注着对她的牵挂和思念。

似乎一切都在按部就班，但谁也没有想到，老五在这个时候出了大麻烦。

纵然此时的老五六神无主，老五也并没有想着要找公主倾诉一番或者让公主出面去求人。老五觉得自己是男子汉，虽不能顶天立地，但也不能让所爱的人跟着自己操心挨累、担惊受怕，况且他也知道，公主只会读书，根本不谙世事，除了着急、难过，说不定还会吃不下饭、睡不着觉，把眼睛哭得像铃铛。老五舍不得。

爱她，就要真心呵护她。

老五其实曾经坐公交车送过公主回家，知道公主家就住在省委旁边那个著名的家属院里，大院门口戒备森严，全副武装的武警站着岗，别说进去了，就是在附近徘徊的时间长了都会有人过来盘问。

老五咬咬牙，觉得还是他与苏禹的妈妈直接沟通比较好。老五还是个单纯的青年，在老五的逻辑里，两人都深爱着苏禹，都在乎苏禹的感受，自己要是被学校开除了，苏禹肯定伤心、难过，帮自己也是帮女儿，何况，这事对她这样"有能量"的大人物，或许只是举手之劳。

老五这样的脑回路，也不能说就完全错，哪有不心疼女儿的妈妈？女儿在乎的人，当妈的还真能撒手不管？

在省委家属大院门口转悠了一上午，老五也没有碰到能搭话的人，进进出出的不是小汽车，就是当兵的。鼓了好几次勇气，老五还是没敢上前去跟一脸严肃的执勤战士套近乎。

垂头丧气的老五只好去教委大楼碰碰运气。

教委毕竟是管学校的，跟学校沾点边，老五就没有那么怵头了。虽然公主说她妈妈不常去上班，但要是恰巧碰到认识她的人，打听到她家的电话号码也总比在当兵的眼皮底下伸头探脑强呀。

这次老五的运气还真不错。

省教委大楼也有武警在站岗，门口还有个收发室，一个戴着红袖箍的老大爷正坐在外边的一把椅子上摇着大蒲扇乘凉。老五刚一露头，还没敢往前探身就被眼如鹰隼般敏锐的老人家"活捉"了，一声暴喝："干什么的？"

撒丫子就跑是不可能的了。老五只好硬着头皮，上前解释说他是大学生，与苏厅长的女儿苏禹是同学，知道苏禹的妈妈在这里上班。老五还没说完，目光炯炯的老大爷就冲收发室里正看人下棋的一个小伙子嚷道："快领走，找你们那位的。"

小伙子似乎也听到了老五说跟苏禹是同学，就一边答应着，一边往外走，眼睛还直勾勾地停留在棋盘上。老五跟他走了十几米，进了大院，小伙子才像突然明白似的，转身看着老五，愣愣地说："哎，你是谁呀？你咋找到这里的？"

老五只好把刚才的话又重复了一遍。

"武修德……名字有点熟……"小伙子边走边若有所思地说。

"我在寝室里排行第五，大家都喊我老五。"老五也认出来了，这个小伙子就是给苏禹妈妈开车的那个司机，上次系里动员会上，也是他推门进来把苏禹叫走了。

"你们大学生也兴这一套呀，跟当兵的一样也拜把子？"小司机似乎没觉得老五老三的有啥区别，倒是对大学生拜把子颇感兴趣。

进了大楼，走到一间办公室门口，小司机停下脚步，说："你在这里等一下，我先去跟领导通报一声。"

小司机进门还不到一分钟，在走廊里的老五就听到了一个女人的咆哮，让老五心里顿时吓得一激灵，果不其然，小司机出来时脸涨得通红，一句话不说推着老五就往外走，身后还传来"有多远跟我滚多远"的斥骂声。

老五确实比较怂，精心准备的跟苏禹妈妈正面交锋的那套说辞一句还没用上，就灰溜溜地被撵出了教委大楼。

唉！下一步该怎么办呢？老五心乱如麻。教委大楼外边立着一块黑色大理石碑，上面刻着"尊师重教，百年育人"几个大字，老五目光呆滞地盯着上面的字，一筹莫展。这时，那个小司机又急匆匆地跑出来喊住了他。

"我不是你阿姨，少跟我套近乎。"老五进到苏禹妈妈办公室，刚叫了声"阿姨"就被硬生生掉了回来。

"说吧，干啥来了？"苏禹妈妈穿着高跟鞋，跷着二郎腿，怒气冲冲地坐在沙发上，脸上挂满冰霜，盯着站在门口耷拉着脑袋的老五，那眼神，充满着厌恶和不屑，仿佛是酒足饭饱的警察在审视一个刚被捉到的贼。

老五其实在脑子里已经演练过多次见到苏禹妈妈后该怎么开口，但女人咄咄逼人的神态和盛气凌人的气势还是让老五有些乱了阵脚。

但老五已经没有退路了。迟疑着，还是一五一十把自己替别人参加四级英语考试被学校发现要开除的事，说了一遍，怕露破绽，逡巡半天，把人家给了二百元替考费由此而打架的事也说了。

女人听得直摇头。

"我女儿真是瞎了眼，竟看上你这种不成器的东西，她也就是单纯，早晚会看清楚你的真面目，替考、打架，还问人家要钱，这不就是地痞流氓吗？你爹妈咋教育的你？让你这种人到大学里耍流氓？"

老五低着头，不说话，任由女人骂。

"你这样的坏蛋被开除，真是大快人心，你们学校做得好，做得对。"女人咬牙切齿，很解气地说道。

"我这种从小地方来的人，您也知道，就靠着上大学改变命运，我要是被开除了，活着也就没有什么指望。我死不要紧，但我怕苏禹做傻事，您也说了，她很单纯，又看了那么多爱情小说，她要是一时想不开……"老五故意没有把话说完，这是他精心准备的"杀手锏"。果然，女人当时就愣住了。

虽然没有把话挑开，但苏禹妈妈已然明白了老五要表达的意思。

"知女莫如母"，当妈妈的哪有不了解女儿的？苏禹妈妈自然清楚她这个单纯得像一张白纸又正沉浸在爱情里的书呆子女儿，说不定真就有可能做出让她后悔终生的糊涂事。她呆在那里，好半天没说话，她简直恨死了这个"泼皮牛二"一样的"臭流氓"。

恨恨地喘了半天粗气，苏禹妈妈还是开口了，口气也比刚才和缓了很多："那你……你来找我干什么？"

"想拜托您跟校领导打个招呼，怎么惩罚我都行，只要学校不开除我。"老五这回说得很利落，他千方百计地找来，就是为了要说这句话。

女人沉默了。

那天下午，在省教委的办公大楼里，青年老五与苏禹的妈妈达成了一项秘密的交易。围绕着一个女孩，却又必须把女孩蒙在鼓里的交易：老五承诺与公主分手，不再主动联系公主，苏禹的妈妈也答应去学校斡旋，不开除老五的学籍。

在苏禹妈妈的要求下，老五不仅当场写了跟公主的分手信，还签下了保证书。

老五在跟公主的分手信里写道：

画州：

　　鉴于你和我之间出身的差异，

　　经历背景不同，

　　学校和社会是两个完全不同的世界，

　　未来充满变化，分开吧，

　　真诚祝你心想事成，一切顺利。

修德　老5

老五故意把"五"字写成阿拉伯数字"5"，他想，以公主的聪明，肯定能明白其中的奥秘。

每句话的第五个字连起来就是"我不会变心"。这是他在一部爱情小说中看到的情节，这部小说，是公主推荐给他的，她说她看过好几遍。

在保证书里老五也抖了个小机灵，他承诺不主动联系苏禹。他知道，他不主动，不代表公主不主动。只要顺顺利利毕了业，将来他跟公主要过一辈子呢，还能没有机会把这些误会说清楚？

苏禹妈妈见老五每件事都答应得挺痛快，也就没有再给老五脸色看。相反，还让老五坐下来，说了几句掏心窝子的话："哪个妈妈不希望自己的孩子过得好？哪个妈妈会让自己的孩子受苦遭罪呀？你和苏禹本来就不是同类人，你们分开，也是对各自负责。"

甚至还动情地掏了五百块钱给老五，说："听苏禹和你同学讲，你也不是个坏孩子，又当家教又卖袜子的，听说为了给苏禹买礼物还去卖了血，年轻也不能这样个折腾法。拿去吧，别为了还账再去卖血了。毕竟，我也是个当妈的。"

"我也是个当妈的"，这一句话竟让老五潸然动情，眼泪当即就流出来了。

别看我在这里写得欢，绘声绘色、活灵活现，好像我就在现场亲眼看见了一样。其实，那天晚上，老五对去省教委大楼与苏禹妈妈见面的事，一直吞吞吐吐，在大家的多次催问下，说得也是含含糊糊。好多过程，都是我们后来才知道的。

而且，从头到尾，老五都没有提苏禹妈妈给他钱的事，一个字都没提。

"这样说来，也是过去好几天了，苏禹妈妈跟学校打没打招呼呢？如果打过招呼，为什么学生处还要给老五一个劝其退学的处分呢？"老大边思考着，边把自己的疑问提了出来。

"估计没打招呼，她是骗老五的。"一般老大发完话，二当家的就会接着发言，"那女人，走路都气势汹汹，一看就不是什么好鸟。"

"别乱说。"老大斥责了老二一声，"那是我们的长辈，是公主的母亲。"

"真可惜，公主这么好的姑娘生在这样的家庭，那女人真不配做公主的妈妈。"老二虽然被怼，嘴上依然不服。

"别自作多情了，公主也没给过你啥好脸色看……"

"够了。"老四的话还没说完，就被老大一声暴喝，"什么时候了还说这些不咸不淡的话，老五的未来命悬一线，你们还讲不讲点兄弟情义？"

老大的话把大家一下子又拽回到了现实里，老二老四也自觉理亏，赶紧闭了嘴，寝室里一片寂静。

"老大、老五，你们感觉会不会是苏禹妈妈打过招呼后学校才将老五的处分改成劝其退学的呢？听老五刚才的表述，学生处的那帮家伙们说他每条都够得上开除了，劝其退学毕竟比开除学籍要轻一些吧？"在黑暗里，老九发表了自己的看法。

"可劝其退学，不还是让退学吗？老五的学籍保不住，打不打招呼有啥意义？"睡在老五上铺的老三提出了质疑。

已经是下半夜了，老大一直还没上床，他在老五床边的一个椅子上坐着，听了老三的疑问，点点头，问道："老五，你感觉公主的妈妈有没有可能骗你？她当时答应得痛快吗？"

"当时……当时……"老五似乎在回想当时的场面，"一开始她……沉默了，后来我几次央求，她才答应的。出门前，我还给她鞠了个躬，说了拜托的话，她说只要你能信守诺言，我就不会让你失望。"

老大还没答话，刚才挨了训半天没说话的老四又匆忙加入讨论的战团，他一副恍然大悟的口吻，说："那妥了。如果你一提请她帮忙，她立马就答应了，说明她有可能哄你，要是她答应得不那么痛快，像你说的，沉默了好久才答应，我觉得应该是真心会办的。社会上一般有头有脸的人，做决策都是很慎重的，总要思考一下的。"

对于这些还没有走出过校门的"天之骄子"，外边的社会还是一片朦胧，他们对现实世界的判断往往基于照猫画虎的猜测和自作聪明的想当然中。

"可老五的问题没解决呀，她答应了这不没给办吗？那处分决定不是……"老大没有直接反驳老四的判断，但肯定心怀疑虑，话说得也很含糊，或许怕刺激到老五，还硬生生把到嘴的后半句"在校门口张贴着"憋了回去。

在大家近乎天真的认知里，苏禹妈妈是坐小汽车的大人物，大家都亲耳听到她说过"你们校长与我熟得很"。让校长撤销一个学生的处分决定，不就是一句话的事吗？何况，省教委还管着学校呢。于公于私，都不应该很难。

"如果是分步走呢？"老四吸了口气，试探着分析，"你们看，老五的问题是很严重的，学生处说够得上开除好几次了，如果一下子免除了老五的所有处分，是不是也太不给学生处留面子了？会不会是先给老五一个处分，敲山震虎一下，然后再逐步撤销呢？我觉得这样处理，至少大家面子上都过得去。"

"留个警告或者再做次检讨就得了呗，反正老五也擅长写检讨，再写它一万字。实在不行，给个记过，我们也能勉强接受，总不至于劝其退学吧，这不是把人往绝路上逼吗？这……这……还是太恶毒了。"老二也发表了自己的看法。

是呀，如果苏禹妈妈这边真的使上了劲，干吗还要再给个劝其退学的处分呢？退学，这不是不给人留后路吗？大家在床上翻来覆去，都在唉声叹气地思考这个问题。

"我明白了。"这一晚上都没怎么说话的老八突然在黑暗里开口嚷道，那劲头有点像刚解开了一道困扰多时的数学难题，带着如梦方醒的兴奋劲儿。

"我们要反向去思维。"老八很认真地说。这是他与人辩论时经常用的台词，老八也的确言行一致，他喜欢逆着别人的想法去思考，别出心裁、另辟蹊径，虽然给人的感觉往往就是在"抬杠"。

但老八今天没"抬杠"，他不仅一针见血地指出了困扰我们的问题所在，而且别开生面地开出了一张令大家拍案叫绝的"处方"。

老二当时就激动得手脚并用给老八鼓了掌。

老八说："学校给老五的处分是劝其退学，大家的着眼点都困在'退学'这两字上了，为什么不在这个'劝'字上动动脑筋呢？劝者，说服也。不是勒令，也不是逼迫，对不对？劝其退学，不就是希望说服老五选择主动退学吗？"

"对呀！"经老八一提醒，大家初时直觉眼前一亮，继而一想，顿时茅塞顿开，直如醍醐灌顶一般，仿佛已绝处逢生，连声嚷着，"说服？哈哈，我们中文系的人，是那么容易被说服的吗？"

"我们寝室，哪个不是辩才？来一个，撅一双，保证让他们有去无回。"

"不不。咱们没有必要跟学生处硬杠。而且服不服气也没有什么刚性的尺度。"老八经常辩论，自然体会颇深，他继续解释道，"我的想法是，那处分决定上写得很清楚，劝其退学，劝在前，退学在后，只要我们把握一个原则，让其劝无所劝，无人可劝，那这个处分决定就难以兑现。"

"天才呀，老八。"又是老二激动得先喊叫起来，"要不是黑灯瞎火地怕摸到你的臭脚丫子，我现在真恨不得抱着你的脑袋瓜子亲两口。"

也只有老八这样的脑回路才会迸发出这种匪夷所思的"天才"想法，也只有喜欢咬文嚼字的中文系学生才敢突发奇想地在学校发布的正式公告上抠字眼。

是呀，竟然是"劝其退学"，不经过劝，怎么能让人退学呢？这可是你们白纸黑字"布告"在那里的，那我们就在毕业前给你来个劝无所劝、无人可劝，教书育人的大学总要讲究以理服人，不至于蛮不讲理吧。

经过社会的熏陶，经过岁月的洗礼，回头去看，自然知道当时的我们不仅单纯得荒唐可笑，而且幼稚得近乎愚蠢。可那时我们却浑然不觉，充斥着"直将云梦吞如芥，不信君山铲不平"的豪情，在不知天高地厚中信心十足、志得意满。

连一向老成持重的老大都点了点头，抽着烟，补充说："说不定公主妈妈还是做了工作的，她肯定知道，再劝说老五也不会选择主动退学，只要拖到毕业，也就不了了之了。哪有学校真难为自己学生的道理呀。"

大政方针一经确定，下一步就是方法论的问题了，让学生处来人找不到老五，这事情就太简单、太小儿科了。

老五本来就整天神出鬼没的，我们找他尚不容易，加上十二个人就有十二条眼线，大家做好了攻守同盟，无论是谁找老五，保证一问三不知。

连老五自己都一扫多日郁积的阴霾，高兴地说："我尽可能不在学校里出现，刚看到校外有个打短工的活儿，正好去试试。"

"地方安不安全呀？"老大有点不放心。

"放心吧，比地下党的接头地点都隐蔽。"老五说得很轻松。

悬着的石头终于落了地。

那天晚上，我们睡得既香甜又踏实，好几个人都酣畅地打起了呼噜。

19

第二天一大早，老五就出门了。

老大是被班长揪醒的。

班长也听说了老五的事，头天晚上就过来好几趟，没碰到老五，第二天再来找，还是扑了个空，就把正睡懒觉的老大揪醒了。

虽然心里有了点谱，听班长说要到系里了解了解情况，老大赶紧一骨碌爬起来，又匆匆洗了把脸。他知道，在非常时刻，多掌握点信息没坏处。两人各借了一辆自行车，骑上就直奔系办公室了。

没有会议，也没有集中学习，系办空荡荡的，没有几个老师在。

老大和班长进来时，书记正在拨电话，一看见是他俩，立即放下电话。

"武修德这小子，到底是聪明还是傻瓜蛋呀？他人呢？"

书记一边骂着一边往他们身后找。

老大连忙赔着笑脸说："他哪里还敢来，没脸见老师呀……书记，总不能眼睁睁看着他被开除吧？"

班长拎起暖水瓶，给书记的茶杯续了水，颇为殷勤地双手把茶杯递到书记手里，讨好着说："书记，他给咱们系丢人，您也不会跟他一般见识，要不还是跟学校申辩一下吧……"

书记接过茶杯，气鼓鼓地往桌子上一蹾，茶水都洒了出来，"申辩？怎么申辩？他替考不是事实？把人家脑袋打开花不是事实？多少人做证，还跟谁申辩去？"

班长和老大相互看了一眼，谁也没敢接话茬。

书记觉得气不过，又骂道："上次打麻将让他逃过一劫，没处分他，我跟主任顶了多大的压力，你说这个不成器的东西……"

"他也后悔呀，书记，都不敢来见您了。"老大慌忙求情，"他这个大学上得可真不容易，家里困难，省吃俭用了四年，就快熬出头来了，您要不帮忙，他这一辈子就毁了。"

"还不都是他自己作的？"书记不领情，话头一转，对着老大训斥道，"你也有责任，还寝室长呢，一个寝室就这么几个人还带不好，让他捅了这么大娄子，这时候想起来找领导了，早干什么去了？还有你，班长班长，一班之长，班里同学因为打架斗殴被带到学生处，你竟然不知情。不知情，就说明你这个班长不称职！"书记训完老大又训班长。

两个人都哈着腰，不停地承认着错误。

"你说现在可咋弄？要是提前知道他惹这事，我和主任去学校疏通疏通，说不定领导还能给些情面，处分轻点儿。这可好，白纸黑字，处分决定下来了，连回旋的余地都没了。早就跟你们说，学生处一直要找几个出头的椽子杀一儆百，严肃校规校纪，这个武修德偏偏就往枪口上撞，都要毕业了，你说这可咋办？"书记生气归生气，很显然，他也是一筹莫展。

"你把他们骂死，除了解恨，也解决不了问题。"系主任边说着边从外边走了进来。

老大看到系主任，就像突然见到救星一样，冲着系主任连连鞠躬。

"又不是开追悼会，你给我三鞠躬啥意思呀？这个时候知道着急了吧？早干啥去了，书记骂你们骂得对，你俩都该骂，自己的同学，管理不善，照顾不周，出了这样的问题，你们这些当学生干部的，是不是该承担责任？"系主任坐到自己的座位上，把他们俩又一顿训。

两人都面带羞惭地低下头，谁也没敢吭声。

倒是书记接过话头，说："骂归骂，毕竟是学生一辈子的事，咱们还是得想办法呀。"

"骂他俩确实也没用。"系主任叹了口气，"最该骂的是那个武修德。这小子真是让人不省心，老主任还总夸他是个好苗子，好苗子不能长歪呀。收钱替考，不给钱还揍人家，这是什么套路？"

"这是误会，主任。"老大赶紧上前解释，"武修德不是这样的人。他很老实，对人非常友善，人缘也是出名地好，当时只是被逼急了才一下子没控制住……"

系主任并没有听完老大的解释，他颇带困惑地问："他拿着奖学金，我听说还经常勤工俭学，做着家教什么的，按说手头不至于太紧张呀，怎么还会帮人替考不给钱就打人呢？是不是他有什么不良嗜好我们不知道呀？比如说喜欢挥霍、赌博或者经常下馆子之类？"

还没等班长说话，老大就抬起头，很坚定地说："主任、书记，我拿人格担保，武修德不会。他绝对不赌博，连扑克都不玩，上次打麻将就是个意外。平时他也非常节俭，有时候连菜都舍不得买，用辣椒酱拌米饭就对付了。下馆子的事有，但很少，也就是我们寝室同学一起聚会的时候，他抹不开面子才会参加。真的，主任、书记，我拿人格作保，老五，不……武修德绝对不是一个喜欢挥霍的人。"

"我也拿人格担保，武修德人品不错，是我们班一个很优秀的同学。"班长见老大两次动情地"用人格担保"，也不失时机地表了态。

"别总拿人格做担保，你们把人格看得也太廉价了，"系主任批评着自己的学生，语气已经温和了许多，"会不会他家里有什么困难呀？他家庭的情况你们了解吗？"

这把两人都问住了。

"我跟他不住一个寝室……"班长看了看老大，有点吞吞吐吐。

"我了解得也不是很够。"老大老老实实地回答，"光知道这四年大学他就回去过一次，假期一般都在这边学习，做些家教什么的，至于家里的情况，很少听他提起，主要是他有些内向，不愿说的事再问也不会多说一句，所以……所以……"老大也吞吞吐吐起来。

系主任没有耐心地摇了摇头："你们这些做学生干部的呀，也是小官僚。不过，这事也不全是你们的责任，首先是我们这些做老师的失职。内向的孩子自尊心都很强，还敏感，要注重工作方法，如果学生有困难，我们该帮助还是要帮助。但话又说回来，即使有天大的困难，也不是他违反校规校纪的理由。该帮助帮助，该处分还得处分。"

"主任，还真要开除呀，他这一辈子……"一听主任这么说，老大登时就有些着急了，连班长都神色紧张起来。

"这时候知道着急了？早干什么去了？"系主任瞥了他俩一眼，然后把脸扭向书记，"你发现没有，这次处分决定有点不同寻常。"

书记一愣，忙问："哪里不同寻常？"

系主任端起茶杯，喝了一口茶，才不紧不慢地说："昨天我看到这个处分通报呀，也是紧张得不得了，毕竟，这关系咱们学生一辈子的事，再说，武修德也确实不是个坏学生，总得想点办法呀。晚上我睡不着，就拿着这个通报琢磨来琢磨去，还真看出点儿门道来了。"

"哦？"一听有门道，书记忙把身子凑了过去，老大和班长也赶紧哈下腰，把耳朵都支棱了起来。

"嘿，难道还真让老八这小子说对了？"老大在心里嘀咕着。

主任压低嗓门说："你记得吧？这次英语考试考前调门拉得很高，说发现作弊，立即开除。但结果呢？抓到了一大批，全都高举低打，给的处分并不很严重，大都是记过、严重警告之类。武修德是因为既替考又打人，还是个在学生处留有黑档案的累犯，肯定不能跟其他人一样给个记过就算了，那最轻也得留校察看了。但按照《学生管理条例》，留校察看至少得一年，毕业班不能再给留校察看处分了，所以，直接给了武修德一个劝其退学的处分。"

"这有点太严重了，咱们得找校长、书记说道说道去，这哪能行呀？马上就要毕业了，总得给学生留条出路……"老大还没有来得及反应，书记先按捺不住，嚷了起来。

"你着什么急呀！"系主任瞪了瞪眼，"听我说嘛。"

"你说，你说。"书记也觉察到了自己的鲁莽。

"门道就在这里。过去发布劝退的处分决定，都要规定离校时间。"他一拍大腿，"你们看，给武修德的这个处分决定上什么都没说。没规定离校时间，什么都没说，这意味着什么？"

看三个人还在迷茫，系主任不再卖关子了，"这意味着学校留了回旋余地呀。武修德这次确实太恶劣了，学校必须得严肃处理、以儆效尤，否则，替考这歪风邪气咋刹得住？但学校肯定也是爱护自己学生的，没有直接撵人。"

"对呀，对呀。"书记也如梦方醒般连连点头，"只要没规定离校时间，没有直接撵人，那我们就还有机会。"

"我们要采取主动。"系主任继续说道，"一是让武修德写一份深刻的检讨书，他擅长写检讨嘛，我看上次写得就够动情的，一定要认识深刻。班里也要准备一份检讨，对同学约束不够，管理不够，多写反思。咱们系里也写一份，你起草，我来改。这样，我们从上到下，都认识到了错误，认真反思，努力悔改，争取学校能给予宽大处理。再有十几天，老主任也该回来了，再请老人家出面从人才难得的角度疏通一下，就像老主任说的，教育的目的也不是惩罚，武修德还是一个可以挽救的好苗子嘛。不过，这事儿只能悄悄去办，谁都不能声张，要不，不仅让学校的权威性受到挑战，也失去了学校以儆效尤的作用了。你回去替我警告那个武修德，这段时间让他把尾巴给我夹起来，再敢出任何一点纰漏，就直接卷铺盖卷滚蛋吧。"

老大激动得眼泪都要流出来了，连连给主任和书记鞠躬，不知道该说什么好，倒是班长还算镇定，一边跟着老大鞠躬，一边说："谢谢主任和书记，代表我们班，代表武修德，一定深记老师们的恩情。"

"不用说这些。"系主任大度地摆摆手，"学生们有出息，当老师的也高兴，只要你们不辜负学校的培养就行了。"

两人连连点头称是，正要转身离开，系主任又把他俩叫住，叮嘱道："临近毕业，大家容易浮躁，千万别再出乱子。自你们辅导员调走后，这两年系里没给你们再配辅导员，主要是你们这些学生干部起到了很好的带头和稳定作用，还得继续发扬，多关心同学，多关注大家的动向，一定要站好最后一班岗。"又拍了拍老大的肩膀，"也侧面了解一下，要是武修德真遇到什么困难，该给予帮助还得帮助，毕竟同学一场嘛。"

20

老五每天早出晚归，步履匆忙，虽然神色比前几天似乎轻松了一些，有时候大家调笑逗乐时也会驻足捧捧场，但老大发现，老五情绪并不稳定，依然心事很重，经常不自觉地就会眉头紧锁，眼睛里闪过一丝令人不易察觉的悲戚和忧伤。

这也能理解，纵然老八出了个高妙的主意，老大从系里回来，也给了他一些安慰和信心，但靴子毕竟没落地，达摩克利斯之剑悬在头上，面临这么巨大的压力，别说老五，估计任何人都不可能若无其事、气定神闲。

想通了，老大也就有些释然了。

班长与老大都找老五聊过，问他有什么困难，老五都摇头说没有。老大怕他手头紧，从皮箱里掏出自己积攒的五十块钱给他，老五也拒绝了，似乎为证明自己不缺钱，第二天一大早，还买了一大捆油条，放在桌子上，招呼大家起来一起吃。

老五的油条是从校外买回来的。有几天，他晚上都没有回宿舍睡觉，早出晚归也变成了好几天不见人影。

不过，老五没有耽误写检讨，他的检讨书早就写好交给班长了，厚厚一大摞，得有几十页。除了给学校的检讨外，老五还专门写了给挨打的两个同学的道歉信，也给系里写了一封，说很后悔自己一时冲动，让中文系名誉受损，向系领导真诚道歉。据班长说，系主任看了老五的检讨，还发了一通感慨，说武修德这样的文采，不继续读书深造，还真有些可惜。

老大确实几次试图与老五聊聊家里的情况，但老五都一直没搭茬，感觉他似乎有些讳莫如深，别说这事，就老五新找的这份活计，他也明显遮遮掩掩。老大只知道他干活的地方在火车站附近，收入还可以，要是下班太晚赶不上末班公交车，那边还能提供住宿。

我们布置了很多眼线下去，并没有发现来"劝"老五的人，就是系里的检讨书交上去，也没有听到学生处有什么动静，好像忘记了有个要被劝退的人。但老五并没有掉以轻心，依然神出鬼没，别说学生处，就是同寝室的我们，也经常搞不清楚他啥时候在，啥时候就突然玩失踪。

不过，就要毕业了，大家都忙，经常忙得废寝忘了食，顾此失了彼。

系主任交代老大要了解老五的情况，多给他些关怀和帮助，老大也就上了心，既然从老五嘴里问不出来什么，他就找了老五的老乡去打听。

在学校里，老乡接触最频繁时也就是放假一起走、开学一起回。老五四年大学一共就回家一次，与老乡们接触熟络的机会自然就少了很多，四川考到东北的学生本来就不多，与老五走得近的老乡就更少了。老大也算是个执着的人，终于打听出来，学校竟然还有一个与老五同样来自广元的"铁杆老乡"。

这个正读数学系的男孩一看就是四川人，小小的个子，一口四川普通话："武修德呀？熟得很，他不是受处分了噻，我还准备过几天去看他呢，毕业班嘛，没啥子大不了的，老师还能真跟学生过不去？吓唬人的。"

"你们原来是一个学校的吗？"老大自己个子也不高，但与老五的这个小老乡站在一起，竟然觉得自己身材还算魁梧。

小四川接过老大递过来的烟，熟练地点着，抽了一口，吐出很大一个烟圈，说："哪里噻？我是广元市的，老武是下面青川县的，离着一百多公里呢。"

"一百来公里？那还好，不算远呀。"老大想到老八女朋友在四平，离长春也有一百多公里，但两个人隔三岔五地总见面。

"你是没去过我们四川，青川县在大山里呢，一百来公里，一大早坐上长途汽车，傍晚才能到，要走整整一天噻。武修德家还不是县城的，好像是什么镇的还是什么乡，我不记得了，反正，在县城里还要住一宿，第二天还得坐半天车才能到家。上次我们一起回去，在广元下的火车，晚上了嘛，我让他跟我回家住，他说第二天还得在县城汽车站住一宿，就没跟我回，他那晚是在火车站候车室睡的噻。"小个子滔滔不绝，老大却一阵心酸。

"他家里的情况你知道吗？跟你聊起过吗？"老大又问。

"他家那边太穷喽，教学质量太差，全县一年都考不了几个本科，我们广元市教学质量要好得多，哦，对了，老武好像还不是县中考上的，他是镇中出来的，乡镇中学能考上本科，还是重点大学，太不容易喽，老武还是可以的。"小老乡对老五倒是很赞赏。

老大还是不死心，又试探着问："没听他聊起他家里有什么人呀？父母什么的？"

"那倒没听他说过。好像有个老师对他不错。上次回去，还专门买的人参酒，我问他给谁，他说是给老师的，怕摔坏了，一路上一直抱着。回来时看他很不开心，后来他就没再回去嘛。与他一起坐火车没意思，他就会看书，也不抽烟，也不打牌，四川人，哪有不会耍的噻！"

从老五小老乡那里告别出来，老大心里沉甸甸的，走在路上，感觉胸膛里一阵翻江倒海，竟说不出是什么滋味。

老五的小老乡并没有提供什么有效信息。

寝室里十二个兄弟，从县城考出来的、从农村考出来的多的是，这也没什么可丢脸的，也没有必要遮掩呀。老五是有些问题，暑假寒假大家回来，争着聊爸妈给做了啥好吃的、哥哥姐姐给买了啥礼物了，老五就经常虎着脸不说话，有时候还有意识地避出去。

老大觉得老五对家的观念很淡漠，有一次还跟老二探讨过这个事。老二说自己的父亲长年在外边做生意，他对父亲的感情也冷疏，老五肯定是早早地做了住校生，男孩子不恋家也正常，没啥可大惊小怪的。每次大家放假回来，都大包小包往学校背好吃的，老五也会跟着吃，他回家一趟只带回些香肠，一看就不是自己家做的，老四还曾取笑老五太抠门，自己也跟着附和来着。现在知道了老五回家一趟这样不容易，老大心里不免有些怜惜和心疼。

在老大心里，同学就像亲兄弟，大家就该坦诚相见，肝胆相照，有福同享，有难同当，说说笑笑，开开心心，那该多好。可老五有事总不说，还弄个套子把自己裹起来，这活得多累。尤其这两年，老五变化特别大，要不是与公主谈了恋爱，都很少见到他的笑模样，一天到晚忧心忡忡只知道忙，到底老五心里藏了什么事，老大确实搞不明白。

想到老五与公主谈恋爱，老五总得跟公主谈起过家里的事情吧，要不，公主将来怎样面对公婆呀？这跋山涉水地回趟家可够受的。说不定老五老家连厕所都没有，就跟老二讲的笑话似的，男女老少都蹲到猪圈墙头上解大手，人在上面解，猪在下面接。这倒可以在吃毕业分手饭时打趣一下公主，自己当然不好意思讲，这话可以让老二或者老八去说，看看到时候公主和老五脸上啥表情，想着将来自己策划的这个恶作剧，老大竟禁不住偷偷笑了。

一切似乎都风平浪静。

"没有坏消息，就不是坏消息。"

老大去系里探听时，系主任还说了这么一句耐人寻味的话。检讨交上去，没有下文，或许就应该是朝着好的方向发展。至少，系主任是乐观的，他怕老五思想上有负担，还专门把他叫去安慰了一番，拍着他的肩膀说：

"年轻人嘛，血气方刚，谁不犯点错误？只要不是杀人放火、赌博嫖娼，学校一般还是愿意给学生改过自新机会的，知道悔改，好好表现，不再惹是生非，我想，学校最终应该是会网开一面让你顺利毕业的。"

21

临到毕业聚餐多。

男生寝室女生寝室都这样。快要毕业了嘛，大家轮着请吃饭。

那天早上，老五正准备出门，老四拦住他说："老五，明天晚上我请大伙儿吃饭，你早点回来。"说着还从床底下拎出一个小塑料桶来，在老五眼前晃了晃，"看看，哥请你们喝正宗东北烧刀子，六十多度呢，嘎嘎香，回来晚了就没你的份儿了。"

老五情绪似乎还不错，一本正经接过来，拧开瓶盖闻了闻，煞有介事地说："嗯，是挺香的，就是准备得少了点，这些都不够我一个人喝的。"

"吹吧你，东北烧刀子，烈酒之王，又叫醉倒驴，驴都能干趴下，你还敢吹牛，明天你就知道厉害了，到时候可别认怂。"老四说话从来不吃亏的。

"喝酒这事咱就没怂过。行，我这两天抓紧多干几个多赚点，下次我来请大伙儿。"老五一边说着一边往外走，看老八正在床上躺着，睡眼蒙眬地看他俩斗嘴，就用他那只大手在老八的脸上胡乱地抹了一把，说了句："醒来吧，罗马尼亚人。"

那天晚上，老五没回来。

我们知道老五在外边打了份零工，晚上不回来也不是一次两次了，所以，大家都没有特别当回事儿。

第二天轮到我们班去学校的新校区参观，新校区在长春市的郊外，据说风景很秀丽，建筑极漂亮，尤其是香港商人邵逸夫捐资修建的图书馆，规模宏大，藏书丰富，大家都很想去看看。

毕业班了嘛，难免就有些涣散，学校的大客车停在宿舍门口，从八点一直等到了八点半。老五对参观这种凑热闹的事热情度不高，也怕遇上学生处的人，已经提前说过不去了。公主好久没露面了，班里也没打她能去的谱。看有几个睡懒觉的家伙实在起不来，班长也就没让再等，本来也不是强制去参观，去与不去，也就随了自愿。

老话说，观景不如听景，果不其然。在宣传册上气势磅礴、流光溢彩的新校区，其实周边还很荒凉。

一下车，老二就盯上了校园外边绿油油的庄稼和结满了瓜果梨桃的菜地。二当家的是谁呀？不光有商人的本性，也有做贼的天赋。中午大家在新食堂刚吃过饭，他就冲老八一挤眼，老八会意地点点头，两人一前一后窜出校门，越过庄稼地，像孙猴子闯进蟠桃园一样在果园和菜地里边啃边划拉。水果都还很青涩，两人就搜罗了两袋子黄瓜、西红柿、水萝卜作为晚上老四请客聚餐时的下酒菜，还肆无忌惮、敢作敢当地在菜地里各撒了泡尿。

"我是替老五留念去了，权当他也到此一游了。"面对老大的诘问，老八嬉皮笑脸地辩解道。

"我不得提前先去选个址吗？"老二更是厚颜无耻，说他去考察了一下，如果将来混好了，也可以像邵逸夫一样给学校捐个图书馆什么的。

"就你那抠门样儿，捐袋方便面都要肉疼好几天，捐大楼？那不得要你的老命吗？"老三颇为不屑。

看到俩人带回来的战利品，老大也是会心一笑，没再继续盘问下去，倒是老二还在喋喋不休："哪天我要发迹了，成了李嘉诚、包玉刚，我还真就豁出去给学校捐个大楼，名字我都想好了，就叫西施楼，全部用来当女生宿舍，让咱们的小师妹们个个都长得跟西施似的。"

后来我们每次聚会，都会问到老二的西施楼建得怎样了。老二大吐苦水，说："我可是苦死了，娶了个东施不说，还有着孙二娘的脾气，别说捐西施楼了，跟你们聚会吃个饭都得偷偷攒好几个月的私房钱。"

大家边逗乐边嘲讽嘻嘻哈哈地回到宿舍，又吵吵闹闹了一阵子，眼见约好的聚餐时间就要到了，还是没看到老五的影子，老大有些着急，几次问老四。

"时间、地点，连吃啥饭喝啥酒我都跟他说了。"老四拎着那个装满酒的塑料桶，"他还吹牛说这些酒不够他自己喝的呢。"

又等了半天。老九提醒说："老五会不会直接去饭馆等我们了呢？这家伙一听有好酒，说不定馋得急不可耐了。"

急不可耐的估计不光是老五。

因为晚上有饭局，大家中午饭就吃得比较马虎，都给肚子留足了量，加上又走了一天的路，已然有些饥肠辘辘，一个人的肚子咕咕响，其他人也都此起彼伏地应和开了，老八已经拿着根黄瓜开啃了。

"走吧，不等他了，说不定他真直接过去了呢。"老大松了口。哥儿几个拎着那桶酒，各自兜里揣了些黄瓜萝卜西红柿，揉着肚子前呼后拥地一起奔向饭馆了。

临出门前，老四还在老五床前留了个纸条，只要老五回来，一眼就能发现：

　　老五，金刚山餐厅，好酒等，不见不散。

老四的醉倒驴能不能真把驴干趴下我们没有试验过，但把人干趴下确实是不争的事实。

一开始，大家喝得还都很节制，一边喝，一边还嚷着"慢点来，等老五来了再干"之类尚可中听的话，但酒一入肚，直冲脑门，舌头立时就大了，话说不利落，脑子也就渐渐不当家了。

我们的兄弟老五很快就被遗忘在了觥筹交错、杯盘狼藉、酣畅淋漓中了。

大家全都醉了。用老四的话说，叫全他妈喝断片了。

怎么结的账，怎么回的宿舍，谁也不记得，我们醒来时，已经是第二天的中午了。寝室里杂乱狼藉、污秽不堪。

纵然空气中弥漫着酸腐的臭气，但酒精深度麻醉着神经，脑子堪比朽木，眼皮似有铅坠，大家都闭着眼，死狗一般赖在床上，谁都不想动，谁都懒得动。

直到外边的敲门声变成了暴捶和脚踹，还夹杂着怒骂声。

"都他妈的死了吗？再不开门老子就破门而入了。"是班长的声音，一向自诩为彬彬若君子的班长像个泼妇一样在门外咆哮狂吼。

"老八，老八，开门去。"老八睡在门口，自然该由他承担这艰巨的任务。

老八似乎还没有清醒，一边嘟囔着一边探出身子扒拉开了门后的插销。

咣当一脚，班长就闯了进来，门砰的一声撞在老八的脑门上，老八登时眼冒金星，险些从床上掉下来。

老八还没来得及发作，班长先发飙了。

"老五出事了，你们这帮混蛋，还他妈的睡？"

这句话，像晴空里响了暴雷一样，咔嚓一声，把我们全都炸醒了。

大家不约而同地向老五床上看去，床上空无一人，这才意识到，我们少了一个兄弟。

班长也直扑老五的床铺，只用手扒拉了一下，就颓然地坐在了床上，说："完了，完了，老五失踪了，真走了。"

"什么意思？"

"怎么回事？"

"你胡说啥呢？"

大家已经顾不得没穿衣服了，都一股脑地拥到老五床前，连一向老成持重的老大都忘记了体统。

"你们看嘛！"班长拨开老三抡起的拳头，指着老五的床铺，"行李收拾过了，东西都拿走了，只有这些被褥了。"

虽然当时我们的脑袋都"嗡"的一下，一种莫名的恐惧涌上心头，但大家都依然不相信老五会离开，会失踪。

"这是不是老五写的？"老八看见桌子上有张字条，刚拿起来，就突然带着哭声说，"老五真的走了，他……他真走了。"

老大眼疾手快，一把抢过字条，只看了一眼，手就哆嗦上了，泪水不自觉地盈满了眼眶。

毋庸置疑，我们都认识，那是老五雄浑的字迹：

众兄弟：

　　事急，一言难尽。我先行离校。抱歉。

　　同居四年，亲如手足，感恩大家的照顾、帮助和格外的"疼爱"。

无法与众兄弟把酒续欢，终生遗憾。

祝福我亲爱的兄弟们，前程似锦，幸福安康！

老五

大家一个个全都呆若木鸡。

还是班长打破了沉默，说："老五给系主任留了封信，应该是塞在他信箱里了，说家里有急事，要立即请假去处理。主任刚看到就火急火燎地跟我打电话，问到底怎么回事？我哪里知道呀，这不就赶紧来问你们……这老五肯定已经走了。眼看着就毕业了，什么事能急成这个样子呀？"

大家乱成一锅粥，不知道如何是好。老大又及时地显示出了他作为一个被埋没了的领导者的气度、才能和雷厉风行。老大默默地抽了一支烟，冷静地问："老五两天没回来了，你们觉得他这字条应该是啥时候留的？"

"不会太早，在桌子上这么显眼的地方我们应该能发现。"最先看到字条的老八说。他眼眶刚才被门撞了一下，已经乌青，但已经顾不得疼痛了。

"应该是昨晚我们去喝酒之后。"老四很肯定，"临走前我跟他留了个字条，就放在他床上了，现在字条不在了，寝室也没有其他人来，肯定是老五看到了的。昨晚咱们出去喝酒时老五一定回来过，收拾了东西，留下了字条。昨天晚上，咱们回来时全他妈喝断片了，估计都没有注意到。"

听完老四的分析，老大点了点头，并立即做出分工：

"老四，你跟老三负责陪班长去系里，见到系领导，就说老五昨晚突然接到家里的紧急电话，不得已才用这种方式跟系里请假，一定要多强调是紧急电话。老八，你那里有列车时刻表，马上查一下去四川的火车一共有多少趟，都是几点发车。其他兄弟，我们兵分两路，能借到自行车的就去借自行车，借不到的就坐公交，大家直扑火车站，堵也要把老五给堵回来。时间紧迫，都不要刷牙洗脸了，抓紧穿衣服，现在就出发。"

22

火车站人很多，也是城市里最脏乱差的地方。除了寒暑假回家返校，我们很少来这边。

去四川的车次并不多。

在候车室，前前后后走了好几趟，我们都没有找到老五。老大和老二甚至还搭着送行的人群混进了站台，也没有发现老五的踪影。

老三和老四骑着自行车气喘吁吁从系里赶过来时，我们已经把火车站里里外外梳理了好几遍，都疲倦地坐在车站广场中间干涸的喷水池边上，一个个满脸沮丧。

老三和老四一看就明白了，把自行车往水池边一扔，也垂头丧气地跟着坐下来。

"系里怎么说？"老大还没有吱声，老八先着急地问道。

"还能怎么说？领导生气呗，书记把茶杯都摔了。"老三没好气地回答。

“老大，”老四见老大一直在那里闷头抽烟，就凑过去，“老五给系里写的信是请假，请假那不是说明他还会回来吗？可是给咱们留的这个字条，那口气分明是告别，好像是不会回来了。”

“唉！”老大叹口气，没有理会老四的话，幽幽说了句，“这一波未平一波又起的，老五你这是到底唱的哪一出啊！”

“会不会他这是开玩笑呢，故意逗我们？”老八有点不死心，也凑过去说。

“逗我们？”老大白了老八一眼，“他再不知轻重，也不敢跟系里开玩笑呀，你别忘了，他处分未销，头上还悬着把刀呢。”

刚才为了赶时间，老大他们几个坐出租车过来的，老二这次表现得很慷慨，二话没说，主动买了单。

见老八还在迷瞪，老二又上前补了句：“都是你出的馊主意，非让他躲起来不见人，这下可好，一个猛子下去，人他妈彻底失踪了。”

这话把老八噎得直翻白眼，手挠着乌青的眼眶，一句话也说不出来。

“关老八什么事，你别乱埋怨。”老九赶紧出来打抱不平。

老大看了看大家，过了良久，才猛吸了口烟，把烟头往地上一扔，用鞋底蹍灭，站起来，说：“回吧，在这里坐着也没什么意义。”

到底还是不死心，我们又打起精神，分头在火车站寻觅了好半天，还是一无所获。

回去的路上，没人坐车，都是一步一步往回挪着走，老三老四推着借来的自行车，心情跟脚步一样重。

第二天，我们都无心说笑，总觉得寝室里空落落的。老大和老八一早又悄悄去了趟火车站，从上午一直转悠到去四川的火车全开走，连个影子也没见着。

老二在老五的床铺上却发现了些端倪。

等老大晚上回来，老二拿了一把汇款回执凭单给老大看，"你看看，虽然不知道汇到哪里去，可这里有数额，我加了加，竟然有一千四百多。"

一千四百多，这在当时放在上班族身上都是个不小的数字，何况是我们这些一分钱不挣的大学生，老大立时傻了眼。

"这是什么东西？汇款凭单？你是说老五这四年往外汇出了一千四百多块钱？"

老二困惑地摇摇头，说："不是四年，我看时间显示都是这一年多的事，说不定这还不是全部呢。"

老大又一次愣住了，"一年多？老五哪来的那么多钱？"

"是呀，我也纳闷呢，还有大额的，你看，这一次就汇了五百元。"老二查验得很仔细，把一张张汇款收据翻给老大看。

"这就奇怪了，老五一天到晚省吃俭用，还去卖血，他这是把钱汇给谁了呢？"老大看了半天，也没有看出个所以然。

"这上面没地址，不知道是不是汇给同一个人，但这里不是有邮局盖的戳吗？你看，都是汇到四川。"看来老二已经研究了半天了，一点细节都没放过。

虽然寝室里配置了"双核心"，但老大老二两个带头人拿着一摞汇款凭单皱着眉头抽了一晚上的烟，谁也没有想明白。

我们那个憨憨的笑起来像阳光一样灿烂的兄弟老五就这样莫

名其妙地从我们身边消失了，带着我们无法释怀的困惑和神秘。

老大还曾请我们班女同学跟公主悄悄联系，想从她那里侧面打探些关于老五的口风，别说口风没有打探到，连公主都联系不上了。

虽然分配方案还没有下来，但毕业在即，大家心也就像长了草一样，茫然无措，凌乱飘飞。有的人开始处理用不着的旧书衣服等家当，心急的同学已在琢磨如何打包，如何收拾行李，学校和系里都在忙着准备即将举行的盛大的毕业典礼，系领导似乎对老五回来还心存希望，每次班长去系里，都要问一句，武修德回来没有。

老五就这样消失了，消失得无声无息。

"这家伙背后到底藏了些什么秘密？"看着老五曾经住过的那个空荡荡的床铺，我们有时候也会发些感叹。

老八对什么事都极为乐观，他不相信老五就这样失踪了，"无论他去干什么，至少要告诉我们一声吧，毕竟大家兄弟一场。"

有时候，他会突发奇想地问："你们说，会不会毕业典礼前老五突然出现，给我们一个惊喜呀？"

但老五没有给我们送来惊喜，而是带给我们一场令人瞠目结舌的惊惧。

"老大，下午有个人来寝室找老五，我说老五不在，他让老五明天下午在寝室等着他，我问有什么事，他说只要说他姓尤，武修德就知道了，一副很蛮横的样子。"晚上，老四在床上躺着听音乐，看到老大走过去，就摘下耳机，突然说了这么一句。

"他妈的，什么人呀，跑这里来耍横，再来我会会他。"老大心情不好，骂了一句。

第二天傍晚，我们正吃着饭，这个人果然又来了。而且还不是一个人，跟一个四五十岁的男人一起来的，连门都没敲，一把推开门，凶巴巴地问："武修德呢？"

老四忙给老大使眼色，意思是昨天就是这个人。

老大刚吃完，就站起来，说："二位找老五有事呀，进来坐。"

"武修德躲哪里去了？让他出来。"那个蛮横的人没理老大这个茬，态度很强硬。

老大不紧不慢地给自己点上一支烟，也没有礼让来人，"找武修德什么事呀？跟我说也一样。"

那人刚要说什么，被年纪大的拉了一把。年纪大的就势坐下来，对老大说："你是他的领导吧，也没什么大事，我们跟小武有点经济上的事，他在哪儿呢，有事说事，躲起来是解决不了问题的。"

"跟他们啰唆什么？"年轻的从怀里掏出两张纸，愣头青一样打断了另一个人，"跟你们实说了吧，我们是警察，武修德在红玫瑰洗浴城嫖娼，被我们抓到了，看着没？这是派出所的问讯笔录，上面有他的签字，这是三千块钱的欠条，都按着手印呢，今天要是不把这罚款交了，我们就把这个交到你们学校去。"一边说着，一边故意掀了掀衣服，那腰带上，分明挂着一副明晃晃的手铐。

所有人都愣住了，寝室里的空气瞬间就像凝固了一样。

老八本来正礼貌性地给来人倒水，一听这话，拿着水杯的手，不禁哆嗦起来。

连嚷嚷着要与人家过过招的老大，一看到手铐，脸色顿时发白，木呆呆愣在那里，一时不知道说什么好。

"你们是警察？请问是哪个派出所的？你俩贵姓呀？"一直坐在桌边闷头吃饭的老九突然站起来，很平静地问道。

"我们是站前派出所的，怎么着？"那个年轻一点的瞪了老九一眼，满不在乎地说。

"哦，站前派出所的，请问你们出警为什么不穿制服呀？"老九似乎没有一丝紧张，依然很平静。

"吃你的饭，我们在执行特殊任务，别说我没警告你，你要敢妨碍执法，我先把你铐起来。"那个蛮横的年轻人用手指着老九的鼻子，霸气地呵斥道，一边说着，一边又拍了拍自己的腰。

"站前派出所应该归市局管喽，你们局长是叫陈光军吧？"老九不仅没有退缩，反而迎了上去，但口气依旧平静冷淡，一副见怪不怪的样子。

两个人都一愣，年纪大的还没说话，年轻的脱口说道："是呀，你啥意思？"

老九突然脸色陡变，一拍桌子，破口大骂："他妈的！我啥意思，不知道他儿子在这里上学呀，你们让老子的脸往哪儿搁？"一边说着，一边抄起桌子上的一个空啤酒瓶子，咣当往桌子上一磕，酒瓶子碎掉一半，玻璃碴子都溅到老三的饭碗里了，"哥几个，抄家伙，揍这两个敲诈勒索的假警察，妈的，出了事我兜着。"

这两人一看屋里十来个小伙子拿酒瓶子的，抄板凳腿的，也立即站了起来，紧张地说："你们想干什么？你们这可是妨碍公务。"

"放狗屁，蒙谁呢？老子全家都是公安局的，还不知道执法的事？警察，警察会干这事？老五要是嫖了娼，早送拘留所了，还罚款放人？哪个警察敢私下里放人？你们冒充警察，败坏人民警察的声誉。哥几个把门锁上，这两个就是假警察，来敲诈勒索的，干的勾当绝对违法，今天咱们就在这里把事儿闹大，看警察来了先抓谁。"一向除了打牌，不咋关心寝室事的老九今天突然大爆发，一脸暴戾，满口脏话。

刚才还气焰嚣张的那个年轻人一看到比他还生猛猖狂的老九，登时就愣在那里了。年纪大一点的脑子要活络得多，立即喊道："同学、同学，别这样、别这样。"转过头来又对老大说，"都是误会，都是误会。咱们有事说事，干吗这样呀。"

老大这个时候也恢复了些理智和镇静。他不知道老九是虚张声势还是真看出了这两人是假警察，老五的事已经让他头大了，再闹个集体群殴或者真打了警察，这帮弟兄还毕业不毕业呀？

老大悄悄放下酒瓶子，用息事宁人的口气说："老九，我们也知道，在长春市没有你摆不平的事。既然这位老哥说有事说事，那就听听他们怎么说。解决得了咱们解决，解决不了就给家里打电话。谁像老五，老实得跟他妈软蛋似的。说老五去嫖娟了，别说我们不信，你就是满学校嚷嚷去，也不会有人信这事。"老大虽然不想把事闹大，但话也说得很硬朗，话里有话，软中带着刺。

"哎呀，这可能是个误会，我们确实在洗浴城抓到的他，一开始他也不承认，说只是在那里给人搓澡，他……他不像是个搓澡的嘛，大学生谁去干那活？后来他自己也承认了，这不白纸黑字都写在这里了。"年纪大的还没说完，年轻的就插口道："他自己承认的，我们又没逼他，这是他的笔迹，你看，这是他按的手印。"

一边说着，一边把手里的那两页纸递给老大看。

"我看看。"老九走到老大跟前，把那半拉酒瓶子放到了桌子上。

"没骗你吧，这是真的吧？"那年轻人很理直气壮地对老九说。

老九接过来，把两张纸上下前后看了好几遍，又抬头看了两位"警察"一眼，突然两手上下翻飞，几把就把纸撕得粉碎。

"你这是……"年轻的那个看老九突然把两张纸都撕了，眼珠子马上瞪起来，作势就要动手。

"动手呀！有本事你动我一指头试试？"老九又抄起那半拉酒瓶子，毫不示弱地叫嚷道，"今天要是让你俩出了这个门，老子一家子就白在公安系统混了。"回头对着哥儿几个又吼了一声，"都把家伙抄起来，出了事老子兜着。"

刚才还都腿肚子发软的哥儿几个一见老九发了飙，早就该拿拖把的拿拖把，该举凳子的举凳子，大家也不管这警察是真还是假了，反正一旦动上手，就绝不能让自己的兄弟吃了亏。

老二一时没有找到称手的家什，就一手各拎了一个暖水瓶，虎视眈眈地站到了桌子上，那架势，只要开了战，他随时就把两壶开水浇出去。

一看这阵仗，两个假警察立时就有些胆怯，两人对看了一下，年纪大的那个脑子转得快，也看出老大是个领头的，就冲老大说道："这里面肯定有些误会，也可能是我们搞错了。"

老九一嚷嚷，老大心里也有了一点底，但那明晃晃的手铐也确实挺吓人，最主要的还是不想大家在毕业前再出事，也就顺坡下驴地说了句:"老五啥熊样我们最清楚,他绝对干不出这种事来,天王老子说了也没人信。你们要闹咱们就闹到底,反正我们就要毕业了,何况老九家全家都是干这个的,谁他妈也不怕谁,你们要是不想把事闹大,那以后压根就不要再提这事。"

"就权当没这档子事,咱们谁也别提了。"见老大那边松了口,两人立即起身往外走,年轻的似乎还有点不甘心,年老的一边拽他,一边还不停地说,"误会,误会,以后都不提了,都不提了。"

见两人走出去,老二和老四又追到窗户边,一直盯着他们出了宿舍楼大门,老二嘟囔道:"两个混蛋终于上车走了,还开车来的,妈的这车挺像警车的呀,到底是真警察还是假警察呀,看这行头还真挺吓人。"

"老九,你太牛×了,没你这两下子,我们都被吓死了。"老四捶了老九一拳,由衷地说,我们哥儿几个也都围到老九跟前,恨不得要亲吻老九一番。

"我牛个屁呀,我哥哥就是当警察的,他就抓过一些冒充警察敲诈勒索的小混混,一听他们说老五去嫖娼,打死我也不信。他要真去嫖了娼,早把他拘留了,还等着上门去收罚款?这是正经警察干的事吗?想都不用想,肯定是假的呀。"老九很平淡地说。

"那,那陈光军是谁呀?你说得有鼻子有眼的,你认识?"老八很好奇地问。

老九嘿嘿地笑了,说:"我哪认识呀?我听玩牌的一个哥们说起来过,说市局陈光军局长的儿子就在他们班,学习还不错,我根本不认识人家,就是拿这话来吓唬他们的。"

"你小子还真敢唬,要是人家碰巧就认识,你不就露馅了吗?"

老三心有余悸地说。

"这怎么可能？作恶都会心虚，别说这假警察，就是真警察，干了这种勾当，也怕让领导知道呀。执法就执法，用得着这么耀武扬威吗？你看那两人刚进来那种嚣张的气焰，不知道当时怎么折磨吓唬老五来着，一想这事，谁还顾得了这些。"老九很仗义地说。

"行，老九，真没想到，你小子还真是冷静，有勇有谋。"我们都真心挺佩服。

果然，老九毕业后，当了几年公务员，混到了副处长，又下海折腾，赚了不少钱，早早地开上了汽车，住上了别墅。

"咦，老大，你干吗呢？"老八看老大人冲着窗外呆呆地站着，半天没说话。

老大转过身来，笑了一下，笑容里颇有些苦涩。然后，走到老九面前，恭恭敬敬地给老九鞠了个躬，说："老九，我代老五谢谢你。"抬起头来的时候，眼睛里已全是泪水。

"老大你这是干什么，老五是我们的兄弟呀。"老九连忙扶老大。

老二把刚才撕碎的纸拼起来，仔细研究了半天，说：

"瞧这问讯笔录：我在醉八仙酒楼与朋友吃完饭，喝了酒，回宾馆太无聊，就到红玫瑰洗浴城泡了澡，点了个小姐按摩……这哪是哪呀？老五都不见得知道醉八仙酒楼在哪儿，还回到宾馆？他回哪门子宾馆？妈的，越看越生气，真是胡诌八扯，一派胡言。"

"老五去嫖娼，鬼才信。这两个敲诈勒索的王八蛋，也不知道干了多少丧尽天良的坏事呢，真该把他们胖揍一顿，还愣敢冒充人民警察。"老四刚才吓得浑身哆嗦，这时候也缓过劲儿来了，气愤地发表着看法。

"扔了吧，老二，别拼那玩意儿了，看着就来气。哥儿几个，这事涉及咱们老五的名誉，虽然咱们都不会相信，但保不住别人乱传呀，三人成虎，众口铄金，这事，包括今天假警察来咱们寝室闹腾这事，都烂在肚子里吧。"老大郑重其事地告诫大家。

"放心吧老大，我们谁都不会去谈论这事的，否则，就太对不住老五了。"哥儿几个都纷纷表态。

老大似乎还不放心，过了一会儿，又有点心有余悸地问老九："老九，依你的判断，他们应该不会再来了吧？"

"这帮龟孙子，打死都不会来了。其实这些人就是社会渣滓，孬种得很，你硬他就怂，你软他就凶，专拣老实人欺负，就怕硬茬子。老五咋撞到了这帮人手里了呢？那签名你也看到了，肯定是老五的字，老五一定被他们胁迫、恐吓过，他匆忙离校说不定就与这帮孙子有脱不了的干系。"老九分析道。

老大沉吟了片刻，说："老五不在，这中间的原委我们也搞不清楚。刚才那个年纪大的说老五在洗浴城给人搓澡，这倒是有可能，老五不是说他找了个打短工的地方吗？会不会就是这个洗浴城呢？"

"应该是，"老四插话道，"我说请客那天，让他早点回来，他当时随口说了句这两天多干几个多赚点，下次我来请之类的话，我当时还在纳闷，什么叫多干几个多赚点？这么一说，就对上了，肯定是搓澡，错不了。老八老八，当时老五是不是这样说的？"

老八正在清理酒瓶子和玻璃碴子，没有听到三个人在谈论什么，老四只好把刚才的话又重复了一遍。

"那天我睡得有点迷迷糊糊。"老八皱了皱眉头，"老五说的啥我也没留意，只记得他出门的时候拍了拍我的脸，说了句醒来吧罗马尼亚人，那是我俩都很喜欢的一首歌。不过，老四的分析应该有道理，我发现老五自从打上这份工，每次都是洗过澡回来的，身上有沐浴露的味儿，是不是一定给人搓澡我不敢说，但他应该就是在洗浴城干活。"

"那我明白了。"老九点点头，"老大，我觉得老五应该是在洗浴城给人家搓澡，碰上了抓嫖的，你知道，有时候不一定是警察，一些地痞流氓也冒充警察干这事，知道嫖娼见不得光，被抓的人也只能交罚款，认倒霉，不敢声张。老五肯定在搓澡时被这两个假警察当嫖客给抓了，威逼老五写了认缴罚款的欠条，老五哪里会知道这是假警察呀，这嫖娼的帽子一旦戴在头上，这不是要人命吗？再说，三千块钱的罚款老五也受不了呀，我怀疑老五就是被这两人祸害的，害怕了，连学校都不敢回了。"

"是呀。"老大叹口气，咬牙切齿地说："老五自尊心多强啊，嫖娼这么丢人的事，要是传扬出去，这让老五咋活呀？公主咋活呀？都是那么要强要脸面的人。他妈的这两个王八蛋，真是害死人。我真恨……恨不得生吞活剥了他们。"

看老大情绪有些激动，老九赶紧说："老大，老五会不会只是暂时躲起来了呢？他给系里只是请的假呀，没说不回来，你想，毕业典礼多重要，这可是咱们一生中的大事，他能不回来参加吗？他这样莫名其妙地跑了，公主怎么办？"

"有道理。"老四点点头，"上次聚餐前他还说下回他请呢，老五可不是一个说话不算数的人。"

"但愿如此吧。"老大点点头，继而又摇了摇头，幽幽地叹息，"毕业一天天临近，关键是，老五啥时候能回来呢？"

23

一天傍晚，班长来找老大，神情很是严肃，说今天在系里看到老主任了，想到老五的处分还没有个结论，就跟老主任念叨了念叨，谁知刚说了没两句，就被老主任打断了，还把老五臭骂了一通，他有点莫名其妙，按说老主任应该很同情老五的，他啥时候把这个老爷子给得罪了？

这不应该呀。我们都很纳闷。

晚饭后，老大默默地抽了半天烟，思来想去地就有些坐不住了，想让老四陪他一起去老主任家探探，到底出了什么事。老五的处分，还指望着老主任去帮着协调呢。老八说，我也跟你们去吧。老三说，要不大家一起去吧，人多力量大，一起到老主任家给老五求求情。

老主任家就在学校附近，因为是著名学者，住房还算宽敞。老主任对学生一向很关爱，尤其喜欢公主和老五，时不时地还把他俩叫到家里吃小灶。因为给我们上过课，对我们也都不陌生。一敲门，老主任很高兴地把我们接到客厅里，喊着保姆给我们倒水。

一听我们是为老五的事来的，正忙着给我们拿水果的老主任立即翻了脸，把几个刚削了皮的苹果全扔地上了，水也不让喝了，撵着我们出去。

老大一看事情要崩，突然扑通一声就跪下了，我们也就跟着扑通、扑通全跪在老主任脚边了。老主任当时就愣住了，一边拉我们起来，一边说："孩子们呀，你们这是干什么呀，为这个不成器的东西不值得呀。"

老大流着眼泪说："老主任呀，武修德和苏禹都是您看好的苗子，如果您不出面，武修德可能真就没法毕业了，他这一辈子就毁了。"

"武修德，武修德，他就是不修德，我看开除他都不解恨。"一听这话，老头子胡子又翘起来了，气得直哆嗦。

"他知道错了，确实不该违反学校的纪律去替考，老主任，他也是被老乡撺掇的，您知道，他心软……"老四还没说完，话就被老主任硬生生地打断了。

"他心软？他心比石头还硬，心如蛇蝎，比毒蛇还残忍。粪土之墙，不可圬也，贪夫殉利之徒，我真是瞎了眼，竟然会器重这么个人，竟然还支持他与苏禹谈恋爱，他毁了自己，活该，那是他罪有应得，可他还去祸害苏禹，祸害得这孩子都无心上学。"老主任懊恼地说。

"老主任，武修德一时糊涂，他很后悔，毕竟毕业是一辈子的事，您老人家消消气，别气坏了身体，下半年苏禹不是还读您的研究生吗？您……"老四是我们寝室最会说话的，忙着安抚老主任。

"读？读个屁！就是这个混蛋的不修德的玩意儿，利欲熏心，人伦丧尽，没有廉耻，五百块钱就出卖了那么纯真的感情，让小苏禹伤心欲绝，他出卖的是他的灵魂，无耻的灵魂，他会被钉在耻辱柱上的。"老主任恨到极处，说话都语无伦次了，但还是把我们都惊到了。

老大赶紧问道："老主任，这是怎么回事？他不是替人考试拿了两百块钱吗？怎么又牵出苏禹来了？"老四看老主任气得直咳嗽，一边给老人家捶着背，一边端了水给老主任。

老主任喝了口水，缓了缓，坐到椅子上，说："替人考试的事，我回来你们系主任就说了，我立即就给校长和书记都打了电话，说这是个好孩子，成绩一直很优秀，很有前途，就是家里困难点，一时犯了糊涂，也知道自己错了，希望他们能从轻处罚。可我万万没想到呀，前天，对，就是前天，苏禹妈妈来找我，说苏禹放弃读研究生了。我当然很诧异，说怎么回事呀，我还等着把我的衣钵传给她呢。今年教育部批准了我们的博士点，我等着把苏禹一直带到博士毕业呢。她妈就哭了，说都怪那个武修德，这个混蛋的东西，想起来，我就想骂他。这个混蛋，找苏禹妈妈敲诈五百块钱，说跟苏禹分手。你分手就分手，你还问人家要五百块钱，你还是个人吗？禽兽不如的东西。"老主任又激动起来，仿佛老五就在他面前，"苏禹那性格，清高又单纯，你用五百块钱亵渎她的感情，她哪受得了？这不，伤心欲绝，一气之下，研究生也不读了，要出国了，连我这里都没来告别。她妈说她已经要死要活了好几次。你说武修德这个缺德的玩意儿，感情是能用钱买的吗？你自己作践自己也就罢了，你还祸害苏禹，你连我这个老头子都祸害了，将来我的衣钵传给谁？"

老主任一席话，把我们都听傻眼了，这怎么可能呢？老五再糊涂，也干不出这事来呀，公主在他心里，那是至高无上的。我们没法相信呀。老大上前说："老主任呀，您也没有见到苏禹，也没有见到武修德，您不能就听苏禹妈妈一面之词，那人……"

老头子把茶杯往桌子上一放，气哼哼地说："我傻呀？她妈妈再哭，我也不会断然全信呀。这俩孩子毕竟我看了四年呢。当然，我也是被武修德蒙蔽了。我给苏禹打了电话，她爸爸说是我的电话才接的，除了说对不起，就一直在哭，哭得我老头子都心疼，我都流眼泪了，你说，这么好的孩子，受此折磨，她对不起谁了？是那个混蛋畜生该说对不起，苏禹她妈妈给我看了那个畜生写的字条，我是亲眼看见了那字条呀，白纸黑字，那就是收了人家五百块钱嘛。我看得心都在哆嗦，他怎好意思下笔呢？五百块钱，就出卖了感情，出卖了灵魂，这个无耻的东西，无耻之尤，无耻！"

看老教授气得咬牙切齿，老大赶紧说："您也别太生气，以我们对老五的了解，这中间一定有什么误会，等老五过几天从家里回来，您当面问问他……"

老教授冷笑一声："我问他？你也太天真了。你知道他为什么突然请假？他就是不敢见我，他没脸见人了。他知道要是被我碰到，定与他伏尸二人，流血五步，拼得老命不要，也不能让这个无耻之徒苟活于世。借口家有急事，纯属胡扯，他一个孤儿，家里能有什么事？"

"孤儿？"我们几个全部异口同声惊诧道。

"他当然是孤儿，你们不知道？他是四川大山里的娃子，泥石流暴发，把他家吞没了，全家人都没了，他因为读书住校，才躲过一劫。这是苏禹悄悄告诉我的，让我对他多些关爱，还不让我说，怕伤他的自尊心。心地那么善良的姑娘，学识又好，懂事又达理，他竟然能干出这样的事情来伤害她，忘恩负义，良心泯灭，跟畜生有什么分别？这么多年的书都读到狗肚子里去了。"

我们的脑子全乱了。

老五竟然是个孤儿。

我们同居四年，谁也不曾想到，他竟然一句都没提过。

既然他是孤儿，那他一直不停地寄钱又是给谁呢？一千四百多元，可不是小数字，着实让人费解。

他突然离校，到底是怕警察抓呢还是不敢见老主任？也让人越发糊涂了。

老五竟然找苏禹妈妈要了五百块钱，还留了字据，这匪夷所思的举动，到底是为了什么呀？我们一无所知。

老五在心底还藏了多少秘密，他葫芦里到底卖的什么药，实在令人猜不透。

从老主任家告别出来时，我们一个个都蒙圈了，我们不知道该如何劝慰这个曾经满怀希望却又被失望打击的老人。走出楼道门，我们还能听见他懊恼和痛恨的责骂声。

24

我们也觉得很受伤。

不知道是因为老五对我们严守秘密，使我们倾泻的感情受到了怠慢，还是因为老五用这种手段伤害了超然脱俗的公主，伤害了德高望重的老主任，让我们自命不凡的道德篱墙饱受打击。

虽然，在内心深处，我们都愿意相信，这一切都不是真的。愿意相信，老五就是那个憨厚淳朴、那个与我们说说笑笑、那个善良正直爱学习的魁梧的大个子，即使他抠门，即使他较真，即使他激情澎湃时忘乎所以，即使他遭遇挫折时委顿低迷，但那是真实的老五，与我们一样单纯、莽撞、快乐、只想着过好每一天的老五，我们接受不了一个人的复杂和神秘，接受不了我们身边一直住着一个看不透、读不懂的兄弟。

直到好多年过去，已在学术上有一些建树的老八给我们解读了老五当时很多令人无法理解的行径，比如不愿意求助于人，比如遇到挫折时的躲避与逃跑，比如强烈而脆弱的自尊心，老八认为这主要是因为老五成长过程中安全感严重缺失，根源还在于他的孤儿身份。

寝室里，大家突然都有意识地尽量规避再提老五，只有他的床、他的被褥、他洗漱的东西，和他那个硕大的饭盆，昭示着这些都曾经有过主人。

老二有时候还去老五床上翻，试图找到些蛛丝马迹，以破解我们的疑惑。老大也消沉了很多，有时候会坐在窗口，默默地抽烟，一句话都不说。

他跟老八还曾悄悄去过红玫瑰洗浴城，洗浴城的人都不知道那个不爱说话、拼命赚钱的搓澡男孩竟然是个大学生，问起那天晚上的情形，有个年纪稍大的做服务生说："那天我当班，他干完活都下半夜了，到大厅沙发上眯一会儿，我们不回家时也都这样。有人喊警察来了的时候，大家都往楼上逃，从楼顶平台上也就逃出去了，只有他惦记着自己的衣服和钱包，一个人往楼下跑，与人家撞了个满怀，当即就被铐上带走了。"

老五没有再去红玫瑰洗浴城，也没有突然出现在我们寝室里。

公主在寝室里的东西是不是她自己收拾走的，我们都不知道，连她们同寝室的女生都一头雾水。公主同寝室的女生们从系里开会回来，发现公主的床已经被清空了。

其实，公主在寝室里也没有多少东西，无非是一些书本、资料和信件之类。老五写给公主的信，过去都一直被整整齐齐地收藏着，放在床头一个带锁的绿皮盒子里。

盒子打开着，没有了老五的信，里面放了三十六只用纸叠的正展翅欲飞的小鸟，每个小鸟上都分别写了同学的名字，还有一句祝福的话，那是公主留给大家的纪念。

女同学抱着那个绿皮盒子，按着人名，把一只只小鸟发到我们手里。

老五不在，那小鸟就放在了他床上。

公主留给老五的话是："想你的时候，来看我。"

不知道为什么，捧着这手工折叠的小鸟，我们一个个都流泪了。

是为了这个被伤害了的姑娘，还是为了这折了翅膀的爱情？

照毕业照的时候，缺了老五和公主，班长说要给他俩留出位置来。在老主任身后的地方，我们故意留出了两人的空间，他俩如果在，也适合站在那里。

毕业典礼公主也没有参加。其实从上次开完毕业动员会后，我们就没有再见过她。她就像她那些小鸟，无声无息地飞走了。据说她拒绝了父母的安排，一个人去了南半球，是澳大利亚还是新西兰，大家都不知道，从此她与我们没有了任何联系。

有时候老主任还会唠叨几句：可惜了这孩子，那么适合做学问的料，去澳洲有什么学问可做？真是作孽。

老主任每年过生日的时候都会收到一张来自海外的祝福卡片，但从来不留地址，他知道一定是苏禹寄的。他说，她不留地址就是不想让人打听她的情况。老爷子也会时不时地到海外的一些学术杂志上去搜索，但从来没有找到过苏禹的名字。

老五也没有再回来。

毕业分配方案下来的时候，他的退学处分改为记大过。

因为档案里有处分，老五填报的进出口公司没有选择他。

老五分配去向填的是长春，学校将他分配到长春的一家杂志社。

但老五没有去报到。

三个月后，杂志社将老五的档案退回。

老五的档案在学校里存放了一段时间，据说最后退到老五的原籍，四川省广元市。

老大和老八曾经去四川寻找过老五，结果，一无所获。

我们没有再见过老五，他也没有联系过我们。

老五留给我们的无数谜团，一直到十几年后，我们再见面时，才一一解开。

只是，那时候，我们早已不再意气风发、青春飞扬，岁月让我们改变了模样。

下 / 篇

我的温柔是锋芒

下面由我接着讲老五的故事。

我是老五的妻子。

我不是苏禹，当然不是"公主"。我叫郑园园，是一名教师，在一所乡镇中学教英语。

在北京读完大学后，我放弃了保送研究生的机会，也没有去有大好前程的国家部委工作，在所有人的不理解中，一意孤行地来到了这个与老家隔着千山万水的穷乡僻壤教书。

虽然我们那所大学号称"青年干部的摇篮"，也提倡和鼓励年轻人到基层锻炼、到贫困乡村支援地方建设，但我既不属于支边，也不是扶贫，一个人跑到河北东部的这个乡镇，只是为了追求我心中的"爱情"。

我是个湖南妹子，性格耿直，敢作敢当。

虽然我们湖南人直来直去，说话做事不喜欢拐弯抹角、拖泥带水，但老五的故事有些曲折和复杂，要想把他的事情讲清楚，还得从我自己身上说起。

虽然那些往事，实在不堪回首。

1

常言说，湘女多情。我年轻的时候，就相信爱情，相信世上有真爱。

我与老五同岁，但比老五还早一年上大学。十七岁的时候，我就从湖南考到北京了，这让家乡人着实羡慕和赞叹。当时我人虽小，心却很大。

那时的我追求进步。

不光我追求进步，我们寝室五个女生个顶个地满怀人生理想和远大抱负，不像老五他们，一个个吊儿郎当，整个寝室竟然连个班干部都没出过，最大的官才是寝室长。

我们宿舍可不一样。我们大姐，在中学就是党员，一进大学自然就成了学生中的风云人物；我们二姐，是我们班的团支书；我虽然年纪最小，但我乐于付出，敢于奉献，做事雷厉风行又任劳任怨，所以，大学二年级的时候也当了学生会的干部，大三时，我还入了党。

我们是政治系的，辅导员老师说，政治系的学生应该有更高的境界和思想觉悟，我觉得老师说得对，有时候为了给同学们做好服务工作，我们经常饭都来不及吃，课都顾不上上。

追求进步就需要公而忘私，要有牺牲精神，要有奉献意识，这是刚入学时校长讲的，因为我们学校与一般大学不同，我们的学校是专门培养青年干部的，这样的使命，这样的责任，让我们每个在校生都觉得自己正肩负着国家的未来和希望。

除了我们这些大学生，学校同时也培训各地选送的青年团干部。

团干部培训班学制大多是一年，他们属于培训部，与我们吃住上课都不在一起，按说，与我们这些大学生没有什么太多交集。

由于培训生文化程度参差不齐，有些学生在功课方面很吃力，学校就选派了一批政治上坚定、功课又比较好的高年级学生给培训生补课，名义上是相互交流和学习。

我就是这样认识了培训生秦志高。

秦志高当时是河北省一个海滨城市的团市委副书记，年纪轻轻就做了这么高的职务，在培训班里都是出类拔萃的，让我们这帮还未出过校门对政治又极度热衷的大学生们很崇拜。

"中间那个穿西装的，长得挺帅气的就是秦志高。"在与培训生的交流会上，大姐悄悄跟二姐说，"这个人现在就已经到副县级了，仕途相当被看好。"

秦志高读过大专，在培训生里功课算是不错的，其实不需要再"一帮一"补课了，可他很谦虚，很风趣，也很活跃。不像培训班里其他人，听组织者说大家要相互主动些时反而扭捏起来。他大踏步走到教室中央，朗声说："古代要是找老师，还得带着束脩，就是咸猪肉，学校给我们安排得多周到呀，请老师都不用带东西。考到我们学校的大学生，个顶个都是秀才，学问好得很，我可不能错过向小老师们学习的机会。"

一边说着，他就在众目睽睽之下，径直走到站在人群边上的我面前，深深鞠了个躬，说："以后我就麻烦这位小老师吧。"

在大姐二姐羡慕的眼光里，我既满足又不好意思，脸羞得通红，心却欢喜得怦怦直跳。

后来我曾经问秦志高，那天在教室里有那么多师哥师姐，为什么偏偏要选中我。他当然用什么千里情缘一线牵、有缘天注定之类的话搪塞，觉得搪塞不过去时，说"你目光单纯却故作老成"，我觉得这句可能是实话。

学校并没有硬性要求多长时间补一次课。我与秦志高相约，每周补一次。一开始上课，我还是做了很周密的准备，不仅将他们要学的内容系统学习了一遍，还专门买了个笔记本，认认真真备了课。

但实际上，根本用不着。

秦志高对我给他讲的学习内容兴趣不大，反而更多的时候是我听他讲，虽然他张口一个小郑老师、闭口一个园园老师，态度恭谨得让我局促不安。

他看书不少，知识面也广，社会经验又很丰富，加上团委工作练就的好口才，讲出来的话总是那么有趣，那么有道理，无论是行政事务还是官场纷争，无论是天文地理还是鸡毛蒜皮，都听得我如醉如痴，经常这次课还没上完，我就已经期盼着下次课了。

那个时候我确实很崇拜他。

"见了他，她变得很低很低，低到尘埃里。但她心里是欢喜的，从尘埃里开出花来。"

这是张爱玲在送给胡兰成的一张照片背面上题写的文字。我那时候还没有读过张爱玲，但这的确也是我当时的感受，唯一不同的，张爱玲与胡兰成在谈恋爱，我可没有。

我那时虽然还不到二十岁，但也是怀春的年纪，哪个年轻的姑娘不在心底里编织几个玫瑰色的梦呢？

即使我们学校整体的氛围是追求政治进步，将个人情感置于脑后，但青春男女在一起，自然免不了心生情愫，在校园里也有牵手漫步，在花丛中也有卿卿我我。

连我心中的榜样，我十分推崇和刻意模仿的大姐，口中说着"事业未竟，绝不谈情说爱"，但出门时也会悄悄化妆，还经常喷一些淡淡的香水。二姐也是我的楷模，她"雄"心勃勃，目标远大，对自己要求非常严格，在老师和同学面前，向来老成持重，不苟言笑。但我知道她也经常在寝室里偷偷化了浓妆，还换上藏在箱子里的那件半透明的连衣裙，对着镜子自我欣赏。我很崇拜她们，但有时也会鄙夷她们的表里不一，鄙夷她们在坚定追求进步的同时还夹杂着享乐、奢靡的情调和思想。言行纯粹的我从来不化妆，我的梳妆盒里，只有洗发水和香皂。

大姐说，我那时只是"情窦未开"，爱情是什么，我根本就不懂得。

但我对秦志高却有一种异样的感觉。

他很能说，也很会说。远到国际局势国家大事，近到课堂纪律宿舍卫生，他都能滔滔不绝地说出一通大道理来，满舌生花，妙语连珠，侃侃而谈中还常夹杂着各种夸张的手势，像英雄人物发表激情澎湃的演说一样，那气派，那动作，让我这个没出过校门自小就迷恋英雄的傻姑娘很是倾倒。

就连他胡搅蛮缠的一些谬论，我都听得如沐春风，心旷神怡。

秦志高觉得自己有经天纬地之才，安邦定国之志，雄心勃勃，总想着一飞冲天。那是个理想至上的时代，让我好生崇拜。虽然，我知道他在社会上已磨砺了近十年，为了早日解决正处级正煞费苦心，有时候也会有些牢骚。

除了他的理想和抱负，秦志高也常给我讲燕妮对马克思的坚守，克鲁普思卡娅对列宁的帮助，杨开慧对毛泽东的忠贞，邓颖超对周恩来的付出。伟大的政治人物背后都会有一个坚毅的甘愿奉献的女人，他们的志同道合相得益彰才共同推动了社会的进步，英雄改变了世界，爱情成就了英雄。

但我当时不明所以，对他只有仰视和膜拜。

在我心里，他高高在上，就像落难的猛虎，歇脚的雄鹰，总有一天会腾啸山林，翱翔在天。我呢，只是乳臭未干未出校园的黄毛丫头，一个做事混不吝、懵懵懂懂的丑小鸭，一颗从未开过花的青涩的果。

所以，即使他屡次与我讲这些共同奋斗的革命夫妻，我也从没有想过，这与我有什么关系。在女孩子多愁善感的年纪，在怀春的姑娘幽怨地叩问世间情为何物时，我连世间在哪里都还没去想过。

我甚至还偷偷地分析，在他宏大的轰轰烈烈推动人类向前进步的蓝图里，大姐或二姐，谁可能胜任做他的"燕妮"或者"克鲁普思卡娅"。

但是，当那个圣诞节的晚上，他从后面一下子紧紧抱住我时，我立刻就崩溃了，青涩的果瞬间开成了绚烂的花，心和身子都软化成一汪水，倾在他怀中，沁在我心里。

我这才明白，他早就看上了我，我原来也在心底里爱上了他。

因崇拜而生成的爱是没有原则的，也是没有自我的，即使被踩到脚下，踏到泥沼里，也心甘情愿，无怨无悔。

我觉得，那时候，我愿意为他付出一切，一切，只要他喜欢。

2

他要叱咤风云，我只能柔情似水。

秦志高不想让别人知道我们在谈恋爱，在学校，他是公众人物，他要维护自己的形象。

毕竟，在我们这样的学校，不提倡谈恋爱，何况他还是干修生，只在学校里培训一年。

他是立志要轰轰烈烈做大事业的人，作为他坚毅的另一半，我当然要听他的。

即使没有花前月下，没有桑间濮上，我依然认为自己是幸福的。

平时，我们依然保持着若即若离的关系，只在没人的时候，他才会牵着我的手，或者拥我在怀，给我一个甜蜜的吻。

那个时候，我沉迷在爱情里，他的每一次拥抱，都让我激动得战栗，幸福得颤抖。

他说，我就是他的燕妮，他的克鲁普思卡娅。

可是，除了替他洗衣服、做作业，替他写毕业论文，写了文章以他的名字发表，省吃俭用攒些钱偷偷给他买些好吃的好用的，我真的帮不上他什么忙。

我觉得自己离他的英雄伴侣差得很远，虽然我很用心，已然竭尽全力，但每次看到他柔情的目光，就觉得自己做得还不够、还不够。

干修生学制只有一年。他毕业前夕，约我去爬香山，在山脚下的一片树丛里，他热情地吻我，吞吞吐吐地想让我送他一件礼物。我一开始没有听懂，等他开始撩拨我的衣衫时，我才明白。我一点都没有犹豫地就脱下了裙子，可是，那天，他没有成功，虽然我身体撕裂，疼得死去活来，鲜血浸染了身下的衣裙。

他离校时，我走路还一瘸一拐，看着我内疚的神情，他摸了摸我的头，爱怜地说："真是个傻姑娘。"

那年寒假，我在湖南陪父母过春节，接到他的电话，说他过几天要在北京开会，希望我能来陪他。离开学还有十多天，我还是立即买了火车票，没有座位，就从长沙一路站到了北京。在他住的宾馆里，我终于成了他的女人，虽然，痛得我撕心裂肺，但心底里却充满着异样的欢欣。

毕业时，学校要保送我读研究生，我当然要征求他的意见。

他说："到我身边来吧，我们要携手奋斗。"

我不知道怎样才能到他身边，他所在的那个海滨城市并没有到我们学校要人。是他找了关系，把我分配在了这个偏僻的乡镇中学，好在离他所在的城市只有不到二十公里。

我放弃读研，放弃到各大部委工作，主动要求到乡镇中学从事教育工作，很多人都不理解，包括我的父母。我爸爸专门跑到学校来劝我，希望我即使不留在北京，也应该回长沙，为什么读了大学却执意要到一个这样连县城都不是的乡镇去教书呢？我当时鬼迷了心窍，心肠硬得很，父亲的话根本听不进去，我们大吵了一架。也是从那时开始，我与家里的关系渐渐疏远起来。

秦志高曾经讲过，选择留在大城市不如选择一份好工作，选择一份好工作不如组织一个好家庭。我觉得他说得很对，因为爱得盲目，我已经迷失了自己。

我在盲目和迷失中开始了我的中学教师生涯。

学校只有我一个外地人，校长给我安排了宿舍。

虽然条件很简陋，我还是把宿舍收拾得非常温馨，因为秦志高会经常来过夜。他上一天班，还要骑一个多小时的车子，天不亮又得骑车回去。我很心疼自己的男人，可他不怕辛苦。他那时候身体可真好，每天骑那么远的路，在床上依然生龙活虎。

后来，他说我刚参加工作，别让老师们知道我晚上与一个男人在一起，怕对我影响不好，就在远离我们学校的一个地方帮我租了间楼房，离海边很近，条件比学校宿舍好多了。他和我都不用再偷偷摸摸了，我们也算有了自己的"家"。我那时觉得有一个处处为自己着想的男人，真是很幸福。

我就是在这个"家"附近认识老五的。

认识老五的时候，我肚子里已经怀着我的儿子了。

这其实已经是我第三次怀孕了。

刚搬到新家没多久，我就发现怀孕了，秦志高说我们现在还年轻，正是奋斗事业的时候，暂时不能要孩子，让我去做流产。我害怕得发抖，可是他工作实在太忙了，根本没有时间陪我，我在当地没有朋友，再说，这样的事也不好意思跟别人讲，我只能一个人胆战心惊地去医院。当冰冷的钳子伸进我身体的时候，我要死的心都有了。

秦志高第二天晚上回来时，我已经在家里躺了整整一天，水米未沾牙。他带了一些滋补品，帮我熬了小米粥。在床上，他抱着我，说做大事有时候不得不牺牲小我，他以后一定会加倍对我好的。我当时虽然很难过，也很委屈，可看到他那双温情的眼睛时，心还是软了。

我不想让学校知道自己怀孕的事，毕竟我还没结婚，在家躺了两天，便挣扎着去上课了。

可是没过几个月，我竟然又怀孕了。这让我很懊恼，觉得都是自己不好，对不起爱着我的人。趁没课的时候就自己去了医院，甚至都没有告诉他我第二次怀孕的事。我把所有的苦痛，一个人默默地承受。可是，老天爷似乎要故意惩罚我，虽然我加倍小心，虽然每次欢愉对我都是一次心惊肉跳的挑战、心有余悸的折磨，但是那年冬天，我"不争气"地又怀孕了。

我再次来到医院时，医生不再给我做手术了。

那是个很慈祥的女大夫，她对我说："孩子，前两次流产已经对你的子宫内膜造成了损伤，再做的话说不定以后就做不成妈妈了。回去跟你爱人商量一下，把这个孩子生下来吧。"

当我忐忑不安地跟秦志高说这件事时，他的表情明显不悦。我像一个犯了错误的学生，满腹内疚，局促难安，都不敢抬头看他。

我不知道他当时正在追求一个市领导的女儿，我刚试着与他提起结婚的事，他就发了火。这是自我俩认识以来他第一次对我大发雷霆。

他说:"我的事业刚要起步就要被你毁掉了,这点牺牲精神都没有,还口口声声说爱我,你爱我的诚意在哪里?"

我觉得特别委屈。为了他,我跑到这个偏僻的小镇;为了他,我与父母都不来往了;为了他,我跟所有同学们都断绝了联络,而他,竟然说我没有爱他的诚意。

而他爱我的诚意,就是要先与一个市领导的女儿结婚。

他说,这是他伟大事业的开端,他必须要迈上这个台阶后才能娶我。为了我们两个人的未来,他这是在牺牲自己,作为知心伴侣,我不能半途而废,必须坚定不移地支持他。

可是我肚子里的孩子已经无法等他实现他曲线救国的策略了。

那是我俩第一次争吵,那天晚上,他拂袖而去,留下我一个人独自在黑暗里哭泣。

我觉得自己很失败,不知该如何是好。我这样倾心地爱着他,为了他,我什么都放弃了,割舍了,但一提结婚,他竟然怒不可遏。他口口声声说爱我,却理直气壮地要与别人先结婚,还说是为了我们的幸福,我真搞不懂这是什么逻辑。

我还不到二十三岁,如果我不要这个孩子,可能就会永远失去做母亲的权利了,在他心里,我算是什么呢?既然爱我,为什么从来不为我考虑,哪怕一丝一毫也行啊。如果硬要生下这个孩子,成了未婚妈妈,我以后怎么见人?在这个民风还很保守的小镇,大家又该怎么看我?

我突然觉得活着了无生趣。

我是个湖南姑娘,温柔的骨子里也有火暴脾气。既然路是自己走的，那就自己承担好了。我哭了一夜，给他寄去了一封信，告诉他，我不想成为他的累赘，没脸也不想在这个世上活下去了。

3

冬天的海边，基本上没有人。大海波涛汹涌，浪花无情地拍击着海岸，偶尔会飞来一两只海鸟，也都懒散地张着翅膀，敷衍潦草地在海面上巡弋一番，这样清冷的季节，连鱼儿都不愿走出家门。

我把小屋收拾停当，梳了梳头，还给自己化了点淡妆。既然都要死了，干吗不让自己漂漂亮亮的呢？我穿上新买的羽绒服，裹上了条红色的围巾，虽然满腹心事，但也没有太多迟疑。出了门，迎着风，我晃晃荡荡地踏上海边那条探进海里的栈桥。

桥上竟然坐着一个人。

这个人就是老五。

他一副饱经风霜、穷途末路的样子。一件破旧的军大衣包裹着瘦削的身体，头发蓬乱着，胡子似乎好久没刮，邋里邋遢。他里面的衣服很单薄，还算整洁的衬衣外套着一件鸡心领的羊毛衫，脖子和半个胸膛都敞露在寒风里，已经被冰冷的海风吹得发紫了。

我走上栈桥时，他正歪靠在一个旅行包上，一边喝酒一边唱歌，酒瓶边上的塑料袋里还有半截香肠、多半包花生米。

我的出现把他吓了一跳。

他漠然地看了我一眼，没说话，我走过他身边时，他还把伸着的大长腿往回收了收，给我让开了路。他的旅行包边还放着个白色搪瓷茶缸，里面头朝上立着一支牙刷，还有半管用过的牙膏。

因为抱定了跳海的决心，我反而把一切都放下了。我走到栈桥桥头，坐了下来，把双脚垂到桥面下边，看着冰冷的海面，想着这就是要吞噬自己的坟场，禁不住悲从心来。

他如果看到我写的信，会来救我吗？他见到我的尸体，会难过吗？我年迈的父母，此刻知道他们的女儿，曾经给他们带来荣耀和骄傲的女儿，今天就要死在异乡了，他们会多伤心呢？我们寝室的姐姐们，我的同学们，要是知道我今天就要死了，他们又怎么看我呢？我发着呆，默默地流着泪，坐累了，就干脆躺在栈桥的木板上，望着天上流动的白云，想着自己死后的情景。

老五，当时我还不知道他叫老五，似乎在偷偷关注着我，想说话，终于还是没说。过了半晌，他又自己喝起酒来，并在寒风里，苍凉地唱着："我是一匹来自北方的狼，走在无垠的旷野中……"

整整一天，我都躺在栈桥边上，身如槁木，心似死灰。老五也一直坐在栈桥中间，又喝酒，又唱歌，似乎还吟了半天的诗，他的声音很悲壮，裹在凛冽的寒风里，听着就像失独的野狼。

老五后来说，我是在太阳快要下山的时候跳下去的。

我已经不记得是我主动跳下去的还是一阵寒风把我吹下去的，反正，我从五六米高的栈桥上落入了冰冷刺骨的大海里。

是老五把我拖上岸的。

他扯掉了我那件已经被海水浸泡了的羽绒服，用自己的破军大衣把我裹了起来。

海边本来没什么人，但有人跳海了，还是会吸引一些好事者跑过来看热闹。大家七手八脚地把我弄到一个三轮车上，要往医院送。我挣扎着说不用，我家就在附近。老五和一个小伙子一起把瑟瑟发抖的我拉回了家。

一进家门我就迷糊过去了。

醒来的时候，我已经在被窝里了。

我的衣服已经被脱掉了，这让我心里顿时一惊，一摸，内衣还湿漉漉地贴在身上。我被包裹在一个毛巾被里，毛巾被外边盖着厚厚的棉被。我明白了，这是怕我的内衣弄湿了棉被。

厨房里似乎有动静，我喊了一嗓子，那个大个子慌慌张张跑过来，说："你醒了？"

他裹着那件破军大衣，光着两条腿，应该是刚洗过澡，头发还没干，倒是与在栈桥时的模样大为不同。

虽然我明白是他把我送回家的，但还是禁不住脱口而出："你怎么会在我家？"

他羞臊起来，低下头，"对不起、对不起，我衣服湿了，刚洗过，正在你家暖气片上烘着呢，一会儿干了我就走……"

见我没说话，他又忙解释道："您要是觉得不方便，我可以在楼道里等。哦，我给你熬了姜汤，现在你要喝吗？"

见他一脸窘迫，我笑了，说："先谢谢你，虽然，你真的不该救我。"

"我也谢谢你。实在不好意思，没经你允许，就在你家洗了个澡。"他又一次低下头。

"海水盐分太多，当然要洗一下了。你熬的姜汤能现在端给我吗？"

"好好好。"他立刻答应着，转身去厨房端姜汤。

我感觉皮肤发紧，头皮发痒，浑身难受。"你先别端姜汤了，我要先去洗个澡。"我大声嚷道。

"还是先喝碗姜汤吧，你身体受了凉，先发发汗，这样不容易感冒。"他在厨房里回答。

姜汤热气腾腾。他先从毛巾被里把我的双手解放出来，扶我坐好了，又拿了一块用热水浸过的毛巾，帮我擦了擦手，示意我也擦了擦脸，才端过姜汤，递给我。

"我第一次熬，不知道这个熬法对不对？"

我能感觉得到他的真诚，虽然只认识了半天，被一个陌生男人这样关心和照顾着，我还是禁不住有一丝感动。

"熬得多吗？你也喝一碗吧，驱驱寒气。"

"我没事，男人，禁折腾。"他不在乎地说。

姜汤熬得还不错，姜切成了丝，很细致的刀功。我连喝了两碗，身上感觉热乎乎的，鼻子尖都要冒汗了。

我喝姜汤的时候，他到暖气片上翻了翻自己的衣服，皱了一下眉，我明白，那是衣服还没有干。

我昏睡了一大觉，时间应该不是很长，冬天天黑得早，窗外已有灯光亮起了，但时候倒还不是很晚。

折腾了一天，肚子竟然有些饿。我觉得自己很可笑，几个小时前还在痛不欲生，现在竟然感觉肚子饿。自杀难道只是个仪式，尝试一下就算完了？连自杀都搞得这么浮皮潦草，难怪人生很失败呢。我对自己很不满意。

已经入夜了，家里还待着一个只穿件破军大衣的陌生男人，我竟然没有一丝恐惧。

都是要死的人了，还担心什么？我这样宽慰自己。

"你饿了吗？好像你也折腾一天了，肯定也饿了吧？"喝了姜汤，我益发感觉饥肠辘辘，好像也听到了他肚子的咕噜声。

"还好，还好。"他搓着两只手，一副无所适从的样子，"衣服快干了，一会儿我就走。"

"不用着急。"我大大方方地说，"我起来去洗个澡，过会儿给你煮碗面吧，家里好像也没有其他什么可吃的东西了。"

"会不会身上还有汗呀？别感冒了。"他说，"你要是想洗澡，我就先去楼道里等会儿。"

"那你出去等我一会儿吧，我很快就洗完。"

他答应着，就出去了。

我揭开已经黏在身上湿乎乎的毛巾被，脱掉被海水浸透了的内衣，拉开衣橱取睡衣时，突然看到了秦志高留在这里的衣服。手放到衣服上，犹豫了一下，还是抽了回来。

我急急忙忙冲了澡，头发里有很多沙子，费了好半天劲才洗干净。洗完澡，换上睡衣，虽然有暖气，屋里还是蛮冷的。

我从猫眼里往外看，他正站在楼道里，缩着脖子，跺着脚，身上只穿了那件破大衣，由于个子高，那大衣还没遮到膝盖，两条毛茸茸的大长腿都裸露在外边。

那楼道，肯定跟大街上温度差不多，何况，那大衣也曾经裹过跳海的我，早湿漉漉的了。

人家是为了救你，才落得这个样子，我在心里埋怨着自己。

我扒开衣橱，拿出一套运动服，拉开门，对他说："哎，你换上这个衣服就进来吧，我去厨房做点饭，门给你开着了。"

我刚走进厨房，老五就进来了，他把衣服递给我。

"这衣服都是新的，我别给弄脏了，你还是留着吧，我的衣服马上就干了，干了我就走。"

"别呀，衣服也不值几个钱，送你了，别冻感冒了。"我把衣服又递给他。

他没有接，缩着手往后退着说："我在你家洗了澡，还洗了衣服，已经很给你添麻烦了，哪能再要你的衣服呀？你看，我的衣服就干了，我去换了来。"

他又跑到楼道里，把那个破大衣换下来，把自己的衣服换上，人立马精神了许多。

"嗐，楼道里多冷呀，你在客厅或者卧室里换就是了。"

他没有多说啥，见我手里拿了锅，就顺手接过来，说："我来做吧，你刚受了惊吓，坐那里歇会儿吧。"

虽然我与他刚认识半天，甚至还不知道他的名字，却没有丝毫的生疏的感觉，似乎感觉还很亲近，就笑着说："什么受了惊吓呀，你还挺会为我遮掩呢，我那是跳海自杀，你这个多事的人，让我半途而废了。"

他也笑了，把锅放在灶台，添上水，扭过脸来，很认真地跟我说："以后别再犯傻了。有什么想不开的？即便到了路的尽头，脚不还是长在我们腿上吗？再苦再难，即使遍体鳞伤，你也必须硬挺着走下去。只有走下去，才有可能踏出新的路来。"

他的话，在我心里怦然一动，很显然，他应该是个有点文化的人。

"哎，你叫什么呀？我连你的名字还不知道呢？"我坐在厨房的小板凳上，看着他做饭。

"我叫武修德。"他一边忙活一边说，"你叫我老五就行。"

"老武？你一点也不老呀。"我没心没肺地打趣道。

"是一二三四五的五，我在宿舍排行老五。"他笑了笑。

"你应该上过大学吧，说话还蛮深刻的。"

"没学好。"他叹了一口气，没承认也没否认。

"我叫郑园园，园林的园，你喊我园园就行。"我本不想告诉他名字的，但不知道怎么的，一脱口还是说了出来。

他扭脸看了我一眼，露出雪白的牙齿，笑了笑，没说话。

家里没有什么东西，只有面条和鸡蛋，但他很会做饭，炝了锅，煮了面，打了荷包蛋，虽然简简单单，倒也香气扑鼻。

也许是都饿了，我俩谁也没客气，一人吃了一大碗，抹抹嘴，相互看着，不约而同地笑了起来。

那天晚上，老五在我家坐到很晚才走，背着他那个拴着搪瓷缸子的旅行包，我都没有想起来问他住在哪里。

4

我跳海过去了三天，秦志高才来看我。

我赌气不理他，他就把我硬揽在怀里，一边跟我说着甜言蜜语，一边述说他的委屈。

他说，领导的女儿脾气很乖戾，还带着个孩子，可他为了我俩的未来，不得不委曲求全，曲意逢迎，其实他心里比我还苦，他这是在为我们的未来做牺牲。一边说着，一边还落泪了。

"我不想要什么飞黄腾达，我只想两个人一起开开心心过日子，我肚子里的孩子总得有个爹呀。"我被他说得心又软了。

他告诉我，上级正在考察他，如果惹恼了老领导，他以前的所有努力和付出都会前功尽弃。"你不知道官场有多么复杂，争斗都是很激烈的，你愿意眼睁睁地看着我被人整进监狱里去吗？"他很严肃地正告我。

"那怎么办呢？医院不给我做手术了，我一个姑娘家挺着个大肚子以后怎么见人呀？"我搞不清楚与我结婚跟进监狱有什么关系。

他满怀深情地看着我，很无奈也很幽怨地说："我暂时确实无法跟你结婚，等我能跟你结婚时，我一定会娶你，照顾你，给你幸福，但现在肯定不行。我们既然深爱对方，那就要对爱情有所奉献……你也真是的，一点都不小心，这接二连三，就跟猪下崽子似的……"他摇摇头，叹着气。

我很羞愧，可怀孕也不是我一个人的事，他这样埋怨，让我实在不知道说什么好。

临睡前，我正给他洗脚，他突然说："你就说跟外地的同学结婚了，买几包糖给同事们，不就糊弄过去了吗？"

"得有准生证呀。没有准生证医院不给接生，孩子将来上不了户口。可办准生证，需要夫妻双方结婚证去，你怎么糊涂了？"我觉得他这个主意一点都不高明。

"户口还好说一些，办起来不是很难。准生证现在管得可严了，计划生育是基本国策，谁也不敢碰呀。"他挠挠头。

"那也不能让孩子生下来就黑户吧，我脸面不要也豁出去了，可孩子呢？没有准生证，医院都不给做产检。你就跟我结一下婚，把准生证办了，我们马上离都行，我绝不拖累你。"我央求着。

"那不行。"他说得斩钉截铁，"我是国家干部，这样做是要受处分的，你最好找个不相干的人，只是帮着你把准生证办出来，农民都行，我给他办农转非户口。"

"你让我去哪里找这样的人？"这让我很生气，但却拿他没有一点办法。

"我也没逼着你生呀。"他阴阳怪气地说。

再见到老五，已经是一周后了。

那天我去菜市场买菜，见卖鱼的摊位上有个人正在帮顾客杀鱼、刮鱼鳞，觉得眼熟，走近一看，果然是老五。

"你怎么在这儿呀？"我很吃惊，冲他走过去。

"我在这里上班呀。"他笑了笑，露出满口的白牙。

"上班？在菜市场帮人卖鱼？"我很诧异。

"小郑老师呀，你认识小武？买条鱼吧。"因为经常在这里买鱼，卖鱼的摊主认识我，就凑过来跟我打招呼。

"他是个大学生哎。"我跟摊主说。

"什么大学生，大学生还睡桥洞子呀？"摊主是个壮实的本地人，一脸不屑。

"桥洞子？你竟然睡桥洞子？"我扯了一把正在干活的老五，惊诧道。

老五羞涩地笑了笑，没说话。

摊主却表功一般，说："前几天要不是我把他弄回去，早冻死让野狗吃了。你问他，是不是小武？"他冲着老五龇龇牙，接着说，"这寒冬腊月的，睡桥洞子，还大学生？哪有这样缺心眼儿的大学生？"

老五也不说话，只闷头干活。

我觉得我已经够悲惨了，就见不得比我还倒霉的，看老五被摊主挖苦，不禁油然生起一腔仗义感。

我买了一条鱼，等老五帮我收拾干净。

"晚上来我家吃饭，我要跟你谈谈。"

"我得上班哪。"老五搪塞说。

"上什么班！一会儿就收摊了。"

我扭过头来大咧咧地对摊主说："老板，我请同学吃个饭，您不会不给假吧？"

与本地人打交道，你得霸道一点，要不就会受欺负。这道理还是秦志高告诉我的。农贸市场里的好几个摊主都知道我是镇中的老师，乡下人对当老师的天然就有种敬畏感，何况，他们也知道，镇上好多领导的孩子都在我们学校上学呢。

"去、去、去，别干了，洗洗手跟小郑老师吃饭去吧，我还能省一顿呢。"摊主忙不迭地对老五说。

我又买了些菜，老五穿上他那件破大衣，拎着鱼和菜跟在我后边，耷拉着脑袋，像个受气的"小媳妇"。

一进家门，他就嬉皮笑脸起来，"我能先借你的地方洗个澡吗……这几天身上臭死了。"

"出来换这套衣服，把你身上那套衣服脱下来，一会儿我用洗衣机给你洗了。"我拿出那套新运动服,挂在卫生间的门上,开始收拾做饭。

上次与秦志高吵完了架,他就没再回来。仅凭女人的直觉,我就知道他已经与领导的那个离婚的女儿住在一起了,何况,上次回来时,他后背上有许多指甲的抓痕,只有女人才知道,那抓痕,意味着什么。

即使他回来,我也不怕,他不是让我找人假结婚吗?这不就是现成的吗?

老五洗好了澡,自己顺手把衣服也洗了,跟上次一样,烘在了暖气片上。

运动服虽肥大,但老五比秦志刚高太多了,衣服穿在身上紧绷绷的,裤子也高吊着腿。他不敢蹲下来,怕衣服会崩开,就哈着腰,过来帮我择菜。

看着他的样子,我禁不住笑了起来,说:"你来做,我收拾菜。"

看到灶台上有些辣椒酱和干辣椒,他问我:"你能吃辣吗?"

"吃辣?我是湖南人,就怕不辣呢。"我笑道。

"那太好了,看到辣椒我就馋了,那我要可劲地放辣椒了。"他说。

"随便,就怕你辣得流眼泪,本姑娘上大学时外号可是叫小辣椒的。"我不屑一顾地说。

他果然做得一手好菜,干活也利索,没有多大会儿,饭菜就上桌了。

我打开了一瓶酒,找了杯子,给他倒上。

"你不喝吗?"他问。

我看了他一眼，大大方方地说："我怀孕了，喝不了，我要是能喝，说不定你都不是对手呢。"

他突然意识到什么，慌张起来，"啊？你怀……我来你家……吃饭，你……你先生不会误会吧？"

"不会。"我很平静地说，"他不能娶我，所以那天我才去跳海的。"

"啊？你是那个……那个……"他支吾着，把几乎脱口而出的两个字吞了回去。

"那个那个什么呀，不就是想说我是二奶吗？"我打断他的话，说："我不是二奶，是他不要我了，要去娶别人了。"

"那……那……你也是失恋了啊，他太不珍惜了。"他磕巴着，试图想安慰我，但好半天说不成一句完整的话。

"那你说说，你是怎么回事呀？怎么跑到桥洞子里去睡呢？你是哪儿人呀？"我边吃饭边问他。

他看了我一眼，低下了头，半天才说道："我是四川的。"

"你是四川的？好像没什么四川口音哎，大冬天的你跑到这里来做啥？现在也不是旅游的季节呀。"

他笑了笑，没说话。

"是不是想当流浪艺人呀？笑傲江湖？还是钱包被人偷了，回不了家啦？那也不至于钻桥洞子呀，这大冷的天，家里人不担心？"我大咧咧地取笑他。

"不是，不是。"他忙着解释，"我只是来看看大海。"

"你可真浪漫。"我端了茶水，说："我以茶代酒，谢谢你那天救了我。"

他笑了笑，与我碰了碰杯子。

他笑起来总带着一股羞涩，虽然长得人高马大，肤色也因为寒冷天气的剥蚀显得有些沧桑与粗糙，但眉眼间却有一种憨厚淳朴和淡淡的忧伤，言谈举止都很有礼貌，让人不自觉心生好感。

"其实你没有下定决心去死，我知道的。"他的声音低沉，富有磁性。

我被人戳穿了心思，脸"腾"地就红了。

那天我自觉没了活路，倒也是破釜沉舟、义无反顾地走到海边的，但冰冷的海水和汹涌的波涛还是把我吓住了。也许，我笃定他一定会救我才往下跳的，也许，我只是想吓唬一下秦志高，当然，也可能是因为一个不小心掉到了海里，我自己都说不清楚了。

但至少有一点是清楚的，秦志高的态度并没有因为我的以死相逼而有任何改变。

他接到我的信后，并没有迫不及待、惊慌失措地来救我。如果我真的死了，他过来是不是只为消除在这里住过的痕迹也说不定。我卑微地哀求，求他给我肚子里孩子一个名分，他不还是决绝而去了吗？打着来看我的旗号，根本无视我自杀造成的心理痛苦，也完全不顾我怀着孕，不照样甜言蜜语哄骗着在我身上发泄一通，又杳如黄鹤了吗？

自杀给人看是没有用的，只会加重自己的痛苦、自己的屈辱。

"以后千万莫干傻事了，没有翻不过的山，没有蹚不过的河，路走到头说不定枯木逢春，山穷水尽也有可能柳暗花明。爱你的人肯定希望你好好活着，你走上绝路，岂不是让他更难受、更煎熬吗？如果他步你后尘，不是把他也害了吗？”他娓娓地劝我。

他才不会呢，我在心里说。

“不说这事了。你那天为什么会在那儿呢？唱那么苍凉的歌，好像还哭了，你是不是也遇到了伤心事呀？”

他低下头，并没有搭话。

“那你下一步怎么办？怎么又跑去帮人家卖鱼了？”

“我得活下去。这家人挺好的，我帮他们卖鱼，给他们做饭，他们管我吃住，等开春游客上来了，摊主说介绍我到他朋友的饭馆去干活。”他淡淡地说，脸上不带任何的喜怒哀愁。

“啊？你一个大学生去干这粗活？图什么呢？”我很不解。

“不图啥，我得活着。”他坦然道。

那天，他坐到很晚才走。我一再问他不会再去住桥洞子吧。

他笑着说：“不会了，不会了，人家对我挺好的，在他家有热炕睡呢，除了不能洗澡有点麻烦外，其他都挺好。”

“那你随时到这儿来洗吧，反正就我一个人，顺便也可以跟我一起吃饭，你做饭好吃，咱俩合伙，你干活，我享受。”

他笑着点点头。走的时候还从我这里借走了几本书。

“没有书读，可真难受。”他说。

5

我不知道老五读了大学为什么没有工作，我问他，他回避了。

他有心事，虽然表现得很洒脱，但他眼睛里藏不住哀愁和忧伤。

不知道出于什么动机，我总想着能帮就帮帮他吧。

他隔三岔五来我这里洗澡，帮我做饭，来时倒也不空手，或拎条鱼，或买捆菜，回去时拿走几本书，他看得很仔细，还回来时书也很整洁。

我不知道那个摊主会给他多少工资，但从摊主对他的态度上，我认定他并不快乐。

有一次他在我这里吃饭，我问他愿不愿意到学校去教书。他一点都没犹豫就同意了。他说他上大学时一直做家教，教过很多孩子。

我跟校长说了他的情况，还陪他去见了校长，见了教导主任，他们对他印象都不错，可事情并没有办成。

他有不少证书，包括英语四级证、六级证和获得各种奖学金的证书，却没有大学毕业证，他甚至还没有身份证，学校不能聘用一个没有身份的人。

我这才知道他曾经就读的竟是一所驰名海内外的重点大学。

能看出他的失望之情，但我确实无能为力。

秦志高要跟领导的女儿结婚了。

但他时不时还会过来，喝多了酒时，就会抱着我痛哭，跪着向我道歉，哭诉自己无能，不能给心爱的人以名分，不能给孩子以身份，然后又把在那个女人身上受的气，变着花样地发泄在我身上，完全不顾我已经渐渐隆起的小腹。

这是我的初恋、我放弃了所有投奔的男人、我肚子里孩子的爹……对他，我真是无可奈何，爱又不是，恨又恨不起来。

这就是我的命，我只能这样宽慰自己。

"你不是想找个人假结婚吗？这个人很合适呀，还是个大学生，在这个地方找个大学生可不容易，又会做饭，又能照顾你，不就是没有身份证吗？我给他办，工作嘛，那就更简单了。"他对老五很感兴趣。

当我吞吞吐吐把这意思透露给老五时，他不假思索地就拒绝了。

天气一暖和，来海边的人就多了起来，停业了半年多的饭馆也都在陆续开张。

那时候，人口流动没有现在这样频密，户籍管理还很严格，特别是在中央领导经常来避暑的这片海域。老五没有身份证，许多高档一点的旅游饭店都不敢聘他，他只好在一个小饭馆里帮厨，晚上帮人家打更。饭馆离我这里不是很远，有时候他还会骑自行车过来找我借书看，顺便帮我带点吃的，只是用不着在我这里洗澡了。

"饭馆里可以冲凉。"他说。

日子就这样平淡地过着，就像一壶一直烧不开的水。

那天早晨，我骑车刚进学校大门，就被传达室的大爷拦住了，他急慌慌地说："郑老师，你快去趟派出所吧，都打了三次电话了，说你一个什么朋友被扣起来了。"

我愣住了。

我朋友，什么朋友？

我当然首先想到的是秦志高，可秦志高那么神通广大，有事用得着找我吗？我在这边也没有什么亲戚，与镇上的人也没有什么交往，能会是谁呀？

打工的饭馆是没法待了。我跟老五去取了他的行李。他其实也没有什么行李，只有那个一直跟着他的旅行袋，他拎着旅行袋，傻傻地站在饭馆门口，逡巡着，犹豫着。

我一把夺过旅行袋，放在自行车后座上，把自行车往他手里一扔，说："你推着。"

老五乖乖地接过自行车，看了看我，怯怯地问："去哪儿呀？"

我白了他一眼，没好气地说："去哪儿？你现在还能去哪儿？先跟我回家。"

因为下午还有课，我把老五领回家，让他自己在家里看书，就急急忙忙赶回了学校。

等我下班回家时，老五已经把饭做好了，家也收拾得干干净净。他洗了澡，气色比早晨见他时好了不少，但眼神里还能看到一些惶恐不安和心有余悸。

6

后来，我曾经反思，自己涉世未深，肚子里还怀着个孩子，不仅敢给一个不了解底细的人作保，还把这个萍水相逢的男人领到家里住，想想都让人脊背发冷，我当时怎么就那么大胆那么义无反顾地做了呢？

我凭什么就断定老五不是个杀人的恶魔，不是个到处作案的流窜犯呢？

想了好久，我才明白过来。

有人说，从人的眼睛里能读出心地和诚恳来，我就读不出来。

秦志高看我的时候，眼睛里总是充满着温情，充满着关爱，充满着情意绵绵，可是，他不照样欺骗我，让我一个人抚着日益变大的肚子整天以泪洗面吗？

我读不懂人的眼睛。

我相信老五，只有一条，他在我面前从不说谎。

我觉得不说谎的男人靠得住。

虽然，老五的身世我不了解，老五的身上有许多让我解不开的谜，我即使问到他，他不想说时，也只是笑笑，或者干脆回避这个话题，他从不编瞎话糊弄我。

我被秦志高的甜嘴蜜舌、花言巧语弄怕了。

当然，我急切地需要有一个人，需要一个男人，我的肚子已经快要瞒不住了。

这是我的私心。

我曾经扪心自问，从派出所把老五接回来的时候，我当时是否存有这杂念？仓促间也可能没有想那么多，但潜意识是否有这种念头就很难说了，因为客观地讲，我也谈不上是一个多么高尚的人。

但我骨子里肯定有仗义的成分。湖南妹子还是敢作敢当的，何况，老五救过我，在我家洗过澡、吃过饭、借过书，我对他有种说不清的亲近感。

老五吃完饭收拾完后就准备要离开。

"你现在能去哪儿呢？要是被警察再查到，不是被遣送原籍，就是被关进收容所，你要再进去那可就是二进宫了。"

"怎么？这里也有收容所？"他浑身一激灵，脸色陡变。

其实我并不肯定在我们这里有没有收容所，我甚至也不知道收容所有什么特殊含义，我只是记得去年我们这里要创建文明城市，听人讲街上沿街乞讨的人都被收容了起来。我本来想表达的意思是，你从这里出去，又要睡桥洞了，说不定就会被人家收容了。

没想到他听到"收容所"三个字，反应竟然这样强烈。

"哪个地方没有收容所呀？三无人员不都得收进去呀。"看他这样反应，我竟有点不怀好意地又强调了一次，虽然我并不十分清楚什么是三无人员。

他脸色煞白，一屁股坐到了凳子上，旅行包也扔在了一旁，大口地喘着气。

我倒了两杯水，自己喝了一杯，另一杯递给他，还不知深浅地说了句："你看，我这里算是个庇护所吧，你呀，就老老实实地在这里待几天吧，别往外跑了，我们一起想办法。"

他接了杯子，咕咚咕咚地猛喝下去，似乎都能听到水从喉咙窜到胃里的动静。

"谢谢您。"

喝完水，他放下杯子，用手抹了抹嘴，竟然冲着我恭恭敬敬地鞠了一躬，眼睛里似乎有些湿润。

"你干吗呀！"我笑了，"好像欠我多大人情似的，你住我这里，还省得我自己做饭了呢。但可说清楚哦，你可不能欺负我，晚上你只能睡沙发。"

"那当然，我要是欺负你，还能是个人吗？"他斩钉截铁地说，停顿了一下，"只是……这样，对你名声不好。"说着，低下了头。

"那你跟我结婚呀，你娶我呀。"我半认真半打趣地说，"免得我的孩子生下来连爹也没有。"

他坐在凳子上，把脸埋在手掌里，揉了半天眼睛，才喃喃道："他……他真撇下你和孩子不管了？不会的，男人总是要负责的。"

"那是你，坏男人有几个肯负责的？"我没好气地说。

他低了头，没再说话。

晚上，他睡在客厅的沙发上。

虽然上大学时与同学们出去玩，也有男男女女在一个房间里挤着睡觉的时候，但那毕竟都是同学，而且几个人一起，热闹着玩。这是除了秦志高，我第一次与一个男人单独睡在同一个屋檐下。我锁了卧室的门，又搬了把椅子从里面把门抵住，虽然我认定老五不是一个不规矩的人，但毕竟心里不踏实，在床上辗转了半夜，才迷迷糊糊睡着。

我醒来的时候，老五已经在厨房蹑手蹑脚地做早饭了，他熬了小米粥，煎了鸡蛋，还给我削了一个苹果。

我道了"早"便蓬头垢面地去上厕所、刷牙、洗澡，然后一边接过老五盛的早饭，一边指使他干这干那，好像一切都很自然，顺理成章，竟然没有任何的不适和约束感。

老五白天出去转了一圈，果然在很多地方都碰了壁，派出所这么一查，连小饭馆招人都要求三证齐全了。晚上我俩聊天的时候，我能感受到他的焦虑。

"我不能总在你这里蹭吃蹭住呀。"他叹口气，"这算什么事！"

我抱回一大堆学生试卷，摊在桌子上。

"你帮我改卷子吧，你现在去哪儿都挺麻烦，咱们这里只是个小镇，就查得那么严，大城市还不天天查呀？你的身份证是丢了呢还是怎么了？能补办吗？"

"要是能补我早就去补了。"他一边拿起笔，帮我批改英语试卷，一边说，"我把一切都搞砸了，怪我自己，我的命太不好了。"

这是我第一次见老五流露出宿命的情绪，认识他以来，从没见他这么悲观和消极过。

"没事，没有翻不过的山，没有蹚不过的河，这话不还是你跟我说的吗？我明天问问朋友，看他能不能帮上忙。"我开导他。

"是他吗？"他说。

"嗯。"我没有否认，"我也是外地人，在这里也不认识其他能帮忙的人。"

"他对你不好，你不必为我去求他。"他很坚决地说。

"人各有志，我也不想勉强别人。"我叹了口气，"医院不给我做手术了，我没有法子，只能生下来，要不，我以后就做不了妈妈了。"我说得很平淡，也没有自怨自艾。

他摇了摇头，眼睛里透着同情，"你一个人……将来怎么办？"

"我顾不了将来。"我的眼泪夺眶而出，"我没有办法了，生孩子需要准生证，可必须得有结婚证才能去办准生证，他让我找个人假结婚，我去哪里找人呀？在这里，除了你，我连个朋友都没有。所以上次才厚着脸皮跟你提……"我泣不成声，但并不是在表演。

他被我的哭声弄得惶恐起来，脸涨得通红，"我不是不想帮忙，只是……"

"我知道，这对你不公平，我怀着个孩子，也……也配不上你。我也不是强迫你跟我过一辈子，只是帮我走个程序，之后咱俩各走各的。"我抽噎着，又补充道。

"不……不……我不是那个意思。"他越发磕巴起来，身子竟不自觉地往后躲闪着，若不是无处可去，我感觉他那架势，似乎随时都想夺路而逃。

我抽了几张面巾纸，擦了擦眼泪，继续说道："你是怕没身份证吧，他说你要是肯跟我办假结婚，他就帮你办身份证，还会帮你安排工作。"

老五红着脸，蜷缩着身子，低头闷坐在那里，沉默良久，也没说话。

7

老五后来还是与我办了结婚手续，领了准生证，我们没有搞任何仪式，他和我心里都很清楚，这只是一个形式。

拿到准生证的第二天，老五就离开了。他拒绝了我帮他安排工作，自己联系了一家远洋渔业公司，上船到远海打鱼去了。

哦，对了，老五拿到了身份证，他现在叫秦燕杰，家庭住址在我们省的另一个县，那地方，别说从未去过，我和老五都是第一次听说。

办手续的时候，我跟老五开玩笑，说："你别有压力，是秦燕杰娶了郑园园，不是你武修德。"

老五苦笑了一声，说："世上哪里还有武修德呀。"

老五再回来的时候，已经是半年后了。

这半年里，我基本上是数着指头过日子的。

秦志高来过几次，他如愿以偿地当上了商业局的副局长，正春风得意，他与市领导的女儿婚姻情况我不了解，也不想打听，我不想让自己心里添堵。

他每次来，都带些钱和营养品，虽然在心里我把他骂了无数回，有时候恨得咬牙切齿，但一见面，心还是不由自主地软下去。我就像陷入"斯德哥尔摩综合征"怪圈的囚徒，恨他入骨却又欲罢不能。

秦志高把我拿捏得死死的，他知道我倔强固执的躯壳下长了颗懦弱柔软的心，我对他再多的埋怨，再多的愤恨，也禁不住他深情款款的三句甜言、两句蜜语，他再无情、再冷酷，把我踩到泥里，我都没有将他轰出去与他一刀两断的勇气。

我得有依靠，有指望，我肚子里的孩子未来得有父亲呀——我给自己的软弱、无能和势利寻找着借口。

对于老五，我承认，我确实乘人之危、强人所难了。人都有保护自己的本能，这也是丛林生存的法则，我一个孤苦的外地女子，好不容易抓到一根救命稻草，我不能松开，只能死死地握着。我以这样的理由为自己的卑劣行径开脱。

谁让他当时救我来着？狼对东郭先生说："你既然救了我，那就救到底吧。"当我心有愧疚，辗转难眠时，我就这样宽慰自己。

远洋捕捞是份极为艰苦的工作，不仅劳动强度大，而且风险系数极高，一出海就是几个月，甚至两三年，虽然薪资不低，却没有多少人愿意干。

老五是半年后回来的。

他来家的时候，已经理过发、洗过澡，也换上了干净的衣服。

但一进门，我还是吓了一跳。他浑身上下被晒得黝黑，瘦骨嶙峋，满脸都是海风剥蚀过的沧桑。最可怕的是，他的门牙没了，原来整齐洁白的牙齿，变成了一个大豁子。

"你的牙？"我惊叫一声，伸手就去掰他的嘴，好像他藏起来了似的。

"没事，在船上被杆子砸了一下，就掉了两颗。"他一说话，嘴里就露出了一个黑洞。

"我的天！"我哀叹一声，眼泪不自觉地就流了下来。

他却笑了。

"没事的，男人嘛，这点小伤算啥呀！也怪我，刚上船没经验。"

他依然笨手笨脚，想拿袖子给我擦眼泪，伸出手来，又缩回去了。

我接过他手里拎着的箱子。这是老五第一次用上皮箱，他说他从上大学时就一直想买个皮箱，可以放一些私密的东西，但一直买不起，我看到他时，他背着的是一个破旧的旅行包。

我给他拿了拖鞋，把他扯到沙发上，泡上茶。

他打开箱子，取出给我买的礼物。他们的船只靠过一次岸，他上岸在港口给我买了衣服，还买了小孩子的玩具。

拿着衣服，他看了看我的大肚子，忽然一拍脑袋，懊恼地说："我可真够笨的，看来这衣服是穿不上了。"

虽然名义上我们是夫妻了，可我和老五连手都没有牵过，我被他盯着肚子看，有些不好意思，但内心里还是很感动，"好像我会一直这样大肚子似的。我也是曾经苗条过的。"

他坏坏地笑了，说："那谁知道呢？第一次在海里拽你时，那个沉呀，差点把我也一起拖进海底，累得半死才把你拉上岸，估计现在这体重……"

"那哪是我重呀？那是衣服和海水重好不好？我现在……现在可是两个人的分量。"我辩解着，也有点撒娇的意味。

他豁着漏风的嘴，憨憨地笑，笑得很真诚，淳朴印在黝黑的面孔上。

"这是我的工资，我一直吃你的喝你的，也没为家里做过贡献，我留了五百块，上大学时欠了一笔钱，心里很歉疚，想明天给人家汇去，其他的都在这里了。"他从兜里掏出一个信封，里面是厚厚的一摞钱。

我把钱推回给他，说："是你在帮我，这对你已经很不公平了，你这都是血汗钱，那么恶劣的环境，那么艰苦，把牙都磕掉了，赚点钱不容易。你呀，把该还的账还上，也给父母寄一些，免得他们担心你。在这里，用不着你花钱，我存的钱可不少呢。"

他没有接话，斜靠着沙发，跷着二郎腿，仿佛躺在甲板上数星星。

傍晚时，他站起来要去做饭，被我一把按住了。

"想吃啥，我给你做去。我还没有正经给你做过一顿饭呢。假老婆也是老婆呀。"

他笑了，喝了一口茶，咂摸了一下嘴，说："那好吧，只要不是面条，吃啥对我都是香的，我已经整整吃了半年的白水煮面了。"

虽然大着肚子，那天我还是做了一大桌子菜，等我把饭菜做好，往外端的时候，发现他靠在沙发上已经睡着了。

犹豫了半天，我还是叫醒了他。

"还是在不晃荡的地方睡得踏实。"他有些不好意思。

我给他倒上了酒，说："你这罪可真遭大了。今天啥也不用你干，喝点酒，吃完饭，一会儿泡个脚，回家了，就踏踏实实地睡个安稳觉。"

老五看上去很劳乏，吃完了饭没多久，他就已经困得睁不开眼了，脚也没洗，就一头倒在沙发上，迷糊着了。

老五的安稳觉最终还是没有睡成。

也许是因为做饭累着了动了胎气，也许是见了老五情绪有些波动。那天晚上，半夜的时候，我的肚子开始疼痛，痛得我撕心裂肺，睡在客厅的老五被惊醒，赶紧找了辆三轮车，推着呼天抢地的我一口气跑到了医院。

我的儿子秦川提前了半个多月降临了人间。

我在医院里挣扎了两天，疼得死去活来，才把孩子生下来。

老五一直陪在我身边，看着他充满血丝的眼睛和极度疲倦的神情，我心里很不是滋味，禁不住充满感激地说："你这是又救了我们娘俩一回。"

老五用湿毛巾帮我擦拭着脸，心疼地说："说啥话呢？不过生孩子可真不是件容易的事。"

在医院里待了整整一周，老五把我们接回了家。

有许多同事过来看我，他们都是第一次见老五，看老五一表人才，又彬彬有礼，对我照顾得很是悉心细致，又温柔又体贴，都悄悄趴我耳边，夸我眼光还不错。

我听了，心里实在是百感交集，五味杂陈。

我给孩子起名秦川，小名叫巧生。要是不正巧那天赶上老五回来，我还真不知道会出啥样的事。

我在医院的时候，就给秦志高打了电话，告诉他生了个儿子。但一直到孩子出满月，他也没有来看过。

8

在医院里，因为有护士的帮忙，诸多不便还可维持，一回到家，这些窘迫，立即就显现了出来。

老五请了一个阿姨白天来照顾我的生活起居，晚上则是由他来照顾。

买菜、做饭、热奶、消毒、洗尿布，老五都做得认认真真、仔仔细细。炖鸡汤、熬米粥、煮鸡蛋，把我照顾得无微不至。不过，我给孩子喂奶的时候他就会背过身去，我起床换衣服时，他也一定要离开卧室。

老五第二次出海时已经是第二年的开春了。

我们小心翼翼地度过了最艰难的时期。

孩子终于能够睡长觉了，晚上也不再哭闹，喝饱了奶，像个小猪似的一觉睡到天亮。我的身体也在老五的悉心照应下逐渐康复了。

我内心里是不愿意让老五再出海了。

海上的生活实在是太艰苦了。上次出海，老五说他在船上吐得七荤八素，像死狗一样直挺挺躺在甲板上，恨不得葬身大海，只是，已经吐得连跳海的力气都没有了。

老五这几个月也打了几份零工，还在饭馆里帮人家做了几天大厨。可一有了孩子，花销就大起来了，小家伙像个吞钱的机器，我能看到老五每次付钱出去时紧锁的眉头。

再说，我也没有权利强留老五在家刷锅倒灶地帮我带孩子。

老五上次出海的那个船长来找过他好几次了。

深海捕鱼条件艰苦，船上没有什么医疗设备，人在海上，遇到风浪，只能听天由命，虽然收入不错，但愿意干的人不多。老五任劳任怨，从不偷奸耍滑，与大家处得都很好，船长很喜欢，就三番五次地来动员。最终，老五抹不开面子，也觉得打零工难以支应一个有孩子的家，也就答应了。

他与阿姨谈好了价钱，请阿姨住在家里，帮着我照料孩子，然后就拎了箱子，跟着船长上船了。

我不认为老五喜欢孩子，虽然他一把屎一把尿地带了好几个月。那是因为他善良，看我一个人不容易，我也明显地能看出他对这个小肉球并没有多少亲近感，甚至有些束手无策，特别是孩子在他身上又哭又拉时，他看着脏乎乎的小家伙，一脸的无奈。

临走前，老五还是抱着孩子亲了又亲，孩子好像知道他要远行似的，瞪着大眼睛，盯着他看，一声都没哭。

老五这次出海，足足走了两年。

秦志高偶尔会过来看一眼孩子。

他当了副局长，有了专车，自己也学会了开车，不用再像过去那样骑自行车了。他一直十分注意自己的形象，有了小汽车坐，就更有条件了。不仅皮鞋擦得锃亮，头发也梳得一丝不苟。他让人给家里安上了固定电话，还给我配了一个 BP 机，他过来时，就让我打发阿姨回家去住。

虽然秦志高说孩子是他们老秦家的根，他每次过来也都给孩子买东西，还经常留钱给我，但他从来不抱孩子。

"我不想让别人闻到我身上有孩子的味儿，他要是尿在我身上，怎么跟别人解释？"我知道，这个别人可能不仅仅是他的同事们，也应该有他的妻子，那位市领导的女儿。据说她比秦志高大了不少，而且跟前夫生的儿子也已经五六岁了。

"后爹不好当。"他不止一次地跟我抱怨。

"有自己的亲老婆不要、亲儿子不养，为什么非要去帮别人养孩子呢？"我趁他心情好时，苦劝道。

"你哪里知道我心中的苦呀。"他感叹道，"现在是和平盛世，又没有投笔从戎、建功立业的机会，要想出人头地，只能弯道超车，想办法走捷径。否则，就论资排辈就能把你凉成黄花菜。"秦志高依旧能言善辩，喜欢强词夺理。

"干吗总想着出人头地呢？一家人安安静静快快乐乐过日子不挺好吗？现在又不是困难时期，咱俩都有工资，老婆孩子热炕头不也是一种幸福吗？何必低三下四在别人那里受气呢？"有了孩子，我的心态发生了很大变化，说了不抱希望，但有时还是忍不住。

"唉，这你就不懂了。我为什么叫秦志高呀？不就是志存高远嘛！你当初看上我，不也是觉得我能干出一番大事业吗？可干大事业就需要高起点。等着吧，总会有赏识我的伯乐，到那个时候，我是不鸣则已一鸣惊人。有句话说得好，我们是平民的后代，我们要成为贵族的祖先。"说到得意处，他拍着儿子的小脸，"小子哎，你爹这样辛苦，就是想让你未来成为贵族。"

我摇摇头，冷笑道："还贵族呢？你都不要他，自己的儿子都要让人家老五帮你养，还好意思说。"

"这不是曲线救国嘛！"他狡辩道，"我们要立足于长远。你这些年所做的牺牲，所受的委屈，我都铭记在心，等我未来发达了，你和儿子就等着享清福吧。"

他的这套说辞一开始我还挺当回事儿，说得多了，也就权当耳旁风听了。

见我没接话茬，他站起身，在屋里巡视了一圈，踱着步说："你看上我，说明你看人的眼光还不错，这次选的这个替代品，似乎也还凑合。"

"什么叫替代品呀？说话可真难听，我和老五之间可是什么都没有。"我有些恼怒，就战了他一句。

"本来就假的嘛，你还想有什么？再说他也不敢，我能给他办身份，也能随时把他身份给注销了。你说他人不错，挺仗义。既然帮了我们的忙，照顾了你和儿子，将来我也不会亏待他，这你大可放心。"

"我觉得挺愧对人家的，这算是什么事呀？你看着办吧，反正人总得要讲良心。"我无可奈何地说。

秦志高总算对他们秦家的这条根还不是很绝情，在巧生快要会走路的时候，托关系帮我在镇子里买了个小院子。

这是个改造过的农家院。三间正屋，两间东屋，还有一间西屋做了厨房。房子不仅有暖气和自来水，正屋和东屋里还装修了卫生间，这样生活起来就方便多了。特别是有个小院子，巧生在学步车里沿着院子尽情地跑，快乐得就像撒了欢的小猪。

老五出去后一直没有打过电话，只汇过一次款，款汇到我们学校，汇款的地方是俄罗斯极北的一个城市。我这才知道，他们出海，竟然跑去了那么遥远的地方。

老五他们的船回来的时候，我用婴儿车推着巧生去码头接他。巧生两岁多，已经会简单地对话了。

看到大船靠岸，巧生高兴得手舞足蹈，他很少见到这么多人，也没有看见过这样的船。

老五是被人抬下船的。

"弟妹，真对不起你，老五为了救我们大伙，被机器砸伤了腰，在船上躺了一个多月了。不过，我们一定要管他到底的。"船长扶着担架，走到已经傻了一样的我面前。

老五脸色蜡黄，似乎只有半条命了，他看着我，眼泪噙在眼角，嘴角嚅动了半天，才有气无力地说了句："巧生都长这么大了。"

我用手轻轻擦了擦他眼角的泪，也抹了一把自己满脸的泪水，一手抱着孩子，一手拖着车子，紧紧地跟在担架后边。

巧生在我怀里，看我不停地流泪，吓得有些不知所措，他看看我，又看看担架，我的泪水已经滴到他脸上了，他就用自己的小手抹我的脸，说："妈妈不哭，妈妈不哭。"

老五在医院又躺了接近一个月，才被送回家。他船上的那帮兄弟，倒是挺仗义，轮着去医院伺候他。我每天下了课，也是先到医院看看，然后再回家弄孩子。

老五回到家时，已经能扶着墙走路了，他的腰受了重伤，不敢特别用力，连巧生都抱不起来。巧生经常爬到他的床上，骑在他的大腿上，与他耍笑嬉戏。

那时候也没有什么意外保险。远洋公司给老五送来了两万块钱抚恤金，船长和船上的弟兄又凑了一万块钱，他们说，是老五救了大家伙的命。

三万块钱在当时不是小数目。我买那个小院，因为托了关系，也才花了一万多。

老五休养了三个多月，身体才慢慢恢复过来，因为腰伤，他再也出不了海了。

老五卧床时，不想拖累我，几次提出来与我们分开，他搬出去住，都被我制止了。

"你觉得巧生能离得开你吗？"

巧生很喜欢这个新玩伴，他整天赖在老五住的东屋，黏在老五身上不下来。

我跟秦志高说起老五的事，他感叹道："这人可怜，倒是个好人，可是，这个时代不需要好人。"

9

老五身体好些后，曾经回过一次四川。

那是 1998 年夏天，我刚放暑假，他犹犹豫豫地跟我说想出去几天。其实我早就注意到他几天前就开始准备东西，只是要等我放了暑假，巧生有人照看。

我知道他准备回四川。

他不甘心用秦燕杰这个身份，还在惦记着自己户籍的事。他给有关单位写了好多份申请材料，被我不小心看到了。但既然他不想跟我明说，我也就装傻。

老五这一趟四川之行并不顺利。

那年，南方和东北都遭逢了百年不遇的大洪水，很多地方的道路都被冲垮了。老五说是去几天，实际上走了一个多月才回来。从他失望、无奈的眼神里和满身的疲惫中，我明白，这一次，他又碰壁了。

老五回来后就开始找工作。

我们住的小镇，工作机会并不多，他有几本证书，可与身份证名字又对不上，只能去找些体力活。刚谈好了一家饭馆去做厨师，结果颠勺一用力，腰伤就犯了，好几天只能扭着身子走路。

小镇靠近海边，夏天来旅游的人很多，老五就用上次出海剩下的钱，买了十来辆双人骑的自行车，开了个自行车租赁点，还兼着卖点冷饮。虽然生意清淡，但可以带着巧生，省去了雇阿姨的钱。爷俩每天早出晚归，也算苦中作乐。

老五出院不久，巧生就喜欢上了这个好脾气的"爸爸"。老五出去一个多月，巧生急得像丢了魂，翻箱倒柜地到处找。老五一回来，他立即扑了上去，抱着爸爸的腿就像牛皮糖一样黏着，生怕他又离开。老五上厕所，他都要蹲在门口等着，拉都拉不回。

巧生正是学东西的年龄，整天喋喋不休地问这问那，把我都烦得要命，但老五却很有耐心，无论巧生的问题多么不着边际，他都不厌其烦地解释，巧生和他反倒更亲近。每晚巧生都要缠着老五，要他讲故事唱儿歌，睡着后我才能把他抱回房间，早晨一睁眼，哧溜又跑到东屋，直接钻进老五的被窝里。

老五也越来越喜欢巧生。别看他跟别人交流像个闷葫芦，跟巧生却似有说不完的话，他随口编的那些故事，总能把巧生逗得咯咯笑。每天吃完早饭，老五把巧生往自行车上一放，揣上纸和笔，还带着块小黑板，爷俩嘻嘻哈哈地就上工去了。闲着没事时，老五就教巧生识字，巧生不到三岁，说话还奶声奶气，但认识了一些字，讲起故事来更是绘声绘色、滔滔不绝。

秋冬季节没有生意了，老五就在家一边看巧生，一边写小说。

老五一直钟情于文学。他上大学时就跟同寝室的几个兄弟一起"攒"过武侠小说，基本上是胡编乱造、东拼西凑，虽然出版社也给了他们一些钱，但拿庸俗不堪的文字去祸害人，他内心还是不安的。

文学在老五看来是圣洁的，就像他心中的爱情一样。

老五很虔诚很用心地构思自己的第一部长篇小说，常常到了废寝忘食的地步。没有人能打扰他的写作，除了巧生。巧生玩够了，会扒着桌子沿儿，踮起脚，眼巴巴地看着"爸爸"在那里奋笔疾书。老五也就顺手把巧生抱起来，放在他大腿上，逗巧生玩耍一会儿，算是休息一下，换换思路。

老五做事非常认真，也很执着，他一旦开始了写作，就像洪水泄了闸一样收不住了，汪洋恣肆地一口气写了四十多万字，才算暂时收了尾。

"要是价格给得好，我再接着往下写，凑成个三部曲。"

老五对自己的作品很有信心，他觉得，即使把小说当商品，也要"足斤足两""货真价实"。小说寄到出版社后，我们还一起下了次馆子，我和老五都喝了酒，以示庆贺。巧生更高兴，因为"爸爸"不会整天愁眉苦脸地埋头写字不理他了，也不会因为他拿写了字的纸叠飞机被打屁股了。

"如果文学能换钱，我以后就写字养你们啦。"老五很开心地说，他已经很久没有这样开心过了。

但是，老五的"良心"文学并没有讨得出版社的欢心。

接到了老五投稿的编辑不久就给老五打了电话，他很热情，觉得老五的稿子写得不错，自己读了很感动。但是，他说，现在不是纯文学的时代，要么按照他们的意见改，要么老五就要赞助出版，没有稿费不说，还要付给出版社一万多元资助款。

怎么会这样？老五心里想不通。

与他联系的编辑倒是很诚恳，他告诉老五，文学已经被市场所裹挟，现在流行的是《上海宝贝》《骚土》这样的作品。

"即使不色情，也要暧昧。"编辑说，没有噱头就没有市场。

现实是残酷的，现实也是严肃的，现实是容不得小人物讨价还价的。

老五没有资格与现实较劲，他纠结了好几天，也郁闷了好几天，最后还是老老实实地按照编辑的意见对自己的书稿做了大幅度修改。修改比写作的挑战更大，从老五每天愁眉苦脸和抓耳挠腮上我就看得出来。因为要增加的那些色情和暧昧情节，老五一窍不通。

虽是修改，老五比创作时倾注的气力似乎还要大，他一边念念有词，一边奋笔疾书，有时候不自觉地就把自己代入到作品的情境中，每次吃饭都要催促好几遍，才恋恋不舍地放下笔，晚上，更不知道他会熬到几点。等老五把新修改好的稿子誊写得工工整整拿给我看的时候，我明显地感觉到，他又瘦了一圈。

我不懂文学，也很少看书，但我还是一页一页认认真真地读了老五写的这部小说，我真心觉得写得好，"山穷水尽再闻花柳，日暮途穷又见炊烟"这样朗朗上口的句子让人读起来特别舒坦。我跟巧生说："你爸爸一定会成为大作家的，小说写得太好了。"

老五把誊写好的稿子又看了两遍后才寄走的。我让老五寄的挂号信，免得寄丢了，毕竟，这倾注了他太多的心血。老五虽然没有第一次寄走稿子时的兴奋，但在他眉宇间还是能看出他是轻舒了一口气的。

等待是漫长的，也是充满希望的，但生活还要继续。

稿子寄出去的第二天，老五就出去找工作了。老五每天早晨都满怀希望地出门，傍晚又一身懊恼地回家。连坐在他自行车大梁上跟他跑了一天的巧生，见到我，也学着大人模样，两手一摊，愁眉苦脸地说："唉，这一天又白跑了。"

看着他脸色的阴云越积越厚，我的心也一天天揪紧。

有一天，我刚到家门口，还没有停下自行车，巧生就飞快地奔出来，一边跑，一边冲我大喊："妈妈，今天吃肉，吃肉！"

我进了门，已然闻到了满院的飘香。老五扎着围裙，正在厨房里忙活。看见我进来，冲我龇了龇已经镶好的白牙，露出了久违的笑容。

"这是找到工作了还是捡到金元宝了？"我边端水洗脸边跟他开着玩笑。

"嘿嘿，都不是，是稿子的事，稿子有回信了，就要签合同给稿费了。"老五一只手拿炒菜勺，一只手拍着后脑瓜，脸上一扫连日的阴霾，眼角里都闪着亮光。

"那太好了，是要庆祝一下。我洗把脸然后去买瓶酒，晚上陪未来的大作家好好喝一杯！"看他终于有了笑模样，我也很为他高兴。

"你呀，今天就歇着吧，这军功章有你的一……""半"还没说出口，他就意识到这话有点不妥，又尴尬地笑了笑，"这段时间你付出的辛苦不比我少，我应该好好感谢感谢你。"

"酒已经买好了。"他接着把话说完。

酒菜都上了桌，他才坐下来跟我说，早晨正准备出门时接到了那个编辑的电话，说稿子已经收到也初步看完了，他觉得修改得很好，可以进入下一个流程了。

"下一个流程是什么呀？"

"咱俩都问了同样的一个问题，我也是这样问的。那个编辑人真的很好，他很耐心地跟我解释，一部书的出版需要多个流程。编辑拿到稿子之后，要先进行初步审读，稿子写得不行的，审读这一关就过不了，只能退稿。审读过了，才能报选题。你看人家这个专业术语，报选题，估计跟咱们大学写毕业论文前先写开题报告差不多吧。"

"啊，你们那么严格呢？写论文前还要写开题报告？我们那时候可不用，只要交一篇议论文就让毕业。"我插嘴道。

"你看，你看，你这一打岔，我都不知道说哪儿了。反正吧，他觉得稿子写得不错，准备走加急流程，还专门找了总编辑，说要特事特办，这样就可以尽快出版了。今天他专门打电话，就是让我把誊清前的手稿都赶紧寄给他……"老五边往我们两个人杯子里倒酒，边轻松地说。

"不是给了他誊清的稿子吗？他干吗还要那些草稿呀？你涂涂抹抹地人家能看得清吗？"我不解地问。

"你呀，又跟我一样问了同样傻的问题。人家解释了，怎么证明这稿子是你写的呀？只有寄过去原始稿，人家审核认定是我写的，才能寄合同过来，书稿出版后三个月，就可以付稿费了。"

"真的呀，那可太好了，能给多少钱稿费呀？"我有些好奇。

"巧生，过来，碰杯呢。"老五笑着卖起了关子，他端起酒杯，看巧生正撅在那里啃肉，就照着他的小屁股拍了一巴掌。

巧生特喜欢与人碰杯，一听这话，立即放下手里的排骨，用小手抹了一把嘴，正要把油乎乎的手往身上擦，听见老五"咳"了一声，立即意识到自己做错了，忙慌里慌张地跑到洗脸盆边，把小手和嘴巴都洗干净了，用毛巾擦了擦，才噔噔噔又跑回来，拿起老五专门给他买的乐百氏，连声说："干杯、干杯！"

"光说干杯呀，是不是还要说点祝福的话呀？"老五把自己手里的酒杯捂起来，故意不跟他碰。

"祝爸爸妈妈新年快乐、万事如意。"巧生眼睛都没眨，张口就来。

"这不行，这是过年时说的吉祥话，过年的时候还要干什么呀？放鞭炮对不对？现在可没有放鞭炮。巧生很聪明，再想想。"老五很有耐心地点拨着。

巧生挠着头，想了半天，看着老五，说："我能先再吃块肉吗？"

我看着巧生馋嘴的模样，乐得不行，刚想发言，老五先说话了："行，但是吃完肉还要动脑筋。"一边说，一边夹了块肉，塞到巧生嘴里。

"那就祝爸爸妈妈健健康康，快快长大。"巧生果然有了灵感，肉还在嘴里嚼着，就脱口而出。

"不算不算，这是巧生过生日时大人说给巧生的，我们都已经长大了，得说一个巧生自己想出来的话。"老五依然耐心地启发着巧生。

巧生偎在老五怀里，端着乐百氏，又想了一会儿，"那……祝爸爸妈妈长命百岁。"

"这个好，这是巧生自己想出来的。"老五拿起杯子，跟巧生碰了一下。

看着爷俩那么快活，我也很开心，就逗巧生说："你应该祝爸爸早日成为大作家。"

巧生歪着脖子，很认真地问："爸爸成为大作家，就能吃肉吗？"

"那当然。"老五把巧生抱起来，放在自己膝盖上，开心地说，"等以后我赚到了钱，让巧生天天吃肉。"

老五也跟我碰了杯，"这段时间辛苦你了，内心里一直很感激。"然后一仰脖，干了。

我也干了一杯。

这样的快乐和开心在这个小院里是不多的，我不想老五说出伤感的话，就又把话题引到书上去。

"你刚才卖关子，还没告诉我人家会给你多少稿费呢？我得算算够不够买肉的。"

老五哈哈大笑，一股豪迈之气油然而生，他将杯中斟满的酒一饮而尽，说道："莫说顿顿吃肉，我将来要让巧生住高楼、开汽车。"

那天晚上，老五喝得意气风发欢快尽兴，我也多少年没有这样酣畅淋漓过了，巧生睡后，我俩又把桌子搬到了院子里，在月光下推杯换盏，开怀畅饮。

我的酒量一向很好，在学校就被称为"醉不倒的小辣椒"，女孩子敢端杯，就有一种不落俗套的英气，何况，我也不是拖泥带水、忸怩作态的人。这几年，老五活得憋屈，我也过得压抑，三杯通大道，一醉解千愁，酒借豪情人半醉，风吹梨花满院香。

这是我认识老五几年来，第一次见他这样旷达不羁，就像一位粗犷豪放的侠客，袒露着魁梧的胸膛。我也释放了自我，身上脱得只剩了贴身的薄衫，与老五频频干杯。

我喝多了。

我絮絮叨叨地给老五讲了我的过去，讲了秦志高，讲了我的委屈和无奈，讲到最后，抱着老五的脖子号啕大哭。

人喝醉了就容易情绪泛滥、心猿意马。

我不记得我抱着老五的时候说了什么话，但我肯定给了老五一些暗示。我记得我把睡熟的巧生抱到老五的房间，自己去洗完了澡，而且还特意半敞了卧室的门……

躺在床上的时候，我还想过，我是爱着秦志高，可他并没有对我忠诚过，他现在肯定正抱着那个领导的女儿酣睡呢，凭什么我要为他守节不移？何况，老五还是我法律上的丈夫。

可是，那一晚，什么都没有发生……

早上我醒来时，狼藉的杯盘已经收拾干净了，院子也打扫过了，巧生与老五刚赶海回来，捡回一脸盆蛤蜊和小螃蟹，两个人在院子里正一唱一和地背着古诗。

"醒来了？"老五看见我起了床，神态还如过去一样，冲我微笑着打招呼。

一想到昨晚的放纵言行，我臊得满脸通红。

老五后来告诉我，那个编辑说会给他开最高的稿费，一千字三十元，这本书算下来，有一万多块钱呢，这可真是笔巨款。

"人家都为我特事特办加急了，我怎么能好意思在咱们这边耽误时间呢？"老五当天就把写作的草稿都寄过去了。

这就是老五，凡事总替别人着想，而且受人点水之恩，恨不得要肝胆涂地去报答。

不知道为什么，我却隐隐约约感觉到有些不妥。

不过，老五的情绪很高，在等待合同的那段日子里，他一直很开心，每天意气风发、踌躇满志。

10

手稿寄出去，就石沉大海了。没有合同寄过来，也没有再打来电话。

每次家里电话响起，老五的神情会突然一震，但每次都不是出版社的电话。那个与老五联系、热情地指导他改写、答应一收到草稿马上寄出合同的编辑，如黄鹤一般杳无音信了。

写去催问稿子下落的信，也没有任何回音。

老五有些坐卧不安。

看着他的脸色一天天由晴朗转为阴沉，我不知道该怎样去劝慰。

"流程那么复杂，或许特事特办没弄成，人家正常走程序了，不是得要一年吗？再等等看吧，别着急，沉住气。"

好在夏天到了，海边的游客多了起来，老五又带着巧生忙活自行车租赁摊了。生意还不错，但老五的情绪一直不高，连巧生都看得出来。

"爸爸整天也不笑，真没意思。"

说着没意思，巧生还是愿意当老五的跟屁虫，连走路姿势都跟老五学，背着手，晃晃悠悠。他大了一岁，也比过去懂事了，不再总黏在老五身上调皮捣蛋了，偶尔还能给老五帮帮忙。爷俩每天早出晚归，日子也就这样不咸不淡地过着。

老五依旧跟我不温不火、客客气气。

自从醉酒那次后，我坚信一定有个女人牢牢地坚不可摧地占满了老五的心，任凭我旁敲侧击，他始终守口如瓶，不露半点口风。别说是他心底的秘密，就是他的身世，他也从不提起，保持着既往的神秘，让我摸不着半点头绪。

秦志高已经很少来这个院子了。

商务局接待任务多，他经常就住在宾馆里，有时候会给我的BP机发短信，让我过去，有时候也直接派司机开车过来接我。

他精心设计、刻意追求的婚姻似乎并不美满，至少他是这样跟我说的。

他祸害了我的人生，按理我应该对他恨之入骨，但这毕竟是我自己选择的，怨不得别人。刚出校门时的理想与追求，花样年华时的激情与冲动，早被柴米油盐碾压成了一地尘土。

现在有老五帮衬着，但我知道，老五心里装着一个人，迟早他会离我而去。在这样的一个小镇，我这样一个举目无亲的小人物，没有能力与现实较劲。我得为未来考虑，为鸡毛蒜皮操心，我得生活，得养孩子，我也只能把一切看开、看淡、看透彻。

秦志高有时候会问到巧生，他说在海边经常遇到巧生，看他壮得像个小牛犊子，欢快地到处跑，他心里很高兴。有时候也从车里下来跟巧生聊上几句，儿子不认识他，看着他很警惕，只对他的汽车感兴趣。

"你只知道播种，从没照顾过他，他认你才怪呢。"我也只能这样无力地埋怨。

秦志高倒是记着巧生是他们老秦家的根。那时候的商务局还是权力很大的部门，秦志高又是主管业务的副局长，送钱送礼的人很多，他经常把钱包好让我收起来，说等儿子上学用。他也给过我一些礼物，手表、金项链、金戒指什么的，我不喜欢这些东西，他就强塞给我，说都是人家送的让我先收着，将来儿子结婚时给儿媳妇。

我跟他聊过老五写书的事，也说了合同迟迟没有寄过来。他抽着烟，若有所思地说："不会寄过来了，这哥们肯定又被人坑了。什么特事特办，这样的话也就蒙你们这些书呆子。把手稿都寄给人家了，谁还能证明这稿子是你写的呀？"

"那怎么办？那可是老五的心血呀？"我有些替老五担心起来。

他冷笑一声，"那还能怎么办？吸取教训，认命呗。"

这话我一直不敢跟老五说，我一方面期盼着奇迹的发生，一方面又担心悬在老五头上的这把害人的刀真的会落下来。

11

"不养儿不懂得父母恩。"

我十七岁考上大学，而且还去了首都北京，一度成为父母骄傲的资本。但大学毕业，我为了秦志高，为了所谓的爱情，不惜与父母闹翻，一意孤行，独自跑到了这个偏僻的乡镇，并与所有人都切断了联系。

我知道，父母曾到处找过我，甚至跑到学校去打听我的下落。但那时，我满心满眼里都是秦志高，憧憬着肥皂泡里的爱情，愣是硬着心肠，不与他们联络。

就连我自杀前，虽然有那么一刹那，也曾触动过内心的柔软，甚至半夜里还打通了家里的电话，但我没说话，想了想，还是挂掉了。

就当没生我这个女儿吧。那时的我，心跟铁石一样冷硬。

天下只有冷血的儿女，可没有绝情的爹娘。

有了巧生，当了妈妈，我的心态发生了很大变化，为过去对父母的恶劣态度追悔莫及。

即使这样，我还是犹豫了很久，直到巧生快四岁了，我才给爸爸妈妈写了封信，告诉他们我已经当了母亲了，留了我的联系方式，还寄去了巧生的照片。

信寄出去的第四天，我就接到了家里打来的电话。妈妈在电话那头号啕大哭，我在这头也是泣不成声。

多年不见，妈妈哭得肝肠寸断，根本说不成话，还是爸爸接过了电话。虽然，爸爸在我心中是个硬汉，我长到二十多岁，从没有见过他掉过泪，但是那天，他还是哭了。爸爸告诉我，他们是当天收到的信，妈妈决定提前退休，收拾收拾就过来帮我照顾孩子。

我抽噎着，为自己以前的任性和不懂事给父母道歉，但我还是坚决地拒绝了爸爸妈妈过来照顾我、照顾孩子的好意。我怎么给他们解释我与秦志高、老五之间这些混乱的关系？他们要是知道了事情的真相，岂不是又要疯掉？

爸爸妈妈看我态度很坚决，也没有再勉强。但自此之后，我便隔三岔五地收到父母寄来的各种家乡特产，父母的电话也三天两头地响起。

虽然与爸爸妈妈和解了，也与他们保持了较为频繁的联络，可当父母提出要趁暑假过来看看巧生的时候，我还是觉得很为难，甚至感觉有些不知所措。

这已经是爸爸妈妈无数次提出要来看看我的家，看看巧生，顺便看看大海了。

他们没有见过大海，没有见过巧生，也没有见过他们的女婿。

我已经没有办法再拒绝了。再拒绝，他们肯定不只是伤心，甚至会怀疑了。

虽然我不抱任何希望，但还是把我父母要来的事告诉了秦志高。果不其然，他云里雾里地跟我摆了一通事实、讲了一番大道理后，说这事他无能为力。

我只好去求老五，我也只能去求老五，求他配合我，帮我补这个台。

老五沉默了，过了好久，他也没说话，心事重重地回了自己的房间。

过了几天，趁巧生出去玩时，我又与老五提到了这个事。

我说："我也是没有办法了，我只求你帮我演好这出戏，你想假戏真做我肯定不会拒绝的。"

我觉得我说这话，不仅有点不要脸，而且有些不厚道。但我还能有什么办法呢？我不想让爸妈知道我的这些乱七八糟，为我再伤一次心。他们已经经不起情感的折腾了。

我暗示的话，老五是听懂了的。他的脸唰地变得通红，低着头，支吾了半天，才结结巴巴地说："你，你可以说他出差了呀。我……我出去躲几天，就说他出海了，我本来不也在船上待过吗？"

老五不敢看我，好像是他做错了什么事似的。他这话里，一会儿用"他"，一会儿用"我"，我明白，老五从来也没有把自己跟"我的丈夫"这个角色画上过等号，他只是在履行他的承诺。巧生喊他爸爸，他也应承，他那么疼爱巧生，那么在乎巧生，但他从来也没有喊过巧生一句"儿子"，他知道，那不是他的儿子。他只是怜悯这个没有父亲的孩子，把自己所有的爱都倾注到了他身上。

对付秦志高，我是一点办法没有的，他那嘴一张，死人都能说活，他做了再错的事，也要强词夺理、理直气壮地把你训斥得闭口无言、低头服软。但老五不一样，老五心地善良、忠厚老实，最见不得别人落难，看到别人处于困境中，老五就顾不上自己了。

我哭了。一边哭一边哀告老五，"我确实没有退路了，他们几次说要来，我都说你出海了，可这借口不能老用呀，再说，巧生肯定会说漏的呀。他们年纪那么大了，千里迢迢来，就是想看到我过得怎么样，回去也就放心了。你说我一个人带个孩子，咋跟他们解释？说巧生是个私生子？他们要是知道了真相，还咋活呀？我知道这么多年，多亏了你，也知道这事委屈你，可我除了求你，还能求谁呢？"

"他……他……"老五有些语塞。

我知道他想说啥，就接着哭诉道："别提他，提他我想死的心都有，当初你要是不救我，让我和巧生都死了，不就没这些事了吗？"

"这……"老五一下子就被将在那儿了。

我知道以恶不见得能治得了恶，但以恶肯定能治善，尤其是对付老五这样心软的人。这种恶，我也是跟秦志高学的。老五不顾一切救了我的命，替我背着"黑锅"，还尽心竭力地帮我带孩子，结果竟然还落了一身埋怨。天底下哪有这样的歪理？人再厚颜无耻，再蛮不讲理，也不能把救自己的恩人倒打一耙呀。要是换作别人，早恼羞成怒，打得我满地找牙了，可我知道，他是老五，他只有气得跺脚的份。

我其实在心里也盘算过。老五出海的这个理由我也用过几次了，爸妈这次执意来，看我看娃是一方面，他们肯定不放心我的生活，一定要过来探个虚实。爸妈一年年地上岁数了，我不能再让他们为我牵肠挂肚了，秦志高指望不上，我只能昧着良心拽着老五，要是哪天老五也离我远去了，我连根可抓的稻草都没了。

我坐在那里，背对着老五，痛哭流涕，浑身抖作一团。

我哭倒也不是做戏。我是真的在哭，我哭得很伤心。我为自己悲哀，也替老五难过，老五真的很委屈，也真的很无奈。

欺负老实人是有罪恶感的，我自己心里很清楚。可是，人要挣扎着活下去，不敢冲恶人下手，也只能拣软柿子捏。这是人的本性，没法子的事。

"唉。"我听到老五长叹一声，也听到"砰砰砰"的响声，不用回头看，我也知道老五正痛苦地用拳头砸自己的脑袋。

我只能痛苦地闭上眼睛，心里无比难受，当时连给老五下跪的心都有。

"别哭了，哭能解决问题吗？你说吧，我怎么配合？"老五捶够了自己的脑袋，无奈地说。

我转过身，对着老五，一字一顿地说："老五，我欠你太多了，你的恩情，这辈子，我不会忘的。"

老五看我这样说，倒显得有些惶恐，"我们都是苦命的人，还说这些干什么。"

12

秦志高还是帮忙找了一辆车，我一大早带了巧生，跟车到北京火车站接父母，老五在家里等着。

我和老五早就把小院子打扫得干干净净了。把老五的东屋收拾出来让父母住，给他们新买了被褥，摆放得整整齐齐。老五的东西收拾到了我住的房间，把他的枕头和我的枕头并排摆在了床上，正经像在一起睡了好几年的夫妻。

老五的租车铺这两天也拜托给邻近的铺子帮忙照应了。老五待着没事，把里里外外又都打扫了一遍，锅碗瓢盆也擦得一尘不染。

我们到家的时候，老五正在院子里接电线，他准备在大门上安个照明灯，如果老人们觉得屋里热，晚上可以去院子里或者大门外乘乘凉。

车就停在离家不远的地方，巧生先跳下车，一边"爸爸、爸爸"地喊着，一边往家跑，老五答应了配合我演戏，也就腼腆地微笑着大踏步迎出门来。

一切进展得都还算顺利。

老五不太爱说话，但人勤快。又是照顾孩子，又是帮忙拿行李，又是沏茶，又是倒水。自从父母进了家门，老五就一直里里外外前前后后地忙活着，给人的感觉很本分、很淳朴。老五也确实就是这样的一个人。

我妈看人比较感性，她见老五身材魁梧、仪表堂堂，又敦厚有礼、沉稳踏实，从心眼里就对老五有了好感。他们俩进家门坐了没有多大会儿，我就看到妈妈偷偷给爸爸递了个眼色，还用胳膊肘捣了捣他，那意思是这个女婿看着还行。我爸在工厂里做了一辈子工程师，丁是丁卯是卯，轻易不会下结论，他瞪了我妈一眼，没说话。

我知道爸爸不好糊弄，提前和老五做了功课，他们要问话，主要由我来说，老五口才不如我，就负责多干活。

所以，自打爸妈进了家门，老五就一直忙里忙外，没闲着。

即使我们做足了准备，也一直谨慎小心，但在饭店吃饭的时候，还是差点穿了帮。

老五身份证上的名字虽然叫秦燕杰，但身边的人都跟我一样一直喊他老五，秦燕杰这个符号在我们的脑海里不免有些陌生得很。爸爸觉得自己是个长辈，而且第一次见，不好跟我们一样叫老五，所以在饭桌上他几次喊燕杰的时候，老五竟然没反应，别说老五，我都纳闷爸爸说"燕杰燕杰"的是什么意思。

巧生正坐在老五旁边，盯着老五剥皮皮虾给他吃。他看老五一直没反应，就揪住老五的耳朵大声嚷："爸爸、爸爸，外公喊你呢，你怎么不答应呀？"

我和老五这才明白过来，愣了一下，我赶紧打圆场，"您老人家的湖南话，我都有点没有听清，老五能听懂一半就不错了。"老五则不好意思地低下了头。

爸爸没说什么，妈妈接过了话头，笑着夸巧生，"巧生真聪明，连爸爸名字都知道呀。"

"我小名叫巧生，大名叫秦川。我爸爸大名叫秦燕杰，小名叫老五，他还有个名字叫武修德。"小孩子不禁夸，听到外婆夸自己，巧生越加卖弄起来。

"哪有小孩子直呼爸爸名字的呀？"我怕巧生又节外生枝，赶紧打断他。"武修德是老五的笔名。"我看了爸爸一眼，有点做贼心虚，就画蛇添足地补了一句。

"哦？"爸爸端着酒杯，正跟老五碰杯，听我这么一说，顿时来了兴趣，就问道："燕杰还经常写东西呀？"

老五苦笑一声，低下头，含糊道："写得不好。"

"慢慢来嘛，有时间我也拜读拜读。"爸爸俨然一副过来人的口吻。

老五红着脸，不知道该怎么回答，就把头垂下了。因为我画蛇添足惹的祸，也只能我去补台圆谎了，"写了一部长篇小说呢，好几十万字，已经寄给出版社了，说写得很好，印书不得有周期吗？等书出来，一定让老五签好名给您寄去。"

"哎哟，那不就是作家了嘛！"妈妈大惊小怪地说。

"是作家，"巧生边吃边接话，"天天在家坐着。"

大家都笑了，连爸爸都露出了笑容。只有老五，羞赧地红着脸。

第一天总算有惊无险地度过了。

安排好爸妈在老五原来住的那屋休息后，老五跟着我回到我住的房间，巧生早就睡得像小猪一样了。我把巧生从床上抱下来，把他脚丫子蹬得乱七八糟的床单又重新铺了铺，轻声对老五说："你去洗漱吧。"语气自然得就像已经过了多少年的老夫妻。

老五"嗯"了一声，就去卫生间刷牙、洗澡，等他擦着湿漉漉的头发出来后，我也赶紧去洗漱。

我把自己里里外外都洗得很干净，还往身上喷了点香水，从卫生间出来的时候我没有穿内衣，只用浴巾简单地裹了一下自己。

但老五却已经在沙发上躺下了。

他把巧生又抱回到床上，拿了自己的枕头和一个床单，床单一半铺在沙发上，一半搭在自己的肚子和下身处，露着宽阔的胸膛和两条毛茸茸的大腿。

看着老五躺在那里装睡，我摇了摇头，走过去，蹲在沙发边上，摇晃着老五的肩膀，柔声说："老五，走吧，咱们上床睡。"

老五没说话，也没有动。

"把巧生搁沙发上就行，他跟小猪似的，早睡着了。"我用手轻轻抚了抚老五光着的胸脯。

"不行，他睡觉不老实，会摔下去的。"老五睁开眼睛，但他一看到我身体半裸露着，又立即闭上了眼睛。

我虽然生过孩子，但年轻身体恢复得快，而且我原来有些偏瘦，有了巧生后，丰满了些，身材反而比过去更匀称了。刚出浴的女人本身就自带三分美，何况我也还算是有几分姿色。我第一次在老五面前半裸着身体，老五也正血气方刚，我能感到他的身体有了反应。

"陪陪我吧，我也想了。"我柔媚地呢喃。边说着边轻抚他结实的胸膛，手也慢慢往下探索。

我没有说"这是你该得的"，也没有说"我想报答你"，我觉得这是对老五的不尊重。我用了祈求的语气，这时老五不太会拒绝了。随着我的手往下移，老五越来越紧张，胸膛开始急促地起伏，喘息也越来越强烈，我刚要触碰到他的下身，老五突然按住了我的手，他的手滚烫。

"不。"他似乎很艰难，但还是坚决地制止了我。

"你是嫌弃我吗？"我依然柔声地说。我对老五的过去不了解，但老五与我在一起的这几年，一直是个正人君子，光明磊落。我在内心里觉得自己是配不上老五的，我这样做对老五也是不公平的，尤其是一想到我跟秦志高的所作所为，就更觉得自己肮脏不堪。我没有别的想法，我知道他这几年过得苦，我只是想对他好。

老五听了这话，身上还是激灵一下子的，他摇了摇头，然后又睁开眼睛，瞪着我说："没有，绝对没有，你不要这样想。"

他一睁眼，又看到了我的身体，马上又把眼睛闭上了。

"我敬重你。"他说。

"唉，你是可怜我。"我叹口气，握着他的手，轻声说，"你心里还是放不下她吧。"

这是我第一次与老五谈及他心里的秘密。虽然我根本不知道她是谁，但女人的直觉和敏感告诉我，一定有一个人装满了老五的心，这不会有错。

老五身体抖了一下，没说话。我看见有两滴泪顺着他的眼角流了出来，我没有帮他去擦，只轻轻握着他的手，一直到他浑身不再燥热了，呼吸也慢慢平静了下来，才快快地独自上床去睡。

我早晨起来的时候，老五已经在做早饭了。

爸爸妈妈也都起床了。妈妈拿了把扇子，坐在大门口乘凉，看着爸爸在院子里练他那套打了十几年的太极拳。

巧生穿好衣服，蹦蹦跳跳地出了门，看到外公正在院子里打拳，他立即来了兴趣，顾不上去厨房找老五了，就站在台阶下，跟着外公一招一式地比画。

等爸爸练完了拳，我才出了房门，笑着问二老休息得怎么样。

爸爸收住架势，取过早就凉在窗台外的茶，喝了一大口，仰起脖子，让茶在咽喉处咕噜咕噜地润着嗓子，咕噜了半天，才吐出来，擦了擦嘴，说："还行。"

"哎呀，凉快倒是凉快，就是潮，这里怎么这么潮呀，衣服都跟裹在身上似的，黏糊糊的。"妈妈看巧生跑过来，就给巧生扇着扇子。

"这是海边呀，这里属于海洋性气候，空气都是海上过来的，肯定要潮湿呀。"爸爸跟妈妈解释着。

"这潮的，衣服就跟没干似的，我闺女在这里这么多年怎么受来着？"妈妈看着我，有些心疼地说。

"海边好，夏天很多人不都到这边来避暑吗？空气湿润对皮肤好呀，您在这里多待上一段时间，保证您能年轻好几岁，回去让姨妈她们看看，是不是年轻了？"我跟妈妈开着玩笑。

"皮肤好对老太婆有什么用，住久了就得发霉长毛。"妈妈也笑。

巧生一听发霉长毛，立即扒着外婆的脸看了又看，很认真地说："没有发霉，都是头发。老妖精才长毛呢，您是外婆，又不是老妖精。"

"谁告诉你老妖精才长毛呢？"妈妈笑着拍打着巧生的屁股，嗔怪道。

"爸爸呀，爸爸每天都要给我讲故事的，昨天没讲……"巧生还挺委屈。

我还没说话，爸爸冲我示意了一下，说："快去帮帮燕杰，一大早就起来忙活了，你以后也多做点家务。"

"他呀，闲不住。"我一边说着，一边往厨房走。

老五已经把早饭做好了，正准备往外端，厨房闷热，他满头满脸都是汗。

我赶紧拿了毛巾去给他擦，老五笑着躲开了，他接过毛巾，自己擦了擦，才说道："也不知道老人家口味和偏好，只能凑合着吃了。"

老五"凑合着吃"的早餐依然很丰盛，全家人都吃得很开心，尤其是爸爸，对老五做的担担面赞不绝口。

爸妈不想对我们的生活造成太多的打扰，多年未见，他们就是想看看女儿生活的状况，与我们生活了几天，看到老五和我很"恩爱"，孩子也健康快乐，悬着的心也就踏实了，所以，他们只在我们那个小镇待了一个礼拜，就准备回湖南了。

这些天，我和老五都尽力地表现，尤其是老五，不仅配合工作做得很到位，而且生生把配角的戏演成了主角。他白天带着老人孩子出去逛景点，晚上陪爸爸下棋陪妈妈聊天，还时不时地变着花样做好吃的。老五做事本来就周到得体，为人谦和又勤快，把两个老人伺候得都很满意。

临回湖南的前一天，爸爸由衷地跟我说："园园，爸爸当初对你不辞而别跟着燕杰到这个偏僻的地方，很不理解，也很生气，现在看来，我女儿是有眼光的，燕杰这孩子不错，值得你这样做。"我只能苦笑着点点头，心里的苦楚也实在无处去诉说。

秦志高一直没有露面，只给我打过一次电话，问我钱够不够花。

爸妈不让我再求人找车，只同意让老五跟他们一起坐长途大巴送他们到北京火车站。

他们回去的那天早晨，我领着巧生，一直目送老五拎着行李、照顾着两个老人上了车，大巴车开走了好远，才怏怏地回家。

下午的时候，我在院子里发呆。父母来了一趟，很满意地走了，我悬着的心按说也该轻松下来了，可心里却空落落的，也说不出为什么。

屋里电话响了，是老五打来的。他告诉我，已经把老人送上车了，让我放心。我问他啥时候回来，他说既然已经到北京了，就去趟出版社，去问问书稿的情况。

放下电话，我突然想起秦志高曾经说过的话，心里立即有了一种不祥的感觉。

当天晚上，老五没有回来，我一直等到了凌晨一点，他也没有再打电话过来。

第二天上午，爸爸打来电话，告知我他们已经平安到家，一路上都很顺利，还问起老五，说这段时间肯定把他累坏了，让我以后一定要好好对老五。

可老五还是没有回家，也没有电话来，我的心忐忑起来，有些坐不住了。

一晚上，我一直听着电话，留意着家门的动静，可除了闹春的猫叫得人心烦意乱外，周围一点动静都没有。

直到第三天的深夜，老五才回来。

我躺在床上，正胡思乱想，就听到门口的脚步声和拿钥匙开门的声音。我立即抓了件衣服披上，一边问是老五吗一边奔出去。刚到大门口，就看见老五摇晃着进来了。

"这都几天了？你连个电话也不打，知不知道我和巧生都担心你呀？"刚才还在惦记，见到人了却埋怨起来。

老五冲我歉意地笑了笑，没说话。我看他蓬头垢面，形容憔悴，脸色特别难看，忙问："你吃饭了吗？饿不饿？事情怎么样？"

"没事，你睡去吧。"老五好像非常疲倦，他摇了摇头，就直奔他的房间而去，脚步踉跄着，像没有根一样。

我泡了茶，还拿了两袋巧生的小点心端过去，看他已经在洗澡，还是不放心，隔着门追问了一句："没出什么事吧？"

"没事，你睡去吧。"老五在卫生间里闷闷地说。

老五回来了，我也就踏实了。

"妈妈、妈妈，血、血……"睡梦中似乎是巧生的叫嚷，我睁开眼，看见巧生正惊恐不安地摇晃着我的胳膊。

"怎么了？"我一激灵，翻身坐起来。

"爸爸，爸爸吐血了。"巧生一边急着说一边拽我的手。

我脑袋嗡的一下，下床就往东屋跑。

老五似乎也听到了巧生的叫嚷声，正在挣扎着清理地上的血污。

"你快躺下，我来弄，怎么回事啊……"我看到老五的腿在哆嗦，一副站不稳的样子，就先把他扶到床上。

"没事。"老五躺在床上，四肢冰凉，说话也有气无力。

"爸爸不会死吧？"守在床边的巧生突然大哭起来。他三天没见到老五了，早晨兴冲冲地去往老五被窝里钻，一看到老五吐的血，当即吓坏了。

"你胡说什么？"我使劲瞪了巧生一眼。

"巧生，你乖，爸爸就没事。"老五伸出手抚摸着巧生的头。

我把脏污的地擦了擦，又拿了毛巾，蘸了温水，帮老五擦了几把脸，才站起身对巧生说："你在这里陪着爸爸，我去叫出租车，咱们带爸爸去医院。"

"我不去医院,我知道怎么回事,躺会儿就好了。"老五忙拦我。

"别硬撑着了,都吐血了,还是去医院看看吧。"

"爸爸,打一针就好了,打的时候是挺疼的,拔下来就不疼了。"巧生也劝老五。

老五听了,无力地笑了笑,说:"我真没事,就是浑身没力气,歇歇就好了。"

老五是个犟脾气,他死活不去,我也拿他没办法,只好端了杯水,让他漱了漱口,又倒了一杯温水,放在他床头边,关了房门,让他睡会儿,拽了巧生从他屋里出来了。

老五在床上躺了一整天,一口饭都没吃。

我不知道发生了什么事,但猜也能猜出个八九分,一定是书稿的事,老五八成是上当了,秦志高说的那把悬在头上的剑最终还是落了下来,把老五砍得遍体鳞伤。

老五一直躺着,目光呆滞,话也不说饭也不吃,昏昏沉沉也不去医院,这让我很是着急。

我有个学生的家长是个中医,在小镇上还算有名,我只好请人家过来看看。

医生给老五号了脉,又看了看老五深陷的眼睛和发黄的舌苔,拉了我在院子里悄悄说:"郑老师,病人是突然受了很大刺激,急火攻心,肝气郁结,脾虚失摄,胃络瘀阻,很不容易恢复,得慢慢调养。吃药是一方面,最主要的还是要开导他,让他凡事要想开,保持心情舒畅、平和达观才行。"

我心里很难受,说:"他很豁达呀,怎么一下子病成这样了?

饭都吃不下去，这样下去，身体不就垮掉了吗？"

医生摇摇头，叹口气，说："他平时就应该心事重，苦痛久积于心，又突然受了刺激，怒伤肝，恨伤心，怨伤脾，恼伤肺，烦伤肾，他这可不只是肝火犯胃呀，人虽年轻，却承受了极大痛楚，唉，只能慢慢调理吧。"

老五喝了汤药，在家躺了一个多星期才起来，但人已经瘦得形销骨立了。

巧生每天都搬了小板凳，坐在屋里陪爸爸。他越来越懂事了，老五要他乖，他这几天真的很乖，不乱跑乱叫，乖乖吃饭，还主动拿了图画书，在老五床前一本一本地念，努力地讨好着老五。每天临睡前，都要跟老五说一声："我今天是不是很乖，你是不是明天就不死了？"

老五总是满脸慈爱地看着巧生，无奈地苦笑。

老五身体恢复后，又带着巧生去经营他的自行车租赁店了。爷俩还是早出晚归，一如既往。但老五的精神比过去差多了。他本来话就不多，现在更加少言寡语，消瘦的脸上总凝结着悲愤，长吁短叹里缀满了重重心事，把他的脚步都拖慢了。

无论我怎么问，老五都没有告诉我那部书稿到底出了什么问题。他也再没有提过写书的事，那部构思了许久的"三部曲"就这样胎死腹中了。

13

我觉得我人生犯下的最大的错误就是给老五介绍工作。这比我自毁前程追随秦志高跑到这偏僻小镇来还让我懊悔不迭。

虽然，我纯粹出于好意，但没想到这竟然给老五带来了灭顶之灾，让他本来多难的人生又雪上加霜。一回想起来我就彻夜难眠、痛心疾首。

老五的自行车租赁铺虽然赚不上几个钱，但至少是个营生。人不多的时候，老五就拿个小黑板，在树荫下教巧生学习。我们那里还没有幼儿园，没上学的孩子要么由爷爷奶奶照看着，要么就在大街上自由撒欢儿。不到五岁的巧生已经认识了很多字，能背古诗词，报纸也读得有模有样，这让隔壁卖百货的摊主很羡慕。

摊主是个本地人，倒也实在，他主动跟老五商量说："这租车子一天也没有几单生意，要不我帮你照管着，我家有个跟巧生差不多大的娃，正到处爬高上低地疯玩呢，你一起给教教，反正一只羊也是放，两只也是养。"

老五过去也没少麻烦这个摊主，再者说了，教孩子们学东西，老五觉得是做好事，也就没推辞。

摊主的儿子比巧生小两个月，本来是个坐不住的淘气包。也不知是老五的教学方法得当呢还是巧生的示范做得好，反正小家伙跟着老五和巧生"混"了没多久，也认识了几个字，还学会了简单的加减法，时不时地能帮他爸爸算算小账，把个摊主乐得合不拢嘴。

消息不胫而走，附近忙于做生意的几个摊主也都找来，希望老五帮着带孩子，虽然没什么收入，但毕竟也算是给大家都帮了忙，老五一下子就成了"孩子王"。

小镇靠近海边，这边的海水污染少，沙滩也漂亮，夏天来旅游度假的人特别多，也会来些外国人。当时在小镇上做生意的都是本地人，别说外语，书都没有念过几年级，外国人一来，沟通立马就成了大问题。老五本来在海边带着孩子们看书学习呢，一看这些摊主在那儿一个个抓耳挠腮听不明白老外在说啥，也就过来当了义务"翻译官"。这下大家知道了老五还会外语，一看老外过来了，每个摊位都忙着叫老五，把个老五忙得团团转。

卖百货的小老板是个精明人，他就召集大伙儿说："咱们呀，让人家老五兄弟免费带孩子，又让人家给咱们当翻译，我看呀，整天忙活他还不如让老五兄弟教咱们学外语呢，也就是一些简单的对话，大家学会了，见了老外也能交流了，自己长了本事不说，不也能多做点生意吗？免得每次都麻烦人家五兄弟，你们说是不是？"

大家都说好，也就商定了，每天晚上收摊后，想学外语的就到我家小院里找老五，学一晚上，每人交给老五两元钱。

两块钱在旅游点上也就能买两个茶叶蛋，大家都觉得不算个啥。

老五晚上跟我商量，我看老五有点跃跃欲试的样子，就鼓励他说："这是好事呀，帮助了大家，咱们也会有收入，挺好的。再说，我不也在学校里教英语吗？你忙不过来时我也可以协助你。"

我旗帜鲜明地表态支持，老五劲头就更足了。

说干那就干。

第二天，老五就领着巧生把院子打扫干净，搭了几条木板凳，还专门请人从城里买来了录音机和大黑板，又从屋里拽出来两个大灯泡，照得院子特亮堂。

做小买卖的，平时都得靠吆喝，忙活了一整天，肯定口干舌燥，老五就专门买了两把特大号的茶壶，泡上茶，谁要是口渴，就可以自己倒水喝。

还没有准备停当，就有人陆陆续续地来了，大家也都帮着手，在我们那个并不大的小院子里愣是搭出来一个简易的大课堂。

一开始来的人还真不少，把小院子挤得水泄不通，有真心来学习的，也有不少是看热闹的。老五教的东西很实用，学上几句还真对自家生意有帮助，大家觉得没白学，就都塌下心来，跟着老五读外语了。

当然，每天最高兴的就是巧生了。小孩子本来就爱热闹，家里每天都来好多人，有的叔叔伯伯还会给他带点花生瓜子什么的，把他乐得够呛，整天在人群里钻来钻去，欢快得就像条见了水的小泥鳅。

老五不好意思直接收钱，在窗台上放了个不用了的腌咸菜的小罐子，谁来听课就往罐子里扔上两块钱，反正都是做小买卖的，不缺的就是零钱。

一个月下来，收入竟有一千多块，我和老五都觉得这生计还真不赖。

老五是个讲义气的人，他觉得既然大家花钱跟他学，他就要对得起人家。老五也确实卖力气，他不仅认真备课，把课讲得深入浅出、绘声绘色，还天天挖空心思地琢磨怎样把课堂气氛搞得更活跃。你还别说，这些大字不识几箩筐、小时候都没咋好好念书的成年人，竟然很喜欢上老五的课，常常听得入了迷。

来这里的老外不光说英语，还有很多俄罗斯、日本、韩国人，老五又自己买了书，买了磁带，听着广播自学俄语、日语和朝鲜语，再变着花样教大家。

老五这边干得正起劲，收益那边却出了问题。

一开始，大家往罐子里搁钱都还挺自觉。老五很用心地教大家外国话，还帮一些人带孩子，大家都觉得老五挺辛苦的，也不容易，再说了，不就才两块钱嘛，多卖几个玉米棒子不就出来了？

可也别忘了，来找老五学外语的都是做小买卖的生意人，生意人，都是要精打细算的，买卖越小，算盘打得越精。

虽然每晚来上课的都放两块钱，也就有人盘算了，老五白天帮带孩子的交两块，我家没孩子让他带，也交两块不就比别人亏了？当然了，大家都是街坊邻居，心里虽然盘算，但谁还都没好意思提。

也有好意思的，那理由就冠冕堂皇了。收摊晚了的，赶到小院时课已经上起来了，课听了一半，茶水也比别人喝得少，也就主动跟自己打了折，搁一块钱就算了。有搁一块的，就有不想搁的，说一声："今天生意都没开张，下次再给了。"老五也不介意，只会乐呵呵地说"好好好"。

不患贫富患不均，自古以来就这样。一样来听课，一样在这里喝茶，有不交钱的，那交了钱的心里就有些不舒坦，觉得自己吃了亏。生意人嘛，哪有肯吃亏的？只要有人开了头，很快就蔚然成风了，连最早张罗这事的卖百货的小摊主也都隔三岔五地不往罐子里放钱了。

老五心思全在教学上，对收益的事也没太在意，但我看得很清楚呀。快到月底了，罐子里面的钱还不到上个月的一半呢，估计连买茶叶的本儿还没回来呢，心里不免有些着急了。

我主要是担心老五再受打击。这场大病后，他总是无精打采、闷闷不乐，好不容易找了个有兴趣的事，正干劲十足呢，要是知道了真相，再受点刺激，跟上次似的病成那样子，他即使能挺过去，我还感觉后怕呢。

为了瞒住老五，我总自己拿些零钱悄悄地搁到罐子里。但我也清楚，这肯定不是长久之计。没法子了，我脑子一热，就去找了秦志高。

我懊恼不迭、后悔不已，就是因为当时确实是我主动找的秦志高。

我的想法很简单，商务局下面有那么多商店和对外服务点，要是能给那里的员工做些外语培训，老五不就有稳定的收入了吗？

我很少去找秦志高，过去都是他找我。我主动打电话给他，而且还提出来请他吃饭，这让秦志高很意外，在电话里还压低声音嬉皮笑脸地问我是不是想他了。

秦志高刚从广东考察回来，见了我，立即眉飞色舞地谈他在南方的见闻，"那里真是日新月异，老百姓都富得流油了。咱们这里也是百废待兴，这是个风起云涌的时代，时势造英雄，人得有超前思维，站得高才能看得远……"

要是过去的我，肯定支起下巴，如醉如痴地沉浸在他的侃侃而谈中了，但经历了那么多，我早就不是那个不谙世事的小女孩了。虽然看着那双眼睛，我也会迷离恍惚，但浪漫和夸夸其谈解决不了我的现实生活，我有孩子要养，我需要柴米油盐。

一开始，秦志高对老五的事情似乎兴趣不大，但当我把老五跟我讲过的培训行业的发展前景一五一十分析给他听时，他眼睛里突然就有些放光，拉着我问这问那，连老五与外界联系多不多、嘴严不严这样与培训八竿子打不着的事都问到了。

<h1 style="text-align:center">14</h1>

秦志高做事还算靠谱。

没过多久，就有商务局下属的单位上门找老五，他们先是请他给几个外销商店的员工下班后做语言培训，上了几堂课后，听课的人就多起来了，小会议室里坐不下，培训的地方就改到了大礼堂。

老五是个实在人，他的工作被认可后，干得就更起劲了。不仅课备得认真，讲课的花样也层出不穷，课堂气氛搞得很活跃，大家都觉得这种培训形式很别致，既轻松还能学到真本事。一传十、十传百，老五做培训就在我们当地有了些小名气。

王社长来找洽谈合作时，老五正在着手扩大规模，除了商务局，其他系统的好几个单位也都与他签订了培训计划，他把讲义做成了规范化的课件，还让我帮他借了一堆电脑书，边研究，边捣鼓，准备启动与电脑有关的课程了。

王社长是个讲究人，在我们当地的报社做着一把手，却没有一点官架子，对老五也真做到了三顾茅庐、礼贤下士。

老五一开始确实没有想去跟报社搞合作，他是被王社长的真诚打动的。

好几次王社长过来时，老五都还在上课，王社长就站在教室外面耐心地等，让老五很是过意不去。老五为人仗义，见王社长这么真诚，也就没再推托，铁了心跟着王社长去干了。

那时候国家提倡搞活经济，很多单位都想办法搞第三产业。王社长虽然是有名的文化人，写得一手好文章，但不是思想僵化的书呆子。他脑子很活络，交际也广泛。市场经济的大潮对我们这里冲击很大，王社长与时俱进地劝来了老五，还拉到了一个合作方，跟报社一起成立一个三产公司，顺应时代的潮流，搞创新、搞改革。

新成立的公司是股份制的，报社是大股东，老五虽然没股份，但王社长对他很信任，让他做了公司的法人代表兼总经理。王社长答应老五只要好好干，出了成绩，将来可以把他调到报社去。

虽然自己做得已经有些起色了，但毕竟是个朝不保夕的个体户，现在一下子成了报社下属海川公司的总经理，老五觉得很知足。老五本是个重情意讲义气的人，也就下定了决心，努力工作，以报答王社长的知遇之恩。

"没资金，没人员，还没什么业务，这跟个皮包公司有什么区别呢？"老五跟我说起公司情况时，我很纳闷。

"王社长说他完全放手，业务让我自己规划，我觉得当下还是从培训做起，毕竟，这行当我已经涉足了，也算有些了解。"老五一边帮巧生洗澡，一边说。

"做培训，那还不如咱们自己做呢，你基础打得那么好，跟着报社干，连股份都没有，干得再好也只是个打工的。"我把要给巧生换的衣服递给他。

"王社长说，如果我未来不打算进报社，是可以给我一些管理股的，因为报社职工不能持股，能进报社当然好，我也就放弃股份了。"

"至少得给配几个人吧，连员工都没有还办什么公司？王社长不会在忽悠你吧？"我心里没底，有些狐疑。

老五给巧生换好衣服，拍了一把巧生的小屁股，让他自己出去玩，站起身，跟我解释道："不会的，你放心吧。王社长也说了，创业嘛，就得从零开始做。如果实在忙不过来，可以让报社照排中心的年轻人一起来帮忙。"

老五信心满满地去上班，报社除拿了一间会议室让老五办公、待客、开会外，还同意他可以利用报纸的中缝免费做广告。

老五办公的那间会议室就在照排中心隔壁。

进入新世纪，印刷已经很少再用铅字排版了，开始使用激光照排技术，但大多数编辑记者还都习惯于手写处理稿件，所以报社就成立了照排中心，招聘一些年轻人用专门的打字机，负责文稿的录入和排版。照排中心的人和老五都没有报社的正式编制，因为同属于单位里的"二等公民"，老五也就很快跟照排中心的这些年轻人成了好朋友。

有了新工作，老五立即开始忙碌起来，有时候回家就会很晚，这让一直没离开过老五的巧生很不适应，常常等他等得望眼欲穿。

也就是在那个时候，老五买来给大家学外语的大录音机派上了用场，他除给巧生布置好第二天的学业功课外，还坚持每天给巧生录半小时的睡前知识。内容虽然五花八门，倒也生动有趣。巧生等不到老五时，就抱着录音机一遍一遍地听，听着听着也就睡着了。

录些故事和知识本来是为对付巧生睡前找不到老五哭闹时的应急之法，没想到爷俩这一坚持就养成了习惯。巧生后来上初中住校时，还坚持要老五每个礼拜给他录几段，他在学校戴着耳机听。他说，每天不听爸爸这半小时的"山南海北"，就跟睡觉前没刷牙一样，总感觉没完成任务似的，辗转反侧睡不着。

老五在巧生身上下的功夫没白费，巧生一入小学就崭露了头角，没读几个月，他那个学校的校长就把我找去了。

"郑老师呀，我看让你家秦川直接读二年级吧，一年级的知识他都会，再读一年也浪费时间，再说，小孩子学东西，一会了就不专心听讲了。好的苗子咱们别耽误了。"我当然很高兴。后来巧生又跳了一级，六年制的小学他只读了四年，就被秦志高转到一个重点中学的国际部读初中去了。

虽然起步时一穷二白，报社的支持力度也有限，但凭着老五的钻研、付出，加上过去积累的客户资源，报纸的中缝还时不时地帮着做些广告，海川公司竟然很快就风生水起、小有规模了。

等老五拉开架势要办驾驶员培训班时，海川公司已经不是初创时的草台班子了，不仅有了自家的办公教学场所、美丽的校园，而且也更名为海川职业技术培训学校了。

15

这校园建得可真不容易，几乎要了老五半条命去。

一开始，老五他们也只是租用报社的会议室或者那个长年不用的报告厅招收学员开班办培训，之所以称"他们"，是报社的编辑记者们在老五与照排中心的小伙子们的悉心培训下，都一个一个掌握了微机处理文字的能力，后来也都用上了电脑，照排中心的很多人没有了用武之地，也就跟了老五一起去做培训了。

舞文弄墨的人都摆脱纸笔用上了计算机，王社长称之为"采编一条龙"，这在市里可是头一家，报社很出了些风头，市领导很高兴，把王社长树成了勇于改革的先进典型，还专门批了一笔钱，让报社更新设备，尽早实现办公自动化。

老五他们虽然为报社赢得了荣誉，还带来了不少经济效益，但这并不能改变他们在报社的地位。

培训是越搞越红火，往往还没到下班时间，报社院子里就拥进来一些等着上课的人。人一多不免就会喧闹，报社的编辑记者们都是喜欢安静的文化人，觉得满院子的"叽里呱啦"太影响文化单位的形象了，几次反映到王社长那里去。王社长也觉得吵吵嚷嚷不像话，就直接下了"逐客令"，让老五他们搬出报社，到外边自己找地方去。

"不到社会上去，怎能体现社会办学的宗旨？"王社长说得也有道理。

毕竟，报社的好多荣誉、实惠都是培训给带来的，王社长可能也觉得有些过意不去，就把采编部门淘汰下来的一辆摩托车配给了老五，便于他上下班和出去联系业务。

那时候，我们住的小镇还没有划归市里，不属于市区范围，也就没有直通的公交车，老五上下班只能靠骑自行车，一趟就要一个多小时，有了摩托车那就方便多了，何况那还是特殊车牌的采访车，很多机关大院都能进得去。

报社的报告厅不能用了，但培训业务不能停。老五只好到处租教室，不光租培训场地，还要各处请老师。我们学校的好几个老师都被老五发展成了培训师，我也时不时地帮他们去代课。学校的教室、单位的食堂、疗养院的电影放映厅，甚至有些单位空置的库房，都当过他们的临时培训基地。

总换地方，跟打游击似的，特别不正规不说，学员们还总因为找不到教室误课，这肯定不是长久之计。

老五其实动过从报社弄块地的主意。

原来的照排中心已经闲置了，那里是一排平房，如果在四周加一道围墙，另开一个大门，就完全能够自成一体，不会再影响报社的形象了，如果再加盖一两层，那绝对是一个很好的培训场所。

但王社长觉得这事不好办。

王社长一直很欣赏老五，对他的工作也很支持，但老五的这个提议让他犯了难。

"培训虽然给报社带来不菲的效益，但毕竟不是新闻单位的主业，文化单位是非多，即便我点头了，其他社领导也保不齐要反对。再说了，公司既然是企业，企业就要自负盈亏，一切只能靠自己，如果你们有实力，在外边盖高楼大厦我都会全力支持，眼光就不要只盯着报社这个弹丸之地了。"

老五顾大局、识大体，况且也觉得王社长说得有道理，也就打消了改造照排中心的念头，另外想辙了。

那段时间，可正经把老五愁坏了。

拿到海边那块地，绝对是一个偶然的机会。

这里虽然是个滨海城市，但城市中心和主要建筑都是远离海岸线的。靠海的地方，全都建起了各式各样的疗养院，密密麻麻，一直延伸到郊外好远。

老五他们看上的那片土地在城市的一个角落，那边没有天然的沙滩，不太引人关注，虽然就在海边，但离市区的距离并不远。

那里曾经是计划经济时代港务局的一个储备仓库，已经荒置了多年，连带着周边也跟着一起荒芜了。

老五是给港务局做员工培训时知道这个地方的。

一开始，老五只是想租下来，改造成海川公司的培训场地，这里空气清新又很安静，因为过去是仓库，为方便往来路都修得很好，交通也非常方便。

"有改造装修的钱，你们还不如买下来呢。反正这种仓库港务局也用不上了，留着还得派人管理，时不时地还需要维护。"港务局接洽老五的人建议道。

老五觉得有道理，一问价钱，比他预想的还要低。老五没有丝毫迟疑，立刻把这事报告给了王社长。

王社长其实不太想买地，在他的认知里，地是不值钱的东西，如果实在有需要，完全可以向政府申请划拨。但转念一想，公司向政府申请划拨土地有点名不正言不顺，加上培训场地没解决，老五时不时地还缠着他想办法，看看价格也不高，老五正在兴头上，也就勉强同意了。

一大片土地买下来，老五很开心，他想的可不是简单装修一下就完事，既然王社长让他们眼光要放长远些，他就信了这话，真要拉开架势做学校了。这一下子倒让王社长有些始料未及，有心反悔吧，合同已经签了；支持老五吧，建学校可是正经需要一大笔钱的，不免有些骑虎难下。

可王社长自己也确实说过让老五他们搞学校建大楼的话，言之凿凿，当领导的自然不好出尔反尔。

看着老五写上来的发展思路和几百万的预算报告，王社长左右为难。一犯难，就想着把这事拖一拖，拖到老五自己放弃。

偏偏老五是个一根筋的执拗人，总是一条道走到黑，一旦下定决心做啥事，就非要把这事做成不可，不见棺材不落泪，不到黄河不死心。

最关键的是，老五没在官场混过，只会看领导的表面态度，不懂得揣摩领导的真实心思。他见报告呈上去石沉大海，催问时领导又含糊其词，也就想当然地会错了意，以为是规划做得不够完整，蓝图描绘得不够宏大。他又推倒重写，结果是报告越写越厚，预算水涨船高。

老五会错意也并不是没有道理。

王社长与他萍水相逢，只听过他的几堂课，就"三顾茅庐"不拘一格地任命他做了海川公司的总经理，不光是信任，肯定也是基于他在培训方面的能力。王社长曾经多次跟老五讲，培训产业蒸蒸日上，未来不可限量，是可以施展宏图的大舞台，老五觉得王社长不仅是赏识他的"伯乐"，也与他"志同道合"，更何况王社长还是一位有胆识、有魄力，以敢于开拓进取著称的改革者。

老五没完没了地写报告，三天两头地来汇报，把一向笑容可掬、和蔼可亲的王社长缠得有些不耐烦。但王社长到底是有涵养的人，好脾气的王社长就跟老五讲，报社没钱投入，他非要搞，只能自筹资金，但公司的各项业务不能停，年底给股东的分红也不能减少。

其实，除了培训，公司的其他业务就是倒卖点纸张。报社总是要用纸的，王社长就先与造纸厂谈好价，在公司里走下账，再加价卖给报社。这块业务很简单，报社派来的财务随手就能办，王社长也就没让老五分心去掺和。老五主要是做培训，这些年，培训确实赚了不少钱，加上纸张实现的利润，每年的分红就很可观，王社长把大部分分红都回馈给了报社食堂，职工的伙食得到了提升和改善，大家得了实惠，都赞叹王社长的这一步改革做得好。

王社长并不是故意要将老五的军，他本想让老五知难而退，别再折腾这个事。可是没想到这个一根筋的老五还真就去自筹资金了。

老五想到的办法是贷款。

企业一旦贷了款，就像背上扛了枷、脖子套上绳，光还款压力就能把人压弯腰，何况，王社长还要求每年股东的分红数额不能减少。也确实，职工食堂的伙食标准上去了，再降下来可就会惹得广大职工嗷嗷叫了，老五是懂得给领导分忧的人，他不能让王社长的惠民政绩打折扣。

没办法，那就只好拼命了。

股东要分红，银行要还款，老五只能加大培训的规模和力度，好在那个时候，外语热、电脑热、出国热、炒股热……老五他们追赶着各种热潮，大街小巷，到处都是他们培训的信息，招生的广告，就像三月里四处飞扬的柳絮，迎面而来，铺天盖地。

但那却是老五最快乐的一段时光。

虽然忙得要命，每天几乎只睡三四个小时，但他精力旺盛，干劲十足，每天骑着那辆旧摩托车城里城外跑，要不是惦记着晚上要陪巧生，估计他得天天睡在学校工地上。

建学校可不是件容易的事，跑规划、跑设计、备材料、找施工。何况，学校是在荒废的地基上开建，要重新通水通电通煤气，要改消防建操场，还要盖教学楼宿舍楼机房食堂……每一件事老五都亲力亲为，不敢马虎松懈。他一边组织着培训班，一边跑着工地，忙得焦头烂额，累得心力交瘁。

老五的呕心沥血倒也没有白费，才不几年的光景，他们的学校就建得有模有样了。

虽然搭了半条命进去，老五挺直的腰板也弯得像盐碱地上暴晒了好几天的虾米，但学校毕竟建起来了。

学校后边是一座绿树覆盖的小山坡，前面就是蔚蓝的大海，闻着花香，听着涛声，在这样环境优美、海天一色的地方读书学习确实是一种享受，再加上崭新的屋舍、平坦的操场，老五满面沧桑，但心情舒畅，对学校的未来也充满了欢快的希望和幸福的畅想。

16

老五抱定了心思要在教育培训这个领域大展宏图。

如果老五不出事，海川学校真就有可能与后来如日中天的"山东蓝翔"较较膀子、掰掰手腕，因为在当时，海川的各种技能培训开展得风生水起，如火如荼，发展势头非常好，有好几家应该是做投资的公司还曾找上他们，追着要入股他们的学校，都被报社婉言谢绝了。

当然，最可惜的，是老五他们甚至有机会拿到一块比现在的校园还要大一倍多的土地，价格低廉得就像白送一样。

老五他们的校园已经足够大了，光操场跑一圈下来就要一千五百米，这可是在海边，著名的旅游城市的海边。但老五这家伙并没有满足这偌大的校园，他的眼睛一直盯着与学校一墙之隔的那片一直处于闲置状态的废厂房。

囤地并不代表老五高瞻远瞩、先知先觉，他根本也没有预想到几年后土地价格会成倍甚至几十倍地上涨。

他只是想办个驾校，办驾校就需要有练车场地。

本来海川的操场可以用来做练车场，但老五舍不得。一个学校怎能没有操场呢？海川的操场修得非常气派，不仅凝聚了老五大量心血，也耗费了海川不少资金，光一条塑胶跑道就花费不菲。但是，如果没有训练场地，就拿不到驾校的培训资格。学开车已经成为很多老百姓最迫切的需求，老五肯定不想错失这样的商机。

他惦记上了隔壁那片废厂房，那片空地一直荒芜着，比海川学校的面积还大不少。

当地的一家工厂圈下来那片地，本想与新西兰合作搞奶制品仓储和加工，然而立项后，合作却进展得磕磕绊绊，资金没到位，连围墙都没有圈起来，几百亩荒芜的空地，对老五他们来说就是非常合适的练车场。

老五当时也没有想把这地盘下来的野心。他只是想租用对方的土地，把空场铺平一下，象征性地给点钱，反正，那么大的地方闲着也是闲着。

老五是个一心为公的人，对学校的事，比自己家里的事盘算得都细致。

谈了几次，对方也同意了，老五刚安排人把地平整完，"非典"就来了。

"非典"如同摧枯拉朽的海啸，来时排山倒海、汹涌澎湃，走时摧枯拉朽、一片狼藉。面对突如其来的"非典"疫情，我们都束手无策，晕头转向。

"非典"虽然只持续了几个月，但影响和带来的后果却太大了，一些外商投资项目都因此打了"退堂鼓"。这个奶制品合作也就在那个时候被搁置了。

老五倒真没有想着趁火打劫。

可能是因为"非典"，也可能是之前就没有考虑好是否要做这个项目，总之新西兰那边放弃了合作，虽然他们在"非典"后还派了个代表团煞有介事地来考察了一番，代表团也只是坐着面包车在那片还荒芜着的场地上转了一圈，逗留的时间还不如在老五他们的海川学校时间长。

至少在海川学校门口，面包车还停了下来，有几个人一起下了车，相互招呼着借用了一下学校的卫生间。

虽然"非典"疫情已经过去了，代表团还是小心翼翼、如临大敌，每个人都把自己包裹得很严，还戴着厚厚的大口罩，好像空气里还弥漫着病毒似的。

老五当时正在学校里忙活着，他在跟食堂的管理员们开会，研究制定"非典"后学校食堂的改善措施和卫生要求。他做梦也不会想到，这群戴着大口罩借用他们学校洗手间的人里竟然有他朝思暮想、饮恨难忘的心上人。

"公主"后来说，她在学校大门口看到了一张跟老五很像的大头照，的确当时心里怦然动了那么一下子，但那个标着"地段卫生负责人"的照片下面，分明写着"秦燕杰"三个字，不是她魂牵梦萦的"武修德"。

纵然她学富五车，纵使她聪明绝顶，她也绝对无法把家在四川的大学生武修德与河北一个城市的"地段卫生负责人"秦燕杰联想在一起。

造化真是弄人。

人生难料定，有时候，咫尺远过天涯。

代表团考察过后，合作项目就"寿终正寝"了。这让拿了地准备引来金凤凰的本土工厂极为泄气，一怒之下，他们准备把地卖给海川学校，价格比老五他们拿第一块地时还便宜。

老五又动心了。

他兴冲冲地去找王社长商量时，王社长正在办公室里气定神闲地练书法，见到老五，就停下笔，招呼老五品评他新写的字。

虽然没练过毛笔字，对书法也是一知半解，但几年的摔打碰壁，老五也掌握了一点见风转舵、逢迎拍马的皮毛，他装模作样地端详着王社长刚写的字，嘴里不停地称赞。

肚子里有点墨水，说出来的奉承话就比竖着大拇指连夸"好！""棒！""牛！"的赞美声更让人受用，何况老五用的还是"气势恢宏""格调高雅"这样也算靠谱的专业词，王社长嘴里说着过奖，脸上却洋溢着春风。

老五就不失时机地谈了圈地的打算。

"燕杰呀，这事可不行，不能办。"王社长虽然被老五吹嘘得有些晕晕乎乎，但久在官场的人，头晕脑子可不乱，他没等老五说完，就制止道："银行的贷款还没还完，学校哪来的钱再去买地？"

"我咨询过了，可以拿学校资产在银行做抵押，银行愿意继续贷款给我们……"

老五已经料想到王社长会这样问，他提前做过功课，连忙解释。

"那更不行了。"王社长的脸色虽然依旧平静如水，但口气却不容置疑，"如果将来还不上贷款，学校不就变成银行的了？那我们办学校干什么呢？你找机会出去看看，南方为什么那么富呢？因为手里有钱。"王社长用手指做了个数钱的动作，幽默又不失时髦地说："现金为王，money 才是最重要的。"

"这块地真便宜呀，简直就跟白给一样，对我们绝对是个好机会，如果能开办驾校，用不了几年，所有的贷款都能还上，我们还能留下这么大一片场地，比现在的学校面积大一倍都不止。"老五又犯了执拗的老毛病，不识趣地劝导着。

"你怎么不明白呢？"王社长略微蹙了蹙眉，依旧耐心劝导，"我们这里又不是香港，寸土寸金，这里最不值钱的就是地。城市那么大，城外还有乡村，全都是大片的土地。要是土地能值钱，那工厂干吗自己不留着，非要卖给我们呢？我们不能做这冤大头。都说咱们学校搞得好，结果呢？现在还欠着银行一屁股债，传出去名声不好听。"

王社长的态度让老五有些泄气，他不自觉地耷拉下脑袋，神情也有些委顿。

"燕杰呀，这几年办学校把你累成这个样子，你知道我有多难受，多心疼啊！这次呀，说什么也不能再让你遭这个罪了，我下了决心，宁可学校不办了，也不能把燕杰的身体累垮。"

王社长一边说着，一边从身后的小冰箱里拿出一罐雪碧，亲自打开递到老五手里。

领导的关怀让老五心窝里热乎乎的。

越感受到关怀，老五越觉得有责任把这次难得的机会解释清楚。他喝完雪碧，又陪王社长坐了一会儿，依然不死心地建议道："这次真不一样，咱们主要是拿地，不用再建那么多教室宿舍了，工程简单很多，有了这场地，咱们就可以申请办驾校，驾校一旦办下来，那效益可就大幅增长了。"

"你呀，挺聪明的人咋一下子变成了死脑筋了呢？"王社长恨铁不成钢地批评老五道，"没有场地可以租嘛，难道为了吃顿肉还非要办个养猪场？"

在王社长那里碰了钉子，老五确实有些不甘心。

他一心想办中国最好的职业技能培训学校，已经琢磨了很久，也有了一套完整和系统的培训规划。除了忙学校的事，他一有工夫就去查数据、做研究，还经常通过互联网到海外找寻各种资讯，光我帮他翻译和打印的各种外语资料就有厚厚的好几摞。

老五想办的不仅是驾校，他已经在尝试挖掘机等大型机械设备的培训了。河北矿山多，离煤炭大省山西又近，开山挖矿都需要挖掘机，这里潜伏着的商机一点不比驾校小。只不过开办挖掘机的培训，也是需要场地的。

未来商机无限，前景广阔，这样的机会也确实千载难逢。

老五认为肯定是自己嘴笨，没能给王社长讲透彻。晚上他沉下心来，又专门写了一份声情并茂的请示报告，详细分析和评估买这个地所带来的商业价值以及他的未来设想，他感觉王社长应该是担心资金问题，就专门附了资金的解决方案和现金流量表。

报告递上去就石沉大海了。

老五虽然是海川学校的校长，还是法人代表，但没有王社长的同意，他是断然不敢与对方签土地转让协议的。

上次建学校那么大的工程，王社长最终还是同意了的，这次只是买块地，简单了很多，而且收益会更好。老五觉得他的思路很清晰，理由很充分，就准备继续按照上次的套路，软磨硬泡。

但这次很不同，任凭老五像个祥林嫂，整天絮絮叨叨，王社长似乎铁了心，就是不同意。

"那个老五是不是真缺心眼？他又不想当农民，干吗一天到晚总吵吵着要买地呀？"秦志高有次跟我打电话时还抱怨。

那块地最终就被南方的一家房地产公司买走了，过了没几年，就被开发成了我们当地最高档的一个住宅小区。

王社长和秦志高都在那个小区里有了房。

17

秦志高当时买了两套房，有一套直接写了我的名字。楼房确实方便了很多，而且周边环境又好，我和巧生就搬到了这个新的小区住。

老五没有搬。

秦志高说旧房子那边肯定要拆迁，需要有人住在那里，拆迁时才能拿到高的补偿。老五本来就不想搬，他喜欢那个旧院子。

巧生也不愿搬，但禁不住我软磨硬泡，他已经上中学了，平时住校，只有周末才回来。老五也忙，只有巧生回来的时候，他才会过来吃饭，反倒是我与秦志高总时不时地见见面。

秦志高当上了商务局的一把手，他那当领导的老丈人已经退休，对他未来的升迁起不到作用了，他正闹着打离婚，晚上基本不回家，就睡到小区的另外一套房子里。

那套房子的钥匙我也有。

为了私下里见面方便，秦志高专门留了套钥匙给我，有时候他需要我帮他洗洗涮涮和打扫卫生，如果不是周末，我也偶尔会在那边过过夜。

王社长在这个小区里有房子是秦志高偷偷告诉我的。他说王社长喜欢书法，在这个小区里的顶层买了个带阁楼的房子，准备退休后在这里写字画画、颐养心性。不过，秦志高的话未必靠得住，因为他是喝多了酒时随口出来的，后来他又否认说过这个话。

这也不奇怪，因为是高档小区，很多有头有脸的人都被传闻在这个小区里有房子，甚至还有人说老五在这里也买了房子，这就纯粹是瞎掰了。

瞎掰的话你也没法跟它去计较。我确实住在这个小区里，老五也的的确确周末的时候经常过来吃饭，"无风三尺浪"，嘴长在人脸上，你还管得了别人嚼舌头？无中还能生有呢，何况，我住在这里，老五怎么能撇得清？

没有买上地，学校只能去租，辗转了好几个地方，才算安定了下来。虽然利润少了很多，但汽车驾驶和挖掘机培训业务总算开展起来了。老五还开办了美容美发、家政护理、西点、缝纫等各种技能培训，甚至还办过几期"准妈妈"的早教培训班。

有一次我碰巧看到老五在大礼堂里给一群"准妈妈"做开班动员报告，黑瘦高大的老五站在几百个大肚子的女人面前，感觉很滑稽。

一切都往着好的方向在发展。

那个时候，资本市场虽然不像现在这样成熟，但老五他们学校发展势头迅猛，还是引起了一些投资机构的兴趣，他们与老五谈过多次，愿意给学校注入资本，有的开出的条件还很优厚，不仅答应投入资金，还承诺派出管理团队帮助学校往资本市场上运作，老五做不了主，就把他们引荐给了王社长。王社长一开始也很动心，不惜放下身段，亲自与这些投资机构沟通与谈判，但谈来谈去，最后都不了了之了。

没有买上地，也没有融到资，老五倒也没有什么怨言，他依然很忙，忙着开拓事业，忙着规划未来。不过，我曾经好几次见他坐在学校门口的台阶上，神情落寞地望着对面的住宅小区发呆。是心有不甘还是耿耿于怀，就没人知道了。

倒是秦志高有些愤愤不平。有一次他喝酒喝多了，牢骚道："老王就知道搂钱存钱，鼠目寸光，要是当初同意老五把那块地拿下，转手这么一卖，我们这些人不他妈早就可以财务自由了。"

我心里想，你当时不也骂过老五缺心眼吗？再说人家学校买了这块地，跟你财务自不自由有啥关系？

秦志高发牢骚也不是完全没道理。因为谁也没想到，房地产市场在我们当地突然就毫无征兆地热了起来。

王社长一直认为最不值钱的就是地，没想到过了没几年土地一下子变成了聚宝盆。海川学校这边，原来位于城市边上一个不起眼的角落，但市政府把这片区域划到了未来的开发区，学校又占着靠近海边的位置，一下子就成了令人馋涎欲滴的香饽饽。

开发我们小区的那家房地产公司，一直在打老五他们学校的主意。学校面积虽然没有我们小区大，但一踮步就到了海边，极目远眺，一片蔚蓝，环境自然要比小区这边好得多。地产公司的老总几次托人约老五见面，都被老五一口回绝了。学校的业务正蒸蒸日上，自己的地方还不够用呢，怎么可能再和别人联合搞开发？

老五有一次愤愤不平地把这事汇报给了王社长，王社长只是轻轻叹了口气，拍了拍老五的肩膀，算是体恤和安慰。对自己阻挠老五买地的事王社长后没后悔，那就没人知道了，当时他一句话也没说，事后也没有再提过。

但王社长不是一个说话不算数的人。他答应过老五，也确实准备退休前把老五运作到报社去。我觉得老五这几年办学校太辛苦，报社是文化单位，又是事业编制，还能发挥他写作的优势，也极力撺掇他。连秦志高都认为报社待遇好，职业也体面，王社长信守承诺诚心帮他办，如果不把握住机会，过了这村可就没这店了。

但老五就是不开窍。

王社长做了他几次工作，连位置都给他安排好了，他还是坚决放弃了。

"学校离不开我，我也离不开它，感觉血液都跟学校融在一起了，生是学校的人，死是学校的死人，您干脆就让我在学校干到底吧。"他半开玩笑地跟王社长表态道。

18

2008 年注定是个多事之秋。

北京要办奥运会，这可是了不得的大事情，全国人民都欢天喜地，热闹得像过节一样。

我们这地方离北京并不远，还是奥运会的分会场，欢乐的氛围就更加浓郁些。元旦刚过，离奥运会开幕还有七八个月呢，街头巷尾，勾栏瓦肆，就都进入"奥运时间了"。

各种标语也是铺天盖地。

我们是旅游城市，过去是不允许随便贴标语的。标语只能由相关部门张贴，多用红色绸布，重磅黑体字，大多都是"不"字开头的祈使句：

"不许闯红灯！"

"不许乱丢垃圾！"

"不许在马路上晒粮食！"

"不许在此处摆摊！"

沉甸甸、冷冰冰，既醒目又威风。

奥运一来，一切都大变样、大不同了，城市上空飘扬的红绸布都换成了五彩旗，冷冰冰的祈使句也成了温暖的问候语：

"同一片天空，同一个梦想！"

"欢迎来自五湖四海的朋友！"

"奥运是一家，我们爱大家！"

我们都感觉很稀奇，也很有趣。老五和巧生还就标语里"我们爱大家"这句话热烈讨论过。老五认为"我们"就代表政府，"大家"指的是市民。巧生说不对，前面的标语说了"欢迎五湖四海的朋友"，所以"我们"肯定是市民，"大家"就应该是"五湖四海的朋友"。两人谁也没有说服谁，争得面红脖子粗。

老五他们报社还在全市倡导了"我为奥运献青春"的活动，大家都积极响应，我和老五都报了名，写了决心书，要以实际行动为奥运会做贡献。

王社长已经到了退休年龄，虽不能为奥运献青春，但依然老当益壮，他接连在报纸上写文章，不仅考证出曹操"老骥伏枥志在千里"的经典名句就写于我们当地，而且发出"白发也有奥运情"的呼吁。人老，奥运之心不会老。

巧生和老五两个体育迷，已经在计划着奥运会的观赛时间表了。老五竟然还预订到了鸟巢百米决赛那天的门票，我们商量好了，全家一起到北京现场看比赛。

"奥运会就在家门口办，这可是百年一遇呀，我们必须要幸福地奢侈一回！"老五买到票时由衷而不乏得意地对我俩说。

"能亲眼见证闪电侠破纪录，那才叫幸福，那才叫梦寐以求呢！"巧生是博尔特的忠实拥趸者，牙买加那几位顶尖的短跑名将，他说起来如数家珍，一提到几个月后就要目睹偶像创造奇迹，他的眼睛里就闪着兴奋和激动的光。

但幸福没有眷顾我们，它从我们身边呼啸着飞过去，还把我们撞得遍体鳞伤。

5月12日，大地震爆发时，我没有上课，正在学校复印室给孩子们复印试卷，准备第二天的摸底考试，当时并没有特别的感觉，只觉得复印机抖动得有点不正常，荧光灯管好像有点晃，看到老师和同学们都在吵嚷着往外跑，我才意识到这是地震了。

刚跑到操场，就接到了老五的电话，说地震了，让我给巧生学校打个电话，告诉孩子不要紧张，还要我专门叮嘱巧生，再发生余震时第一时间能跑就马上跑，什么都不要管，来不及跑就往墙角躲。

晚上，老五安排完学校的事情后到了我那里，他当时还没吃晚饭，我连忙洗手给他做。

过去，只有周末巧生回家的时候，老五才会过来，我们一起吃饭一起聊天，那天，是我俩第一次在这个房子里单独吃饭。

老五进屋时，还跟我讲了一通地震自救的知识，让我准备些矿泉水、饼干、面包之类的东西储备在家里，但电视一打开，老五就顾不上与我说话了。

我们知道了震中在四川的汶川，我做饭的当口还问老五，汶川离他老家有多远，打没打过电话，家里人是不是都安全？

"很近。"即使我俩已经在一起生活了十来年，老五也没有跟我讲过他家的事。

老五盯着电视看，越看脸色越不对劲，他脸铁青煞白，手脚都有些发抖，我能感觉到他的紧张，他眼睛里有血丝，也有强压抑住的泪水。

电视画面太惨烈了，谁看了都心痛难受。

总理第一时间就到了灾区，解放军也已经蓄势待发，有好几个受灾的县市在大山里面，交通很不方便，只知道灾情很严重，到底严重到什么程度，外边的人还都不很清楚。

"恐怕会有泥石流，如果再暴发泥石流，那就太可怕了。"老五边看电视边自言自语，做好的饭，他一口都没有吃。

第二天一大早，我还在睡梦中，老五就打来电话，火急火燎地说："抱歉，只能滋扰你了。你马上起床，到银行 ATM 机上去取钱，能取多少取多少，还有你手头的现金，都给我，我半个小时后过来取。"

"怎么了？出什么事了？"老五的话，一下子把我吓醒了。

"见面说，我要去四川，你快去办。"老五没多说。

认识十几年来，老五一直对我客客气气，第一次这样硬邦邦跟我说话，我立即意识到了问题的严重性，赶紧起床穿衣服，头没梳，脸没洗，拿起所有的银行卡，直奔附近的银行。

银行还没开门，ATM 机取款是有上限的，我所有的卡都用上也只取出了八万元，加上家里还有几千块现金，我一起都装进了一个结实的牛皮纸袋里，还没有整理完，老五就到了。

他似乎一夜没睡，眼睛通红，满是血丝。一进门，就急匆匆地说："地震太严重了，进山的路都被震垮的山石堵死了，部队开不进去，那边急需挖掘机，全国人民都在增援，我现在要和三个教练带两个技术好的学员开着挖掘机往四川那边赶，你取了多少钱？"

"ATM 机有限额，只取了八万，家里还有五六千，都装这个袋子里了。"我听了，心里不由一哆嗦，忙把牛皮纸袋子递给他。

"行，我也取了四万，他们可能也会带点儿，有十来万，差不多也够了，主要是怕路上加油修车什么的。"老五接过袋子，拿出一张纸，边说边写，"我给你打个借条。"

我扯过他的纸，一把就撕碎了，抢白道："跟我还这样，有意思呀？"

老五也就没再客气，他把手里的一个小盒子递给我，说："学校的工作我已经安排完了，公章在财务那里，这是我的签名章，你找时间把它交给王社长，这段时间我不在，学校需要我签字的，盖这个签名章就行。"

我接过小盒子，有些担心地问："你跟没跟报社说呀？这样走行吗？未经允许就带着学员出去，还开着学校的挖掘机？"

他摇摇头，说："跟报社值班室说过了，王社长现在还没起床，路上我再跟他打电话汇报吧。不少学校都塌了，很多孩子被压在地下，现在救人要紧，也顾不上其他了，非常时期，领导肯定理解也会同意的。"老五显得信心满满。

"那就好。"我点点头，心里却有些五味杂陈。

老五看了我一眼，突然伸出胳膊来，抱了我一下，"你要多保重，也照顾好巧生。"

这是他唯一一次抱我，我的眼泪在眼圈里打转，叮嘱他道："你也要保重，别往太危险的地方去。"

他笑了笑，没再说话，只拍了拍我的后背，就急急忙忙地出门了。

因为全天都有课，我一直等上完课才去找的王社长，到他办公室时，都已经是下班时间了，他正在写字。

见到我，王社长很热情，说："救灾形势很严峻，这么大灾情，又在奥运会前夕，这对我们国家都是一个很大的挑战。"他叹口气，一边给我倒水一边说，"开了整整一天的会，只有这时候写写字，松弛一下神经，今晚还要鏖战呢。"

我欠身接过水，说："秦燕杰他们天还没亮就出发了，他知道您这两天肯定日夜操劳，睡不了一会儿，不忍心大清早吵醒您，不知道他后来跟您打电话请假没有？"一见面，我就赶紧替老五说好话，我知道老五未经同意就带着教练和学员跑出去，虽说去救灾，但毕竟不符合体制里的程序。

"救灾如救火，我要是年轻几岁，也一定会跑到救灾一线的。地震救助最关键的是黄金七十二小时，那必须分秒必争，只要能救出一条生命，他们这一趟就没白跑，生命才是最无价的。"王社长激情昂扬地说。

我频频点头，觉得这位头发花白、身体有些瘦弱的老人不仅一身正气，连骨子里都带有鼓动性和感染力。

"这次地震太惨烈了，电视画面都看得让人难受，压在地下的还有很多孩子。"我说这话的时候感觉到自己鼻子在发酸。

"别难过，我们要相信国家，总理不是已经到灾区了吗？子弟兵们已经在救助了，我们不怕困难，我们国家什么时候在灾难面前低过头呀？"他看了我一眼，话锋一转，"园园，不记得谁跟我说过了，好像燕杰的籍贯是四川？"

我不明白王社长的意思，但还是点头道："嗯，他老家是四川的。"

"难怪他忧心如焚呢，他家里还有什么人呀？这次地震都平安吗？"他坐下来，端起茶杯，喝了口水，关切地问道。

"唉。"我叹了口气，摇了摇头。

老五家里有什么人我确实不知道，地震是不是平安，我就更不知道了。

"你们呀，要多关心父母，拉扯你们都很不容易的，有空要多回去看看，每年把老人们接过来住上一段，看看大海，吃吃海鲜，咱们这里是海滨城市，适合疗养嘛。"他以长者的口吻批评道，话说得却极富人情味儿。

"是呀。"我想到了我的父母，"他们都是南方人，过惯了南方的生活，以后等条件好了，再接他们过来养老。"

王社长很健谈，我们又聊了一会儿家常，我把老五的签名章交给了他。他收下，锁到抽屉里，还把刚写好的一幅字送给了我。

19

老五他们星夜兼程，第二天下午我接到他电话时，他们已经过了汉中，很快就要进入四川境内了。

"两千多公里，你们开得可真够快的。"我看过地图，不禁惊讶道。

"救人要紧，我们人歇车不停。全国的救援力量都往这边赶呢，灾区急需挖掘机，很多地方大家都主动给我们让路。"老五那边噪音很大，电话也断断续续，听得出，他们还正在路上奔驰。

"你给家里打过电话没有？老家里的人都安全不？"我想起王社长的话，突然问他。

老五那边沉默了，过了一会儿，才说道："你这段时间把自己照顾好，也跟巧生说一声，在灾区可能电话都没信号，你们不用担心我。"说完，他就挂了电话。

老五他们一进入灾区，就展开了紧急的救援工作。

救灾指挥部安排老五他们这三辆车去疏通已经被碎石堵塞和震坏的道路，以便救援部队和运输物资的车辆能开进灾区。

蜀道之难，难于上青天，果不其然。

汶川、青川一带都是高山逶迤、峭壁林立，道路一断，插翅都难飞，看着被困在山外的救援人员和运送物资的长长车队，老五他们真是心急如焚。谁都知道，时间就是生命，早一点把路挖通，可能就会多救几条生命。

他们开着挖掘机，拼命一样铲大石头，小石头就直接用手搬了。手被石头割伤了，血迹斑斑，谁都顾不上看一眼，就更别提喝水吃饭了。

大震过后，余震不断，每一次路面刚清理好，山上的流石又被余震震落下来，滚落满地，道路瞬间就被堵住了，只能从头再来。

有时候大石头会悄无声息地突然滚落下来，还会伤到人。

更多的是突然暴发的山体滑坡和泥石流，还有道路的塌方。

所有的救援队伍都愿意冲到灾情一线去救死扶伤，用自己的双手，救出废墟下的生命，感觉这才是真正的救援。媒体也愿意报道这样的救助过程，既有仪式感，也隆重而神圣。

电视的镜头除了跟踪着领导外，也一直会追逐着这些冲在一线的救援队伍。他们在每个救援现场奔波穿梭，每次成功救出一个生者，大家都会鼓掌，为生命加油，媒体也会挤到最前面，又拍又摄。

但路是生命线，路如果被堵住了，不光救援的人进不来，救援物资进不来，被救助的人也根本转移不到后方去。

这也是为什么当时总理在救灾现场发怒的原因。路断了，连子弟兵都进不到重灾区里，大山无情地隔断了那些正饱受苦难的同胞与外界的所有联系。

进出灾区的主干道只有一条，盘旋在崇山峻岭之间。地震已经严重破坏了当地的地质结构，虽然已经有一支解放军部队在拼命地维护着这条支离破碎生命线的通行，但山体滑坡，路面塌方，涵洞堵塞，流石飞滚，这些灾难接二连三，络绎不绝，往往这段路还没修好，那段又塌方了。

老五他们开来的挖掘机，正是修路所急需的。

他们与其说是被救灾指挥部编入修路大军里，还不如说是被修路的子弟兵领导强"掠"过去的。

"我们是来救援的，要到重灾区去救人。"与老五一起来的一个教练刚怯生生地说了一句。

负责修路的一个解放军军官把帽子啪地往桌子上一甩，咆哮着说："路不通，人都进不去，怎么救人？你们几个，能救几个人？只有道路畅通了，救援大部队和大量的机械才能进去，才能救更多的人。这不明白吗？"

老五觉得军官说话虽冲，但还是有道理的，就赶紧说："好，好，好，我们就随解放军修路，路修通了，咱们再一起进去救人。"

老五也没有想到，他们这一修路，就整整修了十几天。进到重灾区的很多救援队已经开始撤离了，一些媒体记者也都回到各自工作单位，老五他们还在烈日的暴晒下千辛万苦地维护着那条前脚刚修好后脚又被乱石掩埋了的路。

路修得异常艰难。

因为每天都在抢修，争分夺秒地抢修。

老五他们在汶川的这十几天里，当地共发生了九千多次余震，差不多两分多钟就一次，每次余震都会把山上松动的石头震落下来，碎石四处翻滚，塞满道路，有的余震直接引发泥石流和塌方。

虽然戴着安全帽，他们还是不时会被飞溅的小石子崩得鼻青脸肿，遍体鳞伤。他目睹了一辆来增援的小汽车躲闪不及，被突然滚落的大石头砸成肉饼。为了抢时间，他们只能含泪把遗体从车里抱出来，把报废的车子用挖掘机推到山涧里。

他们和几百名解放军战士每天就奋战在这条千疮百孔的交通要道上，即使这样，进出灾区的车辆也只能走走停停，老五他们打通一段，大家才能前行一段。

所有参与拓路的人都知道，他们这里耽搁一分钟，废墟下等待救援的亲人就会多痛苦一分钟，甚至因此失去生命。这确实是牵系多少人生死的生命线呀。

老五他们只能跟解放军战士一起，玩命地去维持着这条生命线的畅通。

渴了顾不上喝水，饿了啃两口面包，困了就歪在路边泥地上打瞌睡。

没日没夜，分秒必争。

所有进出重灾区的人都要经过老五他们维护的这条路，所有人，自然包括公主。

汶川地震的时候，公主不仅作为志愿者在灾区奋战，而且，她就从老五身边经过。

也许是老天爷故意要作弄这两个苦命的人吧。

公主经过长途飞行，身心俱疲，她搭乘了一辆往灾区运送物资的货车，一路上被颠得翻肠倒胃，痛苦不堪，因为道路不畅，货车走走停停，她就强忍着难受，在副驾驶座位上打盹。

老五正奋不顾身地开着挖掘机，用挖掘机的铲斗抵住一块正要落下的大石头，好让这支运输物资的车队先过去，老五带来的一个学员站在路边指挥着车辆一点一点前行。

公主就是在那个时候突然睁开了眼睛，她恍惚看到了一个熟悉的影子，虽然多年没见，老五身形体貌已经大变样了，但公主看到老五戴着安全帽坐在轰隆隆的挖掘机驾驶室里时，内心还是突然一震。

她探出脑袋，问路边正指挥着车辆往前挪动的那个学员："哎，问您一下，那个人，他叫什么名字？"她用手指了指还在全神贯注开着挖掘机的老五。

那个学员以为公主是名记者，就一边指挥着车，一边骄傲地说："他是我们校长，叫秦燕杰，是我们燕赵大地的英杰，我们是来自河北海川学校的救援队。"

"秦燕杰？"公主嘟囔了一句。

车子不能停留，一辆顶着一辆往前开，公主再回过头时，后边的大货车已经挡住了老五的身影。

"燕赵大地的英杰，"公主浅浅地笑了，"这名字可真豪气，不光燕赵大地呀，秦还代表着陕西呢。"

当然，她记忆力再好，联想再丰富，也不会把多年前上厕所时看到的一个"地段卫生负责人"的名字印在脑海里。

公主一直是个善良和热心公益事业的人，一听说国内出现了这么大灾情，她立即从国外飞了回来，当了一名"志愿者"。

当然，她或许也有那么一点点私心，因为灾情发生在四川，发生在老五的家乡。老五如果还在，她知道，以他的性格和做派，肯定已经奋战在灾情现场了。

虽然时日经年，浪漫的情愫依然在公主心中激荡。

但命运残酷依旧，近在咫尺，两个相互牵念的人再次擦肩而过。

造化弄人。真的弄人。

我是后来才真正理解了这个词的深刻含义。

上天是不公正的，也是不负责任的，需要他明察秋毫时，他捂上了双眼，让本已苦难深重的人再次陷入更加无底的深渊。

20

老五他们一回来，就受到了斥责和批评。

虽然他们每个人都伤痕累累，每个人都疲惫不堪，但等待他们的，却不是鲜花和掌声，而是严厉的指责和一遍又一遍的检讨。

老五先斩后奏，开着公家的挖掘机，号称去灾区救人，结果，待了十几天，他们都没有进入到救人的现场，这叫什么抗震救灾？

还有人直接说老五这就是典型的打着救灾之名的"徇私舞弊"，谁知道把公家的车开去哪里了，做了什么事？

也难怪人家质疑。

老五他们没有从废墟里救出过一个人，也没有接受过媒体的采访，既没有当地政府部门的感谢公函，也没有抗震救灾指挥部的证明和表彰，甚至他们连在一起挥汗如雨、冒死拼命修了十几天路的部队的番号、指挥官的姓名都说不清楚。

连一向信任他的王社长都略带遗憾地对老五说："你们没有机会亲自救人，在电视上露个脸也好呀，不也说明你们去了灾情现场了吗？你看，很多救援队都打着大旗，这不也是对自身形象的一次展示和提升吗？我还跟市领导汇报说，我们也有救援队上去了，结果，你们只在那附近修了十几天路。修路还用得着你们？有路桥部队的嘛！你老家又是四川的，大家多想也是正常的，你要理解。"

老五无话可说。

他们确实有很多可以证明自己的机会，也曾有媒体要采访他们，但在那血与火的一线，每一秒钟他们都不敢浪费，除了吃点东西打个盹，每时每刻，他们都在忘我地干活，都在以命相搏，哪里顾得上去想其他的？救灾进入尾声时，他们也可以留下来等着参加表彰会，但因为挂记着学校的工作，又立即马不停蹄，星夜赶回。

除了手上的血泡，满身的疲惫和伤痕，只有几只军用水壶和衣服剐烂后胡乱穿的战士们的背心和军裤，这能证明什么？

纵然作为报社一把手的王社长有心袒护，但也不能不按章办事，老五和三个教练按旷工处理，跟他们去的学员都受了批评，老五还要承担领导责任。

面对这样的处理结果，王社长很难过，也很惭愧，他安慰老五时，再次力劝他调入报社，不要再回让他伤心的学校了。老五还是拒绝了。

这样的委屈和打击，很难让人承受，上次书稿那事，老五就懊恼得生了一场大病，卧床好久，差点把命搭上。经历了汶川大地震，经历了这样一次生与死的洗礼，老五倒是显得比过去冷静和理性，他平静地接受了所有处分，没有做任何申述和辩解。他只是觉得很对不起那几个与他同去的兄弟。

旷工是要被扣工资的，老五让我帮他取了一些钱，把那三个教练被扣的钱补上。由于是私自行动，他们为抗震救灾所做的所有支出学校均不予以报销，老五说，欠我的钱他只能以后慢慢还了。

那三个教练把老五给的钱原封不动地退了回来，他们跟老五一起喝了顿酒，第二天，全部选择了离职。

"他们一走，海川的挖掘机培训业务就塌了。"老五跟我谈到他们三个的时候痛心地说，"他们几个，不敢说是全省，至少绝对是我们周边地区技术最好的挖掘机教练。"

过了好多年，我在电视上看综艺节目《挑战不可能》时，有个小伙子开着挖掘机上去，做了很多技术高超的动作，观众瞠目结舌，嘉宾高声赞叹，小伙子挑战成功后邀请自己的师傅上台，我一看，这不就是原来跟老五一起去过汶川、参加过抗震救灾的其中一个教练吗？

报社对老五他们的处理在海川学校引起了很大震动，好多教职员工都觉得这太不公平了，纷纷站出来，跑到报社去质问：

"不顾个人安危，救助受难的同胞，不光不予表彰，还要被处分，道义在哪里？公理在哪里？"

有的人甚至要拉横幅到市政府讨说法去，被老五拦住了。德高望重的王社长几次亲自到学校做解释，才把大家的怒气慢慢平息下去。

我总担心老五的身体会出问题。

他的腰受过伤，干不得重体力活，但到了灾区，以他那性格干起活来肯定会拼命。一路奔波回来后，又受到这样的不公平和委屈，我明显感受到他有些疲惫不堪、心力交瘁，但他每次都用很轻松的口吻宽慰我：

"这些算得了什么？我们千里增援，不就为了抗震救灾吗？谁也没指望披红戴花上光荣榜，只要对得起自己的良心就行了。放心吧，为了学校，我也不能倒下。"

21

我们还是都太天真了。

老五出事之前，其实已经有了征兆，只是傻呵呵的我，一直浑然不觉。

老五他们挨了处分没多久，学校就有了一些流言蜚语，多数都是有关老五的负面信息，有说老五与我们当地的地产大王暗通款曲的，也有说老五挪用公款给自己买了房子的，还有人竟说老五与学校的一个女老师好上了，看见他俩多次去宾馆开房。各种谣传，五花八门，传得有鼻子有眼。

黑云压城城欲摧。

那段时间老五心情确实不好，整天垂着头黑着脸，只有我不明就里，还曾没心没肺地拿这事跟他开玩笑。

"都传你跟学校的女老师好上了，真的吗？领来让我看看呀，好替你把把关。"老五有一天过来吃饭，我调侃他。

老五刚坐到桌子边，听我这样说，愣了一下，大眼珠子瞪着我，冷冷地说："这样的话，你也信？"

被老五恶狠狠地凶了一下，我有点不好意思，自我解嘲道："我不是也希望能有个好姑娘照顾你嘛。"

老五抬眼看了看我，长叹了一口气，没说话。

我知道他有心结，但又不知道该从什么地方去劝他，也就解了围裙，坐在椅子上，给他盛了碗饭，夹了些菜。

老五端起饭碗，愣了一会儿，又把饭碗轻轻放在桌子上，说："现在知道土地值钱了，都像饿狼一样扑过来。学校这地方环境好，又临海，谁都想过来插一脚。别人造我的谣，无非变着法儿把我从学校逼走，连王社长都几次劝我换个岗位，避避风头，犯不着跟他们较劲。可我不能走呀，我要是一撤，学校估计就保不住了。反正我也放下狠话了，学校就是我的命，谁要是敢打学校的主意，我就跟谁玩命。"

"嘻，你也别往心里去。俗话说，谣言就是风，风过天自晴。当初是你担着风险坚持要买下这个地方的，报社和学校的人谁不知道？现在学校发展势头这么好，王社长也不会由着他们胡来的。他虽然要退休了，毕竟还是老领导，别说在报社，就是在市里也有很高的威望，他要说句话，谁能驳他的面子呀？"我又往他碗里夹了些菜，安慰他道。

"是呀，王社长也说身正不怕影子斜，他是信任我、支持我的，只是他的压力也大，敢打学校主意的，都不会是等闲人物。"老五苦笑着摇摇头，端起饭碗，意味深长地说。

但老五还是出事了。

那天傍晚，我们三人正在老五住的小院里吃饭。

因为第二天要早起赶火车去北京看奥运会，我和巧生就准备住在老五那里，那边离火车站比较近。

老五和巧生都已经吃完了，我吃得慢，还有半碗汤没有喝。

老五半躺在院子里的竹椅子上，摇着蒲扇。巧生慵懒地坐在蒲墩上，头枕着爸爸的大腿，噘着嘴。

他俩刚才讨论博尔特能不能破纪录，结果谁也没能说服谁，巧生有点不高兴。生了气的巧生闭着眼理不直气很壮地享受着爸爸送来的凉风。老五一边用蒲扇帮巧生驱赶着蚊子，一边喝着杯子里的凉茶。

这个时候，大门似乎被推了一下，没推开，就响起了清脆的敲门声。

"来了，来了。"老五一边说着，一边用光着的脚丫子轻轻蹬了蹬巧生的后背，"小屁孩，起来开门去。"

"你怎么不去呢？"巧生还在耿耿于怀，嘴上不示弱。

老五站起身，说："我去换件衣服，如果来人是女的，我穿着这大裤衩子不像话。"

我怕客人等得着急，就高声说："稍等一下啊，马上就来了。"然后对巧生说，"快去开门去。"

巧生是个懂事的孩子，他就是有意跟爸爸撒娇，也知道让客人等着不礼貌，就站起身，去开了大门。

进来的是两个二三十岁的男人。一个穿着白衬衣，一个穿着灰 T 恤，都显得很干练。

两人进了大门，巧生说了句："叔叔们好。"穿白衬衣的男子还伸手摸了一下巧生的头，微笑着，但没说话。

两个人眼睛扫了扫院子，又望了望屋里，还相互对视了一下。

我觉得来人有些异样，就站起身，警觉地问道："您二位这是……"

"您是郑老师吧？我们想找秦校长……"穿白衬衣的人先开口与我打招呼。

"在呢在呢。"老五已经穿好了衣服，还换上了凉鞋，一边系扣子，一边笑着迎出来，嘴里还指挥着巧生，"快给叔叔们泡茶去。"

"不用，不用了。"穿白衬衣的男子忙摆手。

老五也不认识这二人，正想询问。穿白衬衣的人抢前一步，说道："秦燕杰秦校长是吧？咱们借一步说话？"

老五一边点头，一边习惯性地伸手，看对方没有要与他握手的意思，就收回来，说："好，没问题，咱们出去说。"

两人一左一右跟着老五往外走，还没出院子，那个穿白衬衣的男子好像感觉到了我诧异的目光，就停下脚步，扭头看了巧生一眼，对我说："郑老师，我姓于，是分局经侦大队的，我们请秦校长过去协助我们调查一个案子。"

我还没有反应过来，他们就快步出了门，大门也被轻轻带上了。

姓于，分局经侦大队，他们找老五干什么呢？我一边纳闷，一边去收拾碗筷，老五的手机还在饭桌上，"哎呀，巧生，你爸的手机忘拿了，快给他送过去。"

巧生接了手机，一边喊着"爸爸，手机"一边追出门去。

大门打开的那一刹那，我和巧生都像突然被电击了一样，愣在了那里。

门口赫然是一辆警车，老五坐在后座上，穿白衬衣的男子正准备关车门，大门一开，那人和老五都愣了一下，这一分神，我和巧生分明看到了老五手上戴着的手铐。

白衬衣男子上前一步，从巧生手里一把拿过手机，把傻了一样的巧生推进大门里，回身上了车，警车"嗖"的一声，开走了。

十三岁的少年亲眼看到自己深爱着的亲人戴着手铐被警车带走，当即就被吓住了，人像木了一样，过了好半天，才"哇"地哭了出来。

我也一时不知所措，腿软得站不住，身子全靠在了巧生身上。

过了好半天，巧生才缓过来，拽着我哭喊起来："他们为什么要这样？为什么要抓走我爸爸……"

我们娘俩就在院子里瘫软地坐着，也不知道坐到了几点，直到巧生的哭喊声变成了抽噎，我才想起来要打电话。

我把巧生拖进老五房间的床上，他把脑袋埋在被子里，一动不动。这一幕对他而言，太过残酷，毕竟，他还未成年，不知道社会的黑暗和复杂。

我顾不上安抚他，我也确实不知道该怎样安抚他。

我到另一个房间，操起电话就给王社长拨了过去。我也不管现在几点他方不方便了，这个时候，还讲什么繁文缛节？

电话响了好半天才接通，从王社长的语气里，我知道他应该还没睡。

我哭着把老五被铐走的事说了一遍。

王社长很耐心地听我说完，沉吟了半晌，才说他也是刚听说，具体怎么回事，他也不清楚。他说老五是好同志，应该没什么大问题，让我要相信组织，相信公安机关。

好同志怎么能会被当作罪犯带走呢？我在心里恼怒地说。

王社长是个原则性很强的人，从他这里我什么信息也得不到。

挂了他的电话，我又直接拨给了秦志高。别说他正在闹离婚，就是他现在正跟王母娘娘在一起，我也顾不得了。

秦志高的电话倒是一拨就通了，好像他知道我会打电话似的。

我把老五的事跟他说了一遍，这次，我没有哭，我说得很冷静。

"你也真是的，你带着巧生跑他那边去干什么呀？"秦志高一边埋怨着，一边安慰道："出了这样的事，你也别着急了，着急也没有用。王社长都不知道，我是个外人，就更不清楚了。等明天上班后，我找朋友侧面打听打听。你呀，别上火，先把自己和孩子照顾好。"

放下电话，我呆坐了半天，老五在车上回头的那一瞬间，虽然离得远，但我看得很清楚，那眼神里分明是牵挂、委屈和无奈，这画面定格在我脑子里，挥之不去。

明明是夏天，傍晚还热得让人透不过气来，怎么后半夜，竟变得如此寒凉，我的手脚都是冰冷的，心也在一点一点地凉。

我想看看巧生睡着没有，毕竟，他还只是个孩子，折腾了一晚上，也应该累了。

巧生似乎听到了我刚才在打电话，我一进门，他就突然从床上翻身跃起，"扑通"跪在我面前了，用已经哭哑了的嗓子，一字一顿地说："妈妈，求求您，一定要救爸爸。他是世界上最好的人，警察一定是抓错了。"

泪水再一次湿润了我的眼睛，我抚摸着这个十三岁少年的头，咬着嘴唇，斩钉截铁地说："救，当然要救，一定要救。"

22

老五被关在我们当地的看守所，这是过了几天后秦志高打电话告诉我的。

王社长也打过几次电话安慰我，劝我不要着急上火，要对组织有信心，报社和他都不会对老五的事情坐视不管的。

要说起来，王社长对老五确实很关心，亲自跑前跑后地找关系，连律师都帮老五找好了。

我去过看守所两次，都没能见到老五。接待我的警察还算温和，说调查期间是不能与家属会面的，除非经办这个案件的警官特别允准。

带走老五的警察，有一个穿着白衬衫，姓于，我当时记得很清楚。

我连着去了三趟分局经侦大队，才终于见到了这个似乎很忙的于警官。

他倒是很客气，喊我郑老师，还给我倒了一杯茶。老五的案子确实是他负责，一见面他就很真诚地跟我道歉，说那天让孩子看到了那一幕，他觉得心里很惭愧。但当我提出想见老五一面时，他还是非常坚决地拒绝了，只说秦校长在里面状态还好，让我不必担心，如果要送些衣物的话，他可以代转，但不能有任何文字性的东西。

我通过他给老五送过几次衣物，每次见面，他都彬彬有礼。他也曾经找过我两次，每次见面都在他们经侦大队的接待室里。

一次是问我是否知道老五与秦友仁的关系。这个名字我从来也没听说过，也从未听老五说起过。还有一次是拿了一份合同书给我看，说这是一年前老五在我们那个小区签订的购房协议，说是给他四川家人买的，问我是否了解这件事。我说我都不用看就知道这协议一定是假的。我住在那里，老五宁死都不搬，他宁愿睡桥洞子都不会住到这个小区里，他恨死了这个整天惦记着他们学校的开发商，怎么可能私下里去买他们的房子？再说了，我从未听说老五与他的家人有过任何联系，既无必要，他也没有能买房的经济实力。这让他倒是很吃了一惊。

老五到底出的什么问题，我一直也不是很清楚。王社长、秦志高都含糊其词。于警官只是说正在查，很快就会水落石出的，别的一句也不多讲。王社长帮介绍的那位律师，要么电话不接，要么电话占线，自从与我签订了委托协议书，就根本见不到人影了。

我是一天下午快放学的时候接到于警官电话的，他说您要有时间，可否来大队聊聊。这让我有些诧异，过去他打电话来，都是说有些情况需要您来配合调查一下。

"来聊聊？聊什么？""跟警察能聊什么？"我心里犯着嘀咕。

骑车到经侦大队时，他正在门口和一帮警察抽烟，看见我，忙熄了烟，笑着迎上来，还帮我把电动车推进院子里停好。

"回来了？这次出差时间可不短呀。"我跟着他进了楼里，有正往外走的同事看到他，笑着打招呼。

他点点头，从兜里掏出一包烟扔过去，说："娇子牌的，名烟哟。"

过去我来，都是坐在接待室，这次他却把我领进了办公楼里一个不大的房间，房间东西不多，也还算整齐，一张长沙发上还搁着一床叠得很整齐的被子。

"郑老师，这是我的办公室。有点脏乱差，您多包涵。"他帮我拉了把椅子，又转身去倒水。

我谢了他，放下包，一脸狐疑地坐在他对面。

看我有些戒备，他笑着说："郑老师，这次请您来，没别的意思，只想跟您随便聊聊。您看，我没安排在接待室，也没请其他同事参加，不算是正式的问询和调查，您也不要把我当成警察，就当是您的朋友，您的学生，咱们好好聊聊这个……秦校长。"边说着边从兜里拿出手机，关掉了。

"说起来，我曾经是海川的学员，在海川学校培训过一段时间外语，秦校长在开学典礼上给我们做过动员报告，我很敬佩他，对他的为人也略知一二。当然，您是最了解他的人，通过您，我们也希望对他有个更准确的认识。"他很坦率，目光也很真诚。

"我不是一个会撒谎的人，我也痛恨撒谎。如果有助于你们把他的事情搞清楚，我一定知无不言，对自己所说的话负责。你们想了解什么？"见他坦诚，我也很直率。

"他的过去，他来到我们这里的所作所为，他的人际关系，他的经济状况，甚至他的一些兴趣爱好，所有的，您想到哪里说到哪里，我很愿意听一听。"他把自己的椅子往前拉了拉。

"唉。"我叹了口气，喝了口水，自言自语道："这要从什么地方说起呢？"

"从您跳海认识他开始说吧。"他给我的杯子里加了点水，漫不经心地接了话茬，我却心里一惊，十几年前的事情他们都知晓了，看来也真没有什么可值得隐瞒的了。

我把与老五初相识、我们结婚、巧生出生、老五办海川培训学校的事原原本本说了一遍。

他听得很认真，几次起身帮我续水，我说到动情处掉了泪，他还帮我拿了盒面巾纸。

"这么说，武……秦校长现在所用的这套户籍身份是您帮他办的，并不是他自己在大街上随便买的？"他一直很耐心听我说完，才问道。

"当然。他这是为我开脱，不想把我卷进来。他的身份确实是我找人帮他办的，经办的人是谁他并不知道。这件事，所有的责任和过错都在我身上。"我没把秦志高牵扯进来。

他看了我一眼，摇摇头，说："办假证这个行为发生在十几年前，应该过了追诉期，但秦校长始终在用这个身份，而且他还是海川公司的法人代表，这就是个严重的问题了。这么多年，你们从来就没有想过去找寻和恢复他真实的身份吗？"

于警官的话像一把重锤击打在我心上，让我一时有些错愕。

是呀，这么多年来，我怎么就从来没想过去帮他找寻过去的身份呢？

"他为什么要用一个假身份而不去取回自己的真身份呢？他的过去您了解吗？我说的是他认识您以前的那个过去。"他没有理会我的眼泪，又问了一句。

我摇了摇头，说："他很少跟我提起。我只知道他是四川人，曾经在东北一所名牌大学读过书。我的朋友曾怀疑他过去是不是做过违法的事，我觉得他不会，可能是因为感情吧，女人往往在这方面有些直觉。"

"我是个警察，是执法者，按理说我不该动感情的，但警察也是人哪，是人都会有同情心的。"他叹了口气，拉开抽屉，从里面拿出好几个牛皮纸袋来，打开上面的一个，从里面掏出厚厚的一摞纸来。

"他原来叫武修德，您是知道的，对吧？"他并没有看我，一张张地展示手里的东西，"他确实是东北这所大学的学生，还年年拿奖学金，这些都是他的获奖证书和毕业证书的复印件。我们侧面了解过，如果不是受一些变故的影响，他其实是有大好前途的。"

"什么变故？"我紧张地问道。

"唉。"他叹了口气，又摇了摇头，"一言难尽。他替人考试，被学校处分了，后来又在洗浴城做搓澡工，被人诬陷、勒索，连毕业证都没领，就独自离校了。"

"然后就流浪到我们这里了？"

他抬起头来，看了我一眼，似乎是下了很大决心，说道："郑老师，我今天约您来，纠结了半天。您知道，作为办案警察，虽然是在办公室，我这样约您也很不妥当。可我必须要把这个人的遭遇说给您，否则，我实在难以压抑内心的不安。"

我不知道说什么好，呆着脸，懵懂地看着他。

"一个愚不可及的骗局，一个乡野村夫的无耻伎俩，就把一个才华横溢青年的大好前程毁掉了，真是可恨，可恨！"他站起身，长叹了口气，狠狠地把拳头砸在桌子上。

我没有接话，他突然也意识到了自己的失态，忙坐下来。

"对不起，郑老师，我有些失礼了，您不知道，从四川取证回来时，我和同事都心里非常愤懑，所以，我要给您讲讲他的事，他的苦难和经历。"

我含着泪，轻声说了句："谢谢。"

他端起桌子上的水杯，猛灌了几口水，似乎平息了一下情绪，说："您介意我抽支烟吗？"

我摇了摇头，说："没关系的。您抽您的。"

他坐下来，点着一支烟，抽了一大口，才缓缓说道："他是个孤儿，您不会不知道吧？"

见我诧异地摇头，他没再多问，接着说道："他读高一时，家里人被突然暴发的泥石流埋掉了，因为住校，他幸免于难，有个老师资助他读完了高中。考上大学后，他主要靠勤工俭学维持生计。后来听说资助他的老师生病住院，他就拼命赚钱，把赚到的钱都寄回去给老师看病。其实，他的老师很快就去世了，可老师的妻子并没有把这消息告诉他，依然写信催他寄钱。他被蒙在鼓里，为了给老师看病，还去卖过血，甚至帮别人替考。被发现后，学校给了处分，这个处分还没撤销，他在洗浴城帮人搓澡，又被两个假警察讹诈。一个本该有大好前程的年轻人就因为碰到了几个坏人，硬生生被逼得走投无路，连毕业证都没领就仓皇逃到深圳。"

"深圳？他还去过深圳？"我瞪大了眼睛。

于警官苦笑一声，"也可以说去过吧。他从学校跑出来，心里还是想着怎样赚钱给老师治病，当时都认为深圳赚钱容易呀，他坐了火车直接南下。但他忘了，深圳是特区，没有边防证进不去。有个骗子拿走了他的身份证和他身上仅有的值钱东西，说是帮他办边防证，结果一去就没影了。没办法，他跟着几个人晚上偷偷钻铁丝网进的深圳，谁承想工作还没找到，就碰上查暂住证的，他是典型的三无人员，被关在了收容所。"

我对收容所没有概念，还以为是救助站，于警官是警察，自然了解。我见他说到收容所时神色悲恻，语带凄欷。

"他在收容所里待了好几个月，直到那家收容所搬迁，才被放出来。他举目无亲，身份证又没了，无法在深圳立足，只好一边打短工赚钱，一边往四川走。到家才知道恩师早就去世了，他这几年拼命赚钱其实是在供师母和她的新丈夫挥霍。我这次去四川见到了这个女人，她现在不光赌博，还吸毒。提到老五，说娃是好娃，就是太傻。她祸害了别人的一生，居然没有半点悔意。"

他摇摇头，又点着了一支烟。

"老五自尊心很强，背了处分还被人诬陷勒索，仓皇离校我能理解。大学毕业时，一时冲动做了荒唐的选择，由于死要面子，宁愿自己跌得头破血流也不愿求助老师和同学，甚至与任何人都不再联系，这我也能理解。我只是不明白，他怎么从大学生变成没有身份的人了呢？我记得九八年南方发洪水的时候，他还回过四川一次，应该就是想办身份证。"

听了于警官的话，我收住了眼泪，麻木的脑子也渐渐清晰起来。

老五从不跟老师和同学来往，我也感同身受。因为，自从听从秦志高的召唤，任性地来到这个乡村中学，我就自觉地屏蔽了和任何老师、同学的联系，羞惭还是自卑，没脸见人还是无言以对，我也说不上来。

"唉！"于警官叹口气，感慨道，"九八年闹洪水那阵子，好多警察都抽调上了防洪一线，他找谁去办呀？人生就像一列高速行驶的火车，一旦下错了站，就是跑断腿也难以追上了。他肯定给学校打过电话，知道他的档案退回原籍了，所以才去当地派出所查，应该是没有查到。其实，查到也没有用，他没有派遣证，也没有身份证，怎么证明自己呢？他是万念俱灰之下才来到我们这里的。"

"他为什么跑到我们这里了？"我有些好奇地问。

"将来你还是亲口问他吧，我只知道他本来也是要准备跳海的，结果那天你先跳了，他光顾着救你，把自己要干的事耽误了。"

我眼角含着泪花，不好意思地笑了。

他又拿出一个纸袋，推给我，说："这是我在他们地区教育部门的资料库里找到的。他的学籍档案，学校确实寄给了当地教委，教委也做了二次分配，但他没有报到，档案就这样一直搁着了，再不拿出来，就要被销毁了。但是他的户籍并没有在四川，他没有办理户籍迁移手续。我只好二次到长春，才算找到了他的户口。"

他又从另一个纸袋里拿出一个信封，信封里是一张身份证。他看了一眼，递给我。

确实是年轻时的老五，风华正茂，略带稚气的脸上洋溢着对未来的畅想。

"他的户籍还在学校驻地的派出所，需要迁出。你是九十年代的大学生，在本地也有正当职业，按照咱们这里的政策，他可以以解决两地分居的形式调入。秦校长……应该是武校长，也是大学生，学校给了毕业证的，符合本市引进人才的条件，不按两地分居也能在本地落户。当然，武校长也有申请去其他城市落户的权利。我跟他说了，他愿意落户本地，但说要征求您的意见。所以，这些东西都交给您，由您来决定。当然，您还有很多工作要做，比如，您要去公证处公证你们的夫妻关系，还要委托这边的户籍警把武校长的户口迁过来……"

他说得轻描淡写，但我知道其中一定非常复杂、曲折。四川、深圳、长春三地辗转，西南、东南、东北跨地区折腾，把十几年前已经尘封的东西梳理出来，他这等于重新给了老五堂堂正正成为自己的机会。我心里无限感动，一时不知道说什么好，就站起身，含着泪，给他深深鞠了一个躬。

他忙拦住了我。

"郑老师，我是一名警察，我要维护法律的尊严，同时，我也要尽我所能，保障公民的合法权益。虽然武修德是犯罪嫌疑人，但他依然拥有公民的权利。我做这些，只是尽一名警察的本分，当然，我也得到了我们分局领导的同意和支持。我虽然同情他的遭遇，但这不代表我会在他犯罪问题上网开一面。如果他确实触犯了法律，我会亲手把他送上法庭，这是我做事的原则，希望您能理解。"

我忍住泪，点了点头，说："您秉公执法，不徇老五的情，自然也不会徇别人的情。我跟所有老百姓的心态都是一样的，要的就是公平与正义。"

从于警官办公室出来，我推着车走在路上，心里却是说不出的酸楚和难过。

老五少年失养，靠恩师资助才得以考入大学，但导致他狼狈不堪颠沛流离的却恰恰是恩师的妻子；他走投无路求告无门，最后给他帮助还原他身份的竟然是亲手抓了他的人。

人生就是这么诡异，让人匪夷所思，让人哭笑不得。

23

于警官似乎是一个不喜欢按常理出牌的警察，明明是举报老五的假身份和涉及几笔个人贪污受贿的问题，他完全可以按照举报信提供的线索和证据去核实、去查证，但他却节外生枝地派人进驻了海川学校，查起了公司从创办以来的各种账目。

这在海川学校引起了巨大震动，比老五被带走配合调查的震动还要大。

"个人问题跟单位有屁关系呀？现在的警察拿着鸡毛当令箭，总自以为是瞎逞能。"老五出事后，秦志高怕我和巧生情绪不稳定，时常会来安慰我，他门路广，信息灵通，有时候也能带来一些案子的进展情况。

"警察或许有警察的道理吧。我觉得那个于警官还是挺不错的，看上去挺和气，做事也很负责，多亏了他才把老五的身份搞清楚。"我对于警官印象不错。

"我也听说这个人了，据说谁的账都不买，老五落在他手上，真够受的。"秦志高摇摇头，叹了口气。

"对老五或许不是坏事，我相信老五没有违法乱纪，他对学校倾注了那么多心血，恨不得把命都搭上了，怎么能糊涂到违法乱纪让自己的辛苦前功尽弃呢？"

我相信老五的为人。

巧生说，这个世界上如果只有一个人不会干坏事，那一定是他的爸爸。我虽然不至于跟孩子一样的见识，但老五好几次大的花销都是向我借钱，如果不是经济窘迫，他是断然不会张嘴的，说老五贪污受贿，打死我都不信。

秦志高没有跟我抬杠，或许他也认为我说的有些道理吧。

"你说到底是什么人举报的老五呢？还举报他假身份，这不是奔着我来的吗？"

老五是因为有人举报才被公安局带走的，现在坐实了的，好像也只有假身份这一条。秦志高有些紧张，也确实情有可原。

虽然于警官跟我说起过办假身份证的事因为时间太过久远应该不会过于追究，但每次谈完话，他都叮嘱我不要泄露谈话内容，所以，我在秦志高面前用力拍了拍自己的胸脯，做了个大不了我会来扛的姿态。

当然，我并不是只想做个姿态，即使警察揪着这事不放，我肯定也不会把秦志高说出去。无论当初他出于什么目的，但毕竟人家帮忙了，帮了忙，还要出卖人家，我和老五都不是这样的人。再说了，如果被别人知道了我和秦志高这么多年来这理不清说不明的关系，他仕途受影响不说，我这脸往哪儿搁呀？

秦志高是个敏感和情绪不稳定的人，虽然我大包大揽地表了态，也多次安慰他，但有时候我还是能感觉到，那段时间，他会不自觉地流露出一丝焦虑和心神不宁。

于警官又找我问过几次话，每次都向我打听老五在创办海川公司前的人际交往情况，除了问起那个秦友仁，还打听过一个叫张方的人。

我非常肯定地告诉于警官，老五在我们本地既没有同学，也没有亲戚，在进入海川公司前，他在这里熟悉的人我基本上都认识，绝对没有这两个人。关于海川公司当初的创办情况，我也很清楚地告诉他，是报社要开展这方面业务，还拉来了投资方，公司的框架结构搭好了，王社长才三番两次动员老五过来的。老五虽然是法人代表，但在公司里没有股份，因为王社长答应将来把他调到报社去，他当时也确实是因为这个条件动心的。

几次谈话都很正式，甚至有些程序化和烦琐。每次，我都按照他们的要求，认认真真回答问题，核对自己的陈述，并签上名字、按下手印。虽然我对他们问询的东西不明所以，甚至感觉有些匪夷所思，但看到一向稳健的于警官严肃认真的神情，我也就打消了疑问，据实相告。

每次谈完话，我都会问起案子的进展情况。但于警官对案子从来不予置评，只微笑着说谢谢支持与配合。

直到最近这次，他送我出门，我再次向他发问时，他竟然破天荒地说了句："如果你所说的都是事实，自己心里应该有判断。"

在于警官和我们当地公安局的帮助下，虽然费了不少劲，但老五的户籍总算落下了。我和巧生都期待着老五出来，我们以崭新的面貌开启新生活时，却传来了令人瞠目结舌的消息。

老五竟然被法院判刑了。

对老五的那些举报经过查证大多子虚乌有，但警方在学校的账目中却发现存在严重的经济问题，正要进一步深挖时，老五却把所有责任都揽了下来。

这结果不光是我，也是于警官绝对没想到的，"真是迂腐，愚蠢。以为把所有责任扛下来就能保得住学校？也未免太天真了。"他摇着头，痛心疾首。

因为存在诸多疑点和一些不确定、不合理的因素，老五被判了两年徒刑。

我每个月都去监狱看他。

每次，他都要问到学校的情况。在他心里，似乎除了巧生，就只有学校。

我问他为什么要突然揽下这些罪名时，他只是笑笑，王顾左右而言他。

这让我很生气，恨得咬牙切齿，我知道他一定是代人受过。

"那些事明明跟你没关系，为什么要替别人背黑锅？为什么要把这屎盆子往自己头上扣？"我质问他。

"将来你就明白了。"他一副成竹在胸的样子，"只有这样才能保住学校，只要学校在，人跌个跟头算什么？"

看他信心满满、一脸真诚，我只能任泪水在肚子里流了，因为我实在不忍心告诉他，学校早就停办了。

我去看老五的时候，巧生有时候也会跟了去，父子俩虽然也有说有笑，但从老五的眼神里，我还是读到了自责、愧疚和无奈。

他甘愿忍辱负重，到底是在代谁受过呢？

会不会是王社长？我琢磨来琢磨去，总觉得不可能。

王社长威望高，不仅因为他在业界有影响，也因为他极为廉洁自律、洁身自爱，这样一位对自己要求严格的老领导，会在学校这边有什么事？何况，学校出的是经济问题，而这恰恰是与王社长沾不上边的。

王社长的两袖清风并不是作秀，他的确非常俭朴，秦志高说最不爱跟王社长一起下馆子，说他抠门至极，俩人点三个菜都觉得破费。他办公室那件军大衣都不知道多少年了，出门还总穿。不光他，他老婆孩子也都绝对是紧巴巴过日子的人。他儿子就在我们教育系统，我有一次见他穿件跑毛的破羽绒服，骑着自行车，一路飞驰，一路飘着鸭毛。

这样一位严于律己、勤俭节约的老人，怎么可能犯经济方面的错误？老五学校出的经济问题可不是小数目，即便王社长自己节省，那总不至于让家里人也跟着寒酸吧？他可是极要脸面的文化人。再说了，报社的下属单位有好几个，负责人基本都是跟了王社长多年的老部下，即使王社长有点小想法，也犯不上找老五呀，老五来历不清不说，他跟随王社长才几年呀，人家怎么可能信得过他？

更何况如果这事真跟王社长有关系，于警官干吗总向我打听张方、秦友仁呢？据说这两人都是学校的股东，学校账目上出问题，也主要是很多款项打到了这两个人的名下。但对这两个人的情况，老五却始终守口如瓶，让办理经济案子颇有经验的于警官都无可奈何。

王社长对老五也算是有情有义。

老五刚出事，王社长就帮忙找律师，上下托人找关系协调疏通，老五被判了刑，王社长不仅多次打电话安慰我，还托人给家里送来了一千块钱。这一千块钱可是他自己掏的腰包，对他来说，绝对是笔大钱了。报社收入虽然不错，可王社长是个喜欢书法的人，买纸买笔买字画，把他大部分工资都耗掉了，即使这样，他还是坚持资助了两名贫困大学生，每学期都要寄钱、寄物。

我想不出老五到底替谁背的黑锅，也想不出当初是什么人举报的老五，那个张方、秦友仁更是让我一头雾水，既然老五宁可坐牢也不愿交代这两个人的情况，可见与他们关系定然匪浅，可我怎么对这两个人一点头绪都没有呢？

老五判刑后，秦志高与我的来往也少了。他跟那个老领导的女儿已经离婚了，好像也并没有要娶我的意思，这些年下来，我把这事也看淡了。他托关系去了省委党校学习，正努力往省城调动，有时候周末回来时也会约我，吃吃饭、聊聊天、听他吹吹牛发发牢骚。

老五的小院我也经常去维护，老房子就怕没人气，一空置就老化得快。巧生周末回来，总要到那里待会儿，在老五住过的那个房间里上上网看看书。

日子再难，也得过下去。

老五的户籍刚落下，却又被注销了，我惊恐万状，怕老五又成了黑户，只好硬着头皮去找于警官。

"没关系的，落下了，这里就算是他的户口所在地了，将来拿释放证就可以重新办理。"他对老五的案子始终耿耿于怀，每次见面都要痛惜一番。

秦志高劝我干脆跟老五把离婚手续办了得了。

"你们既不是真的婚姻，又不是有感情，何必戴着顶犯人家属的帽子呢？对巧生的未来也不好。"

我叹口气，无奈地说："我艰难时，人家义无反顾地帮了我，现在人家落难了，我要是冷漠无情，良心上也过不去呀。"

"他呀，"秦志高摇摇头，冷笑道，"要是早点识时务，哪里会到这一步？"

客观讲，秦志高虽然欺骗了我的感情，但在经济上，对我和巧生一直都是很慷慨的。我住的房子是他出钱买的，开的车子是他赞助的，巧生上国际学校的学费也基本上都是他出的，他说还在海外给巧生存了一笔钱。

秦志高认为自己是识时务的。他人活络，交际又广，手里还有些权力，与政商界都关系不错，这些年，借着改革开放和商品经济的东风，确实没少赚钱。有一次他去省城办事，着急要用一个文件，让我到他家开保险柜去找，我在他保险柜里就看到了好几本存折，还有一些代持的股权协议，他竟然还在一家房地产公司里有股份。这年头，做房地产是最赚钱的，只不过这家叫天地三合的房地产公司我从来都没听说过。

人家都说天地六合，他们竟然取名叫天地三合，都说搞地产的没文化，看来这说法也不是没道理，我见到公司起的这名字，也确实觉得挺好笑。

老五在监狱里待了不到两年就被提前释放了。

老五出狱那天，下着冰冷的雨，我和巧生一起去接的他。老五出了大门，看见巧生，也不管雨湿地滑，一把就把他抱了起来，爷俩相拥着上了车。

"举眼风光长寂寞，到乡翻似烂柯人。"坐进车里，老五还是感慨了一下。

"不对，不对，应该是青眼高歌俱未老，剑拔沉埋便倚天。"巧生还跟小孩子似的，一上车就把身子紧靠在老五身上。

我给他俩当司机，说："别相互卖弄欺负我这没学问的，给你接风洗尘，最想吃什么？"

"听巧生的。"老五满脸是笑地看着儿子。

"川菜川菜，那还用说吗？东坡煨焖东坡肉，太白清蒸太白鸭。去最好的川菜饭馆。"巧生一边毫不矜持地继续卖弄，一边高声吵嚷。

在监狱里的时候，老五曾经跟我提出来，说："咱们把婚离了吧，我现在这个样子，对你、对巧生都影响极不好。"这次，是我拒绝了。

我说："你又不是不了解我，我也不是个不讲良心忘恩负义的人，过去你帮我，帮巧生，这个时候我怎么能离开呢？再说了，你出来了，因为与我有存续婚姻，可以继续落户这里，如果咱俩离婚了，你的户籍不知道又会给你发到哪里去呢。"

老五没做声，无奈地叹了口气。我知道，他一心还想着继续办他的学校，他害怕没有户籍又会成为漂泊无定的人。

我已经提前把老五的小院子收拾好了，给他换了新的床单被罩，巧生晚上陪着爸爸住，爷俩两年没在一起了，肯定有说不完的话，我没有打扰他们，直到快中午时，才打电话让他们到我这边来吃饭。

巧生说："爸爸起床后说去学校看看了。"

学校？我的天哪！

学校早就关张了，校园已经被圈起来了，据说房地产公司已经进驻了，老五要是看到这一幕，不得昏过去呀！

也怪我粗心，没有想到这一层，还琢磨着找个合适的机会再与他说呢，哪想到他老人家竟然一大早就跑去学校了。

"快，你赶紧打个的士直接奔学校去，看到你爸爸拦着他别让他进校门，我也马上过去。"我对不明所以的巧生命令道。

连围裙都没有顾上解，我拔腿就往学校跑。要是我和巧生再晚到一步，老五就已经与施工的工人打在一起了。

从老远处我就看到老五张着胳膊叉着腿，大马金刀地拦在一辆正在施工的推土机前。几个膀阔腰圆的小伙子，手里拿着棍棒和砖头，已经把老五团团围住了。

"住手，你们想干什么？"我一边跑一边大声嚷道。

作恶者必然心虚。见我气势汹汹地跑过来，那几个骂骂咧咧的小伙子本能地退到一边，手里的家伙什儿悄悄地藏在了身后，并没有走开。

"想干吗？你问他。"开推土机的一个男子从驾驶室里跳下来，指着老五说："拦着不让我们干活，还骂人。有能耐你找开发商去呀，拦我们有什么用？我们也都是些打工的。"

老五脸色煞白，强努着站在那里，手哆嗦着，一句话也说不出来。

巧生随后也赶到了，一看这阵势，立马顺手操起了一块砖，横在了老五身前。

"放下你手里的东西。"我厉声对巧生喊道："扶着你爸爸回家，跟他们打，咱们犯不上。"

巧生看了看老五，又看了看我，顺从地扔了砖头，伸出手去搀爸爸。

老五没说话，也没再执拗，胳膊搭在巧生的肩头一步一步往回走，刚走出两步，突然"哇"的一声，一口鲜血从他嘴里喷了出来。

在门口的告示墙上，我看到开发这个小区的竟然是天地三合房地产公司，这让我心里陡地一惊。

天地三合，不就是秦志高有股份的那家房地产公司吗？

老五吃不下饭，也不去医院，回到家就坐在了沙发上，两眼发直，一句话也不说。

我知道，他内心里肯定翻江倒海。学校就是他的命啊，他蒙冤受屈，忍辱负重，不惜自毁名声，就是想把学校保住，结果呢，学校就这么没了。这对他的打击何止是当头一棒，简直是硬生生拿刀捅他的心窝子呀！

开发学校的房地产公司，竟然与秦志高有关系，我心里隐隐约约感觉到，这背后的事情应该不是那么简单，里面一定有许多我不知道的猫腻，秦志高说不定就卷在里边了。

老五休息了半天，脸色才渐渐有了点血色。我让巧生照顾着爸爸，让他哪里都不能去。自己悄悄拿了钥匙，直接奔了秦志高的家。

我知道他现在在省城学习，家里没有人。

虽然内心里已经有了一种不好的预感，但我还是心存幻想，希望这事与秦志高没任何关系，毕竟，那么多年的感情了，而且，他是巧生的亲爹呀。老五已经进过监狱了，我可真不希望他再出事。

或许上次是我看花了眼呢，我在心里安慰着自己。

即使到了秦志高的家里，我都在暗暗祈祷，但愿秦志高保险柜换了密码，我打不开了，也就能给自己一个解释了，哪怕是自欺欺人的解释。

秦志高的家里静悄悄的，窗户紧闭着，窗帘也拉得严严实实。

保险柜还在原来的地方，钥匙也还跟过去一样在上面随意地插着，密码还是原来的，顺利得就像我随手打开了自己的办公桌。

我叹了口气，狠狠心，还是拉开了保险柜的门。

那份股东代持协议，赫然还在，挑衅般地就躺在保险柜里。我仔细看了好几遍，的确是天地三合房地产公司，一个字都没错。

我的心当时就凉了。

如果我不是碰巧看到了秦友仁的身份证，我依然不会把这份股东协议书拿出去复印了，可我偏偏在翻这份协议书时，一眼看到了在角落里，夹在几个信封中间旁边的那个身份证。

秦友仁。

这个名字一直深刻在我的脑海里。

于警官多次向我询问老五与秦友仁的关系，甚至一度怀疑这个人是老五的亲戚。在老五出事之前，我确实从来都不知道有这样一个人的存在，也是后来才了解到，海川公司出事，就与以各种名目给两个人汇款有关，其中一个人就是这个秦友仁。

那时候，银行系统不像现在这样监控完善，经侦大队没有追查到这两个人，虽然他们也发现，汇出的钱没有到老五手里，老五与这两个人也没有直接联系，但老五把责任扛了起来，使得追查的事情不了了之。

这个时候，这个秦友仁的身份证却出现在了秦志高的保险柜里。

我的头发瞬时就竖了起来，脊梁骨阵阵发冷，一屁股就坐在了地上。

老五知道巧生是专门从学校请假回来接他的，他不希望孩子因为惦记他而耽误功课，就强挺着自己调整了情绪，跟巧生聊了很多学习上的事，还开了几句玩笑，自嘲说吐血是因为在监狱里吃得太清淡，把胃搞得突然吃点辣东西还接受不了了。

送走巧生后，老五就悄悄给王社长打电话，拨了好几次，只是电话一直没打通。

晚上，我翻来覆去地睡不着，一直在寻思，这个秦友仁的身份证为什么会在秦志高的保险柜里呢？他们是什么关系呢？我当时看身份证上的照片，肯定不是秦志高，只是粗略地一看有些像而已。他的兄弟？亲戚？那另外一个人又会跟谁有关系呢？总不会是王社长吧？那人叫张方，也不姓王呀？

于警官当时告诉我，这两个人是海川公司的创始股东，并没有提供什么投资，却把公司当成了提款机，创始股东……公司成立之前……我脑子突然一闪，惊出一身冷汗，天哪。

王社长为什么会主动上门找上老五呢？而且三邀四请，还那么信任他，上来就让他负责公司还做法人代表？为什么那次秦志高与我吃饭时几次问我老五做事可靠不可靠？嘴严不严？为什么老五的培训刚有起色，报社也想着要做这方面业务呢？

一个个问题迎面而来，我的脑子和我的心一样，乱成一团，天哪，难不成这是一个阴谋？一个圈套？一个早就挖好的坑？

我再也躺不住了，瞪着眼睛，坐在床上，一直发呆到天亮。

老五没有联系上王社长，秦志高倒是联系上了我，他约我一起吃个饭。

秦志高突然给我打电话把我吓了一跳，"难道他发现我去他家了？"与他见面不由得我暗藏了警惕、怀揣着小心。

"你不是在省城学习的嘛，咋突然回来了？"一见面，我故作轻松地问他。

"嘻，还不是你那个傻子闹的。"他并没有发现我已经好几天没有睡好觉了，一脸的黑眼圈，有些不情愿地说："有人准备请他吃饭，给他接风洗尘。这两天他情绪咋样？"

"这倒是奇怪了，请吃饭就请吃饭呗，还管人家情绪？蹲了大牢，学校也没了，谁情绪能好得了？"我觉得挺搞笑，不禁讥讽道。

"谁说不是来着？还请个屁饭呀，再傻的人也能嗅出点味了，谁知道人家咋想的？我倒是蛮有兴趣看看这出戏他怎么唱。"秦志高不怀好意地发着牢骚，似乎还带些幸灾乐祸，我听不出来他的不怀好意针对的是谁。

"缺德损人的坏事你也没少干吧？"我想起了那个身份证，就话里有话地问道。

秦志高一愣，看了我一眼，又迅速低下头去。停了片刻，他点上一支烟，猛抽了一口，还冲我吐出了个烟圈，"咋的？傻子跟你说什么了？"

他笑了笑，笑容有些僵硬，但语气却是满不在乎的，"我本来就是个坏人，坏人干坏事也理所应当呀，我又没有道貌岸然，表面一套……"他突然住了嘴，干咳了一声，把刚抽了一口的烟扔到了地上，用闪亮的皮鞋把烟头蹂灭了。

秦志高或许以为老五应该跟我说了些什么，但话到嘴边，还是很谨慎地收住了口。

这几天我晚上睡不着觉，把老五的这事前前后后琢磨了无数

289

遍，如果秦志高就是那个秦友仁的话，那个张方，极有可能与王社长有关系。秦志高既然能帮老五办假身份证，那帮王社长帮自己再办个假身份证也不是不可能。

说实在话，虽然各种迹象都让我不自觉地会联想到王社长，但直到此时，我依然都难以相信德高望重、一身正气的王社长真的会参与其中，因为据我所知，别说违法乱纪，就是违规出格的事他都好像没做过。

"我觉得他挺正派的呀，待人也算真诚……"我试探着问。

之所以我用了"正派"和"真诚"这两个词，也是怕问得太冒失了，因为秦志高并没有提到王社长，我也没有十足的把握，这样的两个词用在哪个人身上都差不多。

秦志高应该不知道我在他保险柜里已经看见了秦友仁的身份证，他也不清楚这几天老五与我谈过什么，很明显，他虽然很谨慎，但并没有意识到我只是在试探，就拍了拍我的脑袋，笑着说："你这个傻丫头，真是屁也不懂。什么叫正派？表里如一才叫正派，我是坏蛋我承认呀，我也没标榜自己是正人君子呀，明明把钱看得比命都重，还要表现得两袖清风，这能叫正派？叫真诚？你看不透只能说人家有水平。"他一边说着一边还拍了拍自己的胸脯，"看到没？这样的，言行一致，敢作敢当，这才叫正派。"

"呸。你吃着碗里，盯着锅里，你正派？你是无耻，不要脸。"我嘴上回敬着秦志高，心里却已然明白了个大概。

与秦志高吵吵闹闹了多年，他对我的嘲笑斥骂早就不以为意了，只乜斜着眼睛，嬉皮笑脸地看着我。

"哎，我问你，"我推了秦志高一把，故意愣头愣脑地问道，"我看他整天也不像有钱人的样子，难道在外边也养了个女人？"

"他？"秦志高冷笑一声，"自己都舍不得，他会给别人花？你以为人人都像我呀，对自己所爱的人既慷慨又大方。"

"自己不花，也不给家里人花，那他弄钱干什么呀？"我有些困惑。

"就是个守财奴。"秦志高嘴角微微一翘，讥讽道，"他有个怪癖，钱都堆到床板下面，不睡在钱上心里不踏实。"

原来是这样，怪不得呢。

我用鼻子"哼"了一声，表达了我的愤怒，"这么说，老五就是你们的取款机了？那干吗还要算计他，把他弄到监狱去？"

我觉得举报老五的人，即使不是他们，也应该与他们有着千丝万缕的关系，毕竟，老五的假身份并没有几个人知道。

秦志高似乎对我这个问题很不屑，他掏出烟，点上一支，抽了一口，才慢吞吞地说："要是有了银行，你还会在乎取款机吗？"

"银行？啥意思？"

见我一脸茫然，他摇了摇头，不情愿地说："学校那片地，是块大肥肉，老王眼看就要退休了，如果不抓紧时间把肉吞下去，将来报社班子一调整，保不准那肥肉落到谁嘴里呢。"

"说得真难听。还肥肉？你们吃你们的肥肉，跟老五有什么关系？干吗要变着法儿去害他呀？"我还是没明白。

秦志高悠然地抽着烟，没说话。

"你不是表里如一吗？干了就干了，干了缺德事还不敢承认？"我跟了秦志高这么多年，很清楚他的软肋在哪里，就硬邦邦地"将"了他一军。

果不其然，秦志高急赤白脸地辩解道："你不用戗我，这事不是我干的。要怪，只能怪你那个傻子。老王要把他调到报社去，几次做他的工作，他死活都不同意，还自己放狠话，说谁打学校的主意跟谁玩命，好像学校就是他家的，不让他这只拦路虎先挪挪地方，好多事情怎么进展下去……"

　　"挪地方就挪地方呗，干吗要把人家弄到监狱里去呀？秦志高你拍拍良心，人家怎么对你的？对我的？怎么对你儿子的？你不觉得你们做得也太过分了吗？"一听这话，我的气就不打一处来。

　　"不是这样的，真的，没人真想把他弄到监狱去。"他赶紧辩解，叹了口气，似乎有点无奈，"是他整天嚷嚷着要跟这个拼命跟那个拼命的，那可是在奥运期间，他要一闹腾，学校里再有人跟着闹，那不就出大事了吗？所以老王才想到用举报的方法，反正都是些子虚乌有的事，警察查一查就会把他放回来，有了这个理由，学校就可以借机换掉他了，谁承想，这帮警察不按常理出牌，竟然顺藤摸瓜查起学校的账来了呢。"

　　我恨得咬牙切齿，眼睛都要冒出火了。

　　"你不要用那种眼神看我，这事跟我真没关系，向老天爷发誓，我他妈还担心办假身份证把我牵扯出来呢。为这事跟老王吵过好几回，他说一切都在他掌控之中。真的，我没骗你，我有多大尿胆你还不清楚吗？"

　　如果在战争年代，秦志高绝对会当叛徒，虽然他整天把投笔从戎、建功立业挂在嘴边，他有雄心却长了个鼠胆，老五被查那段时间，我能感觉到他的焦虑恐惧和紧张不安。

"哼。"我冷笑了一声，说，"要不是老五这个傻蛋讲义气把所有事都扛下来，吃牢饭的就该是你们了。"

我说的是实情，这话也确实让秦志高不好回答，他吞吐半天，脸色也青一阵白一阵，"这事……这事……这点，你不佩服老王还真不行，人家确实老到，他当时就说老五肯定会把所有责任揽起来的，果不其然。"

"那是因为老五要把学校保住，现在学校没了，你们跟老五怎么交代？学校可是人家一砖一瓦一草一木建起来的，你们都干啥了？就是一帮强盗，一帮流氓恶棍。"

"别说那些了。"秦志高被我骂得有点不耐烦，他摆了摆手，说："这是个强者为王的时代，老五根本不是王社长的对手，还是识点时务吧，别再犯犟了。反正学校已经在开发房地产了，我跟老王说说，将来建好了给他留套房子，也算对得起他了。"

"啊呸。要脸吗你们？"气得我肝都在颤，"人家拼了命搞下来的地方，你们开发房地产，那大牢白蹲了？还有点天理吗？"

"你别好心当驴肝肺，给他套房子，这只是我的想法，老王都不见得会同意。他是什么人？吃肉都不带让你喝汤的，别看脸上一团和气，其实心冷手黑。我这是好意，让你提醒一下老五，别再较劲，接受现实吧，这样的人，他斗不过也惹不起。"秦志高对我的话根本不以为意。

"真是欺人太甚了，"我又冷笑了一声："你就跟着一起作恶吧秦志高，天理昭彰，你就不怕将来我告你们？"

看我气得面目狰狞，秦志高却哈哈大笑起来，他把手里的烟头像抛物线一样扔了出去，然后戏谑般地说道：

"园园呀，你可真是孩子气。我要是怕你告，会跟你说这些吗？你有啥证据？你要告谁去？告老王？那不等于告我吗？你会告我吗？告了我，那不就连你自己一起告了吗？你呀你，对自己太不了解了，你既没长敢告人的胆，也没长会咬人的牙。"

秦志高半威胁半劝告的话对我触动还是挺大的，他这样有恃无恐自有他的理由，是呀，告老王不就等于告他嘛，告他？那不等于告诉别人我花了人家的钱，还跟人家当地下情人生了孩子，在我们这样一个小地方，我还要脸不要脸呀？

王社长很高调地要给老五接风洗尘。不仅邀请了报社原来的几个领导，还把学校资历比较老的几个老师都一起叫上了，选了我们当地很有名的饭店，专门订了包间，自掏腰包还如此上档次，对王社长来说，确实很难得。

在饭桌上，王社长老泪纵横，不停地自责，说虽竭尽全力，但毕竟是外行，形势也发生了巨大变化，培训业务急速萎缩，"力不能殆，没有把学校维持下去"，请老五多多原谅。白发苍苍的老人当着所有的宾客连敬了老五好几杯酒，让老五无话可说。

当然，王社长也恨铁不成钢地点了一下老五在学校管理上的欠缺，为学校后来的经营不继留下了祸患。守着那么多人，老五只能唯唯称是，没做任何辩解。王社长语重心长地劝慰老五说："在商品大潮的冲击下，年轻人犯错误是难免的，犯错误不可怕，但不能自暴自弃一蹶不振，要痛改前非，勇敢地开启新生活。"并将写好并装裱过的一幅写着"自强不息"的书法送给老五，以资勉励。

所有人都很感慨，觉得王社长不仅勇于担当，而且重情重义，对老五简直是关怀备至、仁至义尽。

24

如果老五不出车祸，我虽然掌握了秦志高的把柄，也应该不会把他们的事说出去，毕竟，这对我来说不仅需要极大的勇气，而且，要做破釜沉舟、失去一切的准备。

其实，老五一出车祸，我就隐隐约约想到了谁是幕后指使者了，但我下不了决心。

从饭局回来，老五脸色铁青，似乎窝了一肚子无名火，他知道学校的事情已然无望，他虽心如刀割但也无可奈何。但最让老五愤懑的是王社长当着报社领导和过去的同事的面告诫他要改过自新，"我为啥坐牢他不清楚吗？他让律师给我捎话让我担下责任，他来保学校，现在全都赖账了，不给我正名不说，还要在大家面前毁坏我的名誉，好像这一切都是我造成的。他的名誉是名誉，我的名誉就啥也不是？"老五很少发牢骚，但那次，在我面前，他终于没有忍住。

但老五千不该万不该，不该执拗地去找王社长讨说法，甚至还赌气说了一些过头话。

过了没几天，老五就出车祸了。

那天，他在我这里吃完晚饭，又与巧生讨论了半天功课，回去的时候已经很晚了。巧生上高二了，功课比较繁重，每个周末回来，老五都会与他一起把上周学的东西再梳理一遍，所以，他每次从我这里走时都会很晚。

从监狱出来后，老五什么都没有了，他就把自己的旧自行车收拾出来，到我这边吃饭时，来回都骑自行车。

从我住的小区到老五的小院，骑车要一个多小时，路倒是很好走，都是新修的马路，只有往他小院拐的那几百米，是条小道，没有路灯。因为路太黑，老五在小道上骑车时，往往会一手扶车把，一手打着手电筒。

汽车就是在这个没有路灯的小道上从背后突然撞向老五的，老五倒在了血泊中，汽车没有停，疾驰而去。

如果不是手电筒的亮光引起了一个走夜路的人的注意，老五可能就活不了了。那是个冬夜，零下十几摄氏度。

即使发现得早，老五被送到医院时也已经奄奄一息，在重症监护室里，躺了十几天。

虽然我坚持认为这绝对不是一起普通的交通事故，可是我没有证据，没有目击人，肇事司机和车辆都没能找到。

我厉声质问秦志高这事是不是跟他有关系，秦志高一脸无辜地予以了否认，他当时确实在省城，也没有回来过。

王社长竟然来看过老五一次。他跟我握手时眼圈都红了，惺惺作态地让我照顾好老五，临走时，还留下了五百块钱。

真是欺人太甚了，这是在杀人灭口。

老五还在抢救时，我就拿了复印的秦志高的那些证据去了经侦大队，但我在公安局门口徘徊了好久，还是下不了决心走进去。

秦志高说得对，告他们其实就等于告我自己。秦志高从学校弄回来的钱，给我买了房子、车子，还给儿子准备了未来出国的钱，我如果告了他们，这一切，就都没有了。

我还会让自己名誉扫地，甚至面临危险。

这些都是现实问题，人在严酷的现实面前，会软弱，会低头，会暗弱无断、苟且偷安。

虽然满腔怒火，虽然咬牙切齿，可在公安局门口徘徊了半天，我的脚就是迈不进去。

看着在重症监护室里浑身插满管子的老五，我在煎熬中痛苦万分。

触动我跟于警官打电话的是抢救老五的医生，他说："要是换个人，可能就没救了，这人求生的欲望很强烈，只是伤得太重，搞不好，要在轮椅上过一生了。"

这话像重锤一样击打着我，拷问着我的内心，老五被害成这样，我还在考虑着自己的得失。别说老五有恩于我，有恩于巧生，别说这么多年来在一起的感情，就是个普通人被伤成这样，我也不能漠然置之呀，我的正义感呢？我的本性和良知呢？

何况，老五幼年失去双亲，饱受这么多磨难，一个善良忠厚的人，竟落得这样的下场，要是不把害他的人揪出来，我还是个人吗？我这一辈子良心能得安生吗？

再甘甜的水也会结冰霜，再温柔的人也会露锋芒。

我没有去公安局，我悄悄约了于警官单独见面。

我把所有的事情原原本本地告诉了他，把秦志高的股权协议和秦友仁身份证复印件都给了他，他沉默了。

过了良久，他才说："您能主动站出来说这些，很不容易，可您知道您将来要面临着什么吗？您做好这方面的准备了吗？"

"做好了。"我坚定地说："如果能还老五一个公道，个人名誉和安危我不在乎了。"

他把我给他的东西收好，沉思了一会儿，说："这个案子存在疑点，我们从来就没有放弃，正义即使迟到，但绝不会缺席。您如此信任我们，做警察的也一定会维护您的名誉，保证您的安危。您刚才说王社长在你们小区有房，而且还不愿把钱存银行？"

"我是听秦志高无意谈起的，说他喜欢把钱码在睡觉的床底下，连老婆孩子都不知道。"

他若有所思地点点头，没多说话。

老五躺在医院，我每天下课后都要过来。巧生学校离得远，管得严，他没法整天请假，但每天睡觉前，他都要打电话，问问爸爸的情况。医院里有我过去教过的学生，也有海川学校培训过的学员，他们也都时常过来看看老五，陪我聊聊天。

我是从他们嘴里知道我住的小区失窃的事的。

"郑老师，您可不知道。"我过去的一个学生很兴奋地跟我八卦："保安没追上小偷，但是在那个房间里的床下发现了大量的百元大钞，一摞一摞的，吓得保安赶紧报案了，连公安局都介入了。"她看左右没人，趴在我耳朵边很神秘地说："听说那房子是报社老社长的，您说，他一个知识分子，又不做生意，哪来的那么多钱呀？"

我不知道这事是不是与于警官有关系，就找个机会把房子卖了，把钱还给了秦志高。

秦志高很不以为然，说："瞧你这点出息，风波未起就吓破胆子了？别说老王不见得真出事，就是出了事，波及我，我也不会把你供出去呀，这点担当，我还是有的。"

我没有说拿了这样的钱良心会不安的，我只是告诉他，我害怕，怕得晚上睡不着觉。在秦志高眼里，我就是一个没有主见软弱无能的笨女人，他摇摇头，没再说什么，把我给他的银行卡收下了。

　　老五住院，花费很大，我和他的积蓄本来也没有多少，巧生还在上学，我卖了房子，只能又搬回到原来的那个小院里。再说，老五出了院，也需要我照顾。

　　我在卖房之前，与巧生正式谈了一次话。

　　虽然我也很纠结，要不要与巧生谈家里的这些事，毕竟，再有不到一年，他就要高考了，我怕影响到孩子的情绪。

　　但是，巧生已经十五岁了，他小学连跳了两年，明年，他就要成为大学生了，我觉得有些事情，作为家庭的一员，他需要知情。

　　穷人家的孩子早当家，巧生虽然稚气未脱，但家里的许多事他都经历了，他明显地比同龄的孩子成熟稳重。

　　我也并不十分担心巧生考大学的问题，他的成绩一直是全年级的第一名，而且，他还在全国中学生物理大赛和计算机比赛中得过名次，这两项比赛都能让他有被保送读国内一流大学的资格。

　　因为这项决定过于重大，我怕孩子将来大了，埋怨我，所以，我必须与巧生严肃谈。

　　巧生被我一脸严肃的神情吓住了，他放下手里的书，搬了把凳子，老老实实地坐在了我面前。

　　我把我与老五是如何相识的，老五不是他亲生父亲的事情说了，也跟他讲了他另有亲生父亲，我没有说是谁，但我告诉了他，他的亲生父亲这些年一直在接济我们。我不想他去恨秦志高，秦志高一直在给钱，这也是实情。

他默默地听着，眼泪顺着腮帮子不停地流，但没说话。

我告诉他，他的亲生父亲所给的钱，来路不正，我要退给他。这样势必会带来严重的后果，我们会失去现在的舒适生活，甚至会变得穷困，因为老五身体残疾了，我必须承担起照顾他的责任，这是情，也是义。

"因为这会对你影响很大，你上的是国际班，很多人会选择出国留学，妈妈如果选择照顾爸爸，就无力负担你出国读书的费用，你要么在国内读大学，如果实在想出国，只能靠奖学金和自己打工。你必须自己做抉择。"

沉默了好半天，巧生才用袖子把眼泪擦了擦，说："妈妈，其实我很小就知道了你和爸爸之间与一般的家庭不一样，长大了也明白了八九分。你们不说，我也不会问。我不回避我有一个生理上的父亲，我不恨他，他老了需要我赡养，遇到困难需要我尽责，我不会逃避。但我只有一个爸爸，他叫武修德，他和您一起，抚养我长大。他与我有没有血缘关系并不重要，我只知道他疼我爱我，我也爱他，无论是过去他顶天立地，还是现在他瘫倒在床，他永远是我的爸爸。"

他停顿了一下，又说："从爸爸这次出车祸，我就放弃了出国读书的念头，过去是爸爸风里来雨里去照顾着我们，现在，他病倒了，我也长大了，我要和您一起照顾他。我们不要任何人的钱，无论来路正还是不正。过去，我们也很穷，我们一家不也过得很快乐吗？等我大学毕业，有了工作能力，我会像爸爸一样，扛起这个家的。"

巧生说着的时候，我的泪就已经夺眶而出了，我没有说话，只是抱着他，拍了拍他还不强壮的后背。

　　老五虽然靠着顽强的生命力捡回了一条命，但由于受伤太严重了，不靠人扶着，他的腿站不起来，出门也只能坐轮椅。

　　这对老五打击太大了，他的内心一下子就崩溃了，他觉得自己已经成了废人，我怎么安慰都无济于事，连巧生他都不愿多交流了。

　　老五试图自杀过两次，都被我发现了，巧生为这事，专门从学校跑回来与爸爸谈心。这也是巧生长这么大，第一次与老五发脾气："您总是教育我，男人要有担当，妈妈为了给您看病，连房子都卖了，可您的担当呢？您告诉我，在哪里跌倒了，就要在哪里站起来，可您自己呢？您就是要给我做个遇到困难就逃避的榜样吗？"

　　我也专门请了医生来家跟老五讲，他的腿只是受伤严重并没有废掉，只要他坚持康复锻炼，早晚有一天，他一定还能站起来。

　　为了督促老五坚强起来，巧生不光给老五制订了康复计划，还专门在网上注册了"老五课堂"这个域名，逼迫老五每天必须要对着录音机讲两个小时的课，无论天南海北，讲什么都行。

　　巧生跟老五讲，他从小到大，每天睡觉前，必须要听一段爸爸给录的那些知识，他喜欢，一定也会有其他孩子喜欢。办学校的目的不就为传播知识吗？在网上传播不也一样吗？只要有人因此受益，您的价值不就体现出来了吗？人家不让咱们办实体学校，您在网上办学校不一样可以教书育人吗？

　　对老五的网上学校巧生还真是煞费了苦心。他和几个爱好物理的同学，专门采购了一些隔音材料，在小院里为老五弄了一个录音棚，四周墙壁上都沾满了吸音海绵，还配置了音频调试装置。老五每天锻炼完，就到录音棚里对着录音设备录上几段。

老五也明白孩子的心思，无非是怕他无聊，要找个事给他做。一开始，老五也只是当个任务，是份消遣。但老五是个做事很认真的人，何况还是巧生交办的事。

虽然巧生说可以天南海北随便讲，老五还是很认真地做了些准备，有时候还会从网上和书上查些资料，对要讲的知识做系统的归纳和梳理。老五从上大学就开始做家教讲课，又当了那么多年培训学校的校长，课自然讲得妙趣横生、有声有色。

巧生周末回家就检查老五讲的课，然后做剪辑，配上点音乐，再上传到他注册的那个网站上，每个人都可以免费听。

为了吸引人关注，巧生每听完一段，都要写点感悟，放到网上，他还发动他的同学朋友以及认识的人，帮着推广和传播。

在新媒体刚刚萌芽，音频节目方兴未艾之际，"老五课堂"就像突如其来的一股清风，别开生面，沁人心脾，听过的人都说好。还不到半年的时间，注册用户就超过了一万人。

"一万人哪，那就是一万个学员呀。"我用轮椅推着老五在院子里晒太阳，说："你们学校最多的时候也没有同时培训过一万人呀。"

老五没说话，拉着我的手，看着我，憨憨地笑了，他的眼里闪现着泪花。

我用拳头捣了他一下，激动地说："老五哎，你的春天可就要来了。"

"老五课堂"不仅成了很多孩子的睡前故事，不少家长也跟着一起听，口碑一旦传播开来，注册用户就呈几何量级增长。

老五大为振奋，干劲就更足了，连做康复的劲头都比过去大了很多，小院里也能时不时地听到他爽朗的笑声了。

他说："我的半条命是儿子救的，我不能让他失望。"

"他的命还是你救的呢。"我揶揄道，"要不是你呀，我们娘俩早葬身大海，上了鲨鱼的餐桌，哪里还会有他？"

老五也笑了。

"可不是嘛，当初光忙着救你了，连我要想自杀的事都忘了。"

老五身体还在恢复中，巧生不想让他在电脑前坐得时间太长，"课堂"维护的事都是自己在课下或者周末弄。很多人听了音频，也会在电脑上给老五留言，对节目提一些建议，巧生也会反馈，并把建议抄下来，跟老五商量如何改进。

有一天中午，巧生打电话过来，说："妈妈，今天碰到一件奇怪的事。有个家长留言说，她跟孩子一起已经听了几次节目，觉得讲课人的声音很像她昔日的同学，她问我老五是不是姓武，在东北读过大学？我就老老实实告诉了她，我爸爸叫武修德，也告诉了她爸爸读的那所学校。她似乎很激动，马上就问我要爸爸的联系方式。我说爸爸身体不好，不方便接听电话，就留了您的联系方式，这两天您留意一下，说不定人家会给您打电话。"

老五进到录音棚时，我都要把手机调成静音模式，他录完音，我还要帮着他做一小时的康复训练，然后再做晚饭。等忙完这一切拿起手机，发现竟然有十几个未接电话。

我正犹豫要不要回拨过去呢，又一个电话打了进来。

我"喂"了一声，那边在一片嘈杂中传来一个男人的声音。

"哎哟妈呀，你总算接电话了。"他略微迟疑了一下，"你是老五的爱人吧，我应该叫你弟妹。我是老大，老五寝室的老大。哎哟妈呀，我们总算找到他了。"他又感叹一声，"听说他身体不好，很严重吗？不方便就不让他接电话了，把你家门牌号码用短信发给我，你告诉他，我现在已经在火车上了，老二也已经从济南动身了，我们今晚会在北京聚齐，老八已经去买火车票了。明天我们就能见到面了。"

老五的户籍迁过来后，他有时候也会跟我聊聊大学的事儿，老大、二当家的他们几个人的名字我早已耳熟能详。

我怕老五过于激动会失眠，就没提这事，让他晚上早点休息，只说明天可能会有朋友过来看他。

老五在这边的朋友不少，不时会有人过来串串门。

前段时间，还有几个陌生人找过来，一聊才知道，他们与老五都有着差不多的经历，都是早期创业，白手起家，产业做起来了，上了规模了，也就被人盯上了，或被侵吞，或被陷害，企业倒闭不说，有的人甚至被折磨得家破人亡，他们正准备联合起来，要到北京上访，听说老五的事后，就找上门劝老五也加入他们，人多力量才能大。

对他们的境遇，老五也是深表同情，每次都静静地倾听他们的述说，一起探讨分析，出些主意，甚至还请了他在报社交下的朋友，做了采访，写了报道，帮着他们讨还公道，但集体上访的事，他没有参与。

"这些恶霸贪官真是可恨，简直有些无法无天。"

有一段时间，他们总来，我也零零星星听了不少他们的不幸和经历的磨难。有一个明星企业家，过去总在电视上看到他英姿勃发的身影，但在小院见到他时，已经被摧残成了一个头秃牙豁佝偻着身子的小老头了。

看来，老五的遭遇并非个案。

"经济大潮初起，自然会有许多不规范的地方，让一些坏人钻了空子，坑蒙拐骗，仗势掠夺，你想，我们国家怎么可能允许这种现象发生？随着法制的健全和监管机制的逐步到位，不公平、不公正的状况一定会越来越少的。"老五没有我那么义愤填膺，他看问题比我理性得多，也乐观得多。

我没有想到老大他们一大早就到了。

我刚照顾老五洗漱完，把他推到院子里活动身体，还没有开始做饭，手机就响了起来，是老大。

他试探地问:"弟妹,你们已经起床了吧?我们几个现在在大门外呢。"

我答应着,慌忙去开门,老五不明所以,在院子里还开了个玩笑,说:"这串门的,敢情是来蹭早饭的呀。"

大门一开,他们就看到了院子里坐在轮椅上的老五,老大还象征性地跟我打了个招呼,那两个人,已经哭喊着冲老五扑了过去。

四个大男人在院子里相互搂抱着,号啕大哭。

原来,老大他们在北京会齐后,一听说坐火车还要等到第二天上午,哥仨一商量,干脆连夜开着老八的车就赶来了。到我家门口时,天还没亮,他们就在院子外等着,听到院子里有了动静后才给我打的电话。

他们在我家待了两天,都没怎么睡觉,围着老五有说不完的话。

老大听我讲述着老五十几年的苦难遭遇,一根接一根地抽烟,眼泪大颗大颗地往下掉,他说:"巧生就是我们自己的孩子,他是我们第二代当中的老大。"

临走的时候,老大拉了二当家的和老八,在院子里规规矩矩地给我鞠了一个躬。他们每人留了一万块钱,说是做伯伯叔叔给巧生将来读大学的贺礼。

老大他们几个后来又来过几趟,也有一些其他同学时不时地赶过来看望他。跟同学交往多起来后,老五心情好了很多。

搞同学聚会是二当家的主意,他说老五又回来了,等我们毕业二十周年的时候,一定好好聚一聚。

老大一听,就着急了,"干吗要等二十周年?老五回到我们中间,这是同学们关注的头等大事,今年就聚,我来张罗。"

老五倒是很犹豫，他迟疑地说："我这个样子……"

"这样子怎么了？"老大一瞪眼，"这样子就不是我们兄弟了？毕业照相时，我们寝室少了人，让我耿耿于怀了十几年，这次我们必须重拍合影，今年咱们就聚，我去找班长，班里同学能来多少是多少，反正咱们寝室，一个都不能少。"

老大说到做到，聚会的时间确定在了国庆节假期期间。在跟我几经确定老五身体能承受的情况后，他和班长把聚会地点安排在了长春。

老大说："回母校，看看老师们，这是当学生应尽的本分。"

我们都明白老大的意思，他是希望老五挺起腰杆，摒弃过去的苦痛记忆，从学校再出发。

老五需要照顾，我和巧生也就都被邀请了。老八负责开车过来接我们三口人一起北上。

去长春前，我去看了秦志高，又给他送了些过冬的衣服。

秦志高所在的监狱，就是老五过去待过的。他自我调节能力还不错，没有特别悲观，说仕途既然走不下去了，等他出来后，就到商海去扬帆。

"聪明的人，在螺蛳壳里都能做道场。长风破浪会有时，你就等着瞧吧。"

即使穿着囚服，他依然很自信，带着过去的那种踌躇满志和自命不凡，话说得也激情澎湃豪情万丈，只可惜，我已经不是那个听了他煽动性的演说就崇拜得俯首帖耳的傻姑娘了。

我把给他买的衣服和一些生活用品递给了他。

他接过衣服，冲我努努嘴，带着一丝不怀好意的神情，说："你看看那边，那个人，你还能认出他吗？"

我循着他的目光望过去，真难以想象，远处那个目光呆滞、神情委顿的老人竟是曾经德高望重、温文尔雅的王社长。

"哥儿们至少潇洒过，这老兄可一分钱都没舍得花，把钱攥得那么紧，竟稀里糊涂地被小偷给搞出来了。"秦志高幸灾乐祸地说，"衣服都还是进来时穿的。没有一个人来瞧过他，老婆孩子都不来。混得可真惨啊。"

我叹口气，没说话。

出了门，我在监狱附近的小卖部买了两套秋衣秋裤，拜托值班的警察送给王社长。我知道，这个地方，我不会再来了。

老五虽然很渴盼着这场聚会，但我看得出来，他内心里很紧张。

老八借了辆宽敞的"商务舱"来接我们。

"激动得没睡好吧，第一眼最想看到谁呀？"搀老五上车时，他还跟老五开了个玩笑。

"还能有谁？公主呗。"我笑着调侃。

老五的脸瞬时涨得通红。

老八哈哈大笑起来，说："五哥哎，你咋还跟毛头小伙子一样青涩呀？嫂子跟老大悄悄说话时我都听着啦，说你心里一直装着公主呢，一定要想办法让你们见上面。嫂子啊，心是好心，但事儿可不见得好办哟。"

老大老二和班长他们已经提前赶赴长春去准备，这次聚会，他们已经酝酿了半年多。

他们好像一直没能联系上公主。

公主跟老五一样，毕业后杳如黄鹤，无声无息。老大说，他曾经收到过一封无头无脑的邮件，问起过老五，他怀疑是公主发的，回过去，就再也没有下文了。

公主的爸妈退休后就移居国外了，与旧同事都绝少联系，老大他们费尽千辛万苦才找到的一个电话，打过去，却是空号。

我们一大早从家里出发，我和老八替换着开车，到长春时，已经是下午了。

一路上，老大不时与老八联系，询问行程，也关注着老五的身体状况。老五状态还不错，与巧生半躺在后座上，说说笑笑，路程中间两人还都睡了一小觉。

车到长春，并没有直接去宾馆，老八把我们拉到了一个小型体育场边上，据说那是过去他们经常踢球的地方。

老八停了车，从包里拿出来两件白色的圆领衫，一件自己穿好，一件交给老五，说："老五，换衣服吧，我们要上场。"

白色的圆领衫前面印了一张大照片，是他们十二兄弟获得学校寝室杯冠军时的合影，照片里，每个人都青春洋溢，笑得前仰后合。衣服背后，印着几个格外硬朗和醒目的字："战，无不灭！"

老八和我扶着老五下了车，巧生刚要去拿轮椅，老五制止道："把拐杖给我。"

操场上，已经有十个胖胖瘦瘦的中年男人都穿了这件印着"战，无不灭！"字样的白色圆领衫，整齐地站成了一条线。老大也穿了一件，挺着肚子，脖子上还装模作样地挂了个哨子，像检阅士兵的指挥官一样，虽然不那么雄赳赳但绝对气昂昂地站在旁边。

老八穿好衣服，看老五也已经套好了，上前去扶他，被老五拒绝了。

"我自己来。"

老八也没再啰唆，他快步跑到场边，学着美国大兵的样子举手冲老大行了个礼，大声说道："报告老大，8号，前锋老八前来归队。"

老大早早地就发福了，紧绷的圆领衫已经包不住他日益隆起的肚子，加上他个子矮，站在那里就像一个圆乎乎的土豆，显得十分滑稽，但所有人都没有笑。老大煞有介事地吹了一声哨子，一脸严肃地说："老八入列。"

老五架起双拐，一步一步地挪到场边，立定站好，也冲老大行了个礼，大声喊道："报告老大，5号，守门员老五前来归队。"

老五一现身，所有人的目光就都集中到了他身上。巧生想向前去搀老五，被我拉住了，我知道，这是他们欢迎自己兄弟的仪式，再难，老五也会自己走过去。

果然，所有人都神情紧张地盯着老五一步一步地往前挪，但没有一个人伸手去帮忙。

老五挪到场上，额头上已满是汗珠。他喘息了一下，大声向老大报到。

老大神情严肃地回了礼，也大声喊道："守门员老五入列。"

听到老大发出入列指令，老五抹了一把汗，又双拐一架，精神抖擞地向站成一排的队尾挪去。

整个队伍，鸦雀无声，只有老五顽强移动双拐的声音。

老五的腰在出海时就受过重伤，这次车祸又被重创，脊柱变形严重，但他坚定地站在队尾，昂起头，腰杆努力地挺直着。

老大站在队伍前面，等老五站定后，突然尖厉地吹了声哨子，大声说："全体队员，悉数归队。"

他喊了声立正，然后大声喊道："我们的口号是——"

十二条汉子突然向前跨了半步，同时伸出右臂，喊道："战！"然后一翻手腕，把右臂凶猛地向前方砸去，接着喊，"无不灭！"

"唱队歌！"老大一边说，一边还拉开架势，打起了拍子，胖乎乎的胳膊挥舞着，仿佛土豆上发了两枝芽。

"一九三七年哪，鬼子们就进了中原，先打开了卢沟桥，后又进了山海关……"

我和巧生站在场外，本来巧生被爸爸他们这种一本正经、郑重其事的入队仪式搞得血脉偾张、热泪盈眶，一听到他们唱的队歌，突然笑了起来。

"他们太能搞了，太有创意了，只有中文系的人，才能想出用这样的队歌吧。"巧生既感新鲜又觉感动。

十二个五音不全的男人忘情地唱着跑了调的"拉大栓"的时候，另一边的场外响起了热烈的掌声，全班所有同学都在操场的另一边目睹了这场"庄严"的入队仪式。他们一边鼓掌，一边欢笑着跑进场内，相互簇拥着去跟老五打招呼。

正式的聚会安排在了晚上，在老五他们过去上课的一个大教室里。老大和班长他们已经提前装饰过，不仅拉上了"我们再出发"的条幅，还做了很多彩带彩球，墙上贴满了大家昔日的照片。

已经八十多岁的老主任早就答应了班长和老大，说一定会参加他们的聚会，可比预定的时间已经过去了半个多小时了，老主任还没有出现，给家里打电话，家里人说，临时有点事，让他们不用担心，晚点会过来。

大家无奈，只好先开始。

就像当初他们刚入学时一样，大家轮流上台，介绍了自己这些年的工作和生活。其实，同学们彼此联系都比较多，各自的情况也都了解一些，这样的介绍，更多是说给老五听的。

老大怕老五身体受不了，就坚持让巧生推着老五的轮椅上台。

老五已经没有了当初刚入学时一说话就涨红脸还结巴的毛病，他深情地感谢了所有的人，笑着说：

"本来，我是全班个子最高的，现在，我是最矮的了。好在，我只是坐着，没有躺着、趴着，我还能站起来，我还要站起来。大家已经知道了，我是个孤儿，早早没有了家。直到上了大学，才有了一个大家，跟同学们朝夕相处的日子，让我感受到了手足之情，感受到了家的温暖。只可惜，我还是迷失了，我离家出走，把自己走丢了。这些年，东趔西倒，暑雨祁寒，路越行越窄，脚越走越沉，虽然，学校依然是我幸福的回忆，可我已经没有了寻路的勇气。他们……"

他指了指身边的巧生和台下坐着的我，"让我懂得了家的意义，让我知道了什么叫患难与共、不离不弃。一重浪灭一重生，寒灰重暖生阳春。这次死里逃生，我明白了许多道理。老大和班长把这次聚会定义为再出发，我很清楚大家的良苦用心，也很感激兄弟姐妹对我的真情慰励。我知道，无论大家小家，都是支撑你奋勇前行的力量，我不能辜负，我不仅要顽强地站起来，而且，要紧紧跟随大家的脚步，从这里，再出发！"

老五铿锵有力的发言博得了大家热烈的掌声，站在老五身后的巧生，感动得直流眼泪。

就在这时，教室的门被打开了，进来的是白发苍苍的老主任，他乐呵呵坐在轮椅上，身后推着轮椅的，竟然是笑盈盈的公主。

所有人都大张了嘴巴，禁不住惊呼了起来。

公主还似过去那般恬淡清秀，时光虽无情，对她还是网开了一面。她背着一个双肩背包，微笑着与大家打招呼，清瘦的面容下，带着一丝忧伤和疲惫。

公主看到老五，笑容瞬时就僵住了，她像受惊的小鹿一样满眼惊恐地盯着坐在轮椅上的老五，盯着老五的双腿。

老五也像傻了一样，痴痴地望着公主，大颗大颗的泪珠顺着腮边就滚了下来。

两人谁都没说话。

聚会的现场突然安静了下来，大家都满怀同情地看着这对昔日的爱侣。

说实在话，那一刻，我没有一丝一毫的嫉妒，满心满眼里都是心疼，心疼这一对苦命的人，心疼他们的苦难遭遇。

公主的眼圈已经发红，她脸色苍白，嘴唇在不停地发抖，身体似乎已经站不住了。老五早就泪流满面。

整个房间，鸦雀无声，静得似乎都能听到泪珠落地的声音。

所有人都突然不知所措了。

还是老主任咳嗽了一声，他冲着满脸泪水的老五，开玩笑道："你这浑小子行呀，竟敢跟老夫平起平坐了，居然也弄了个这玩意儿坐。"

老主任的话让老五猛然意识到刚才的失态，他挣扎着站起来，冲老主任恭恭敬敬地鞠了个躬，心怀愧疚地说："我，辜负了您。"也不知道这话是不是也是说给公主听的。

一个女同学上前，接过了公主背着的双肩背包，二当家的也抢先一步，替公主推起了老主任的轮椅。

"你辜负的多了。"老主任对老五说话依然毫不留情，"若不是我心疼你，若不是他们几个人……"他用手指了指班长和老大，"在我那里千般哀告，万般恳求，我绝不会把小苏禹召回来。你耽误了她一生，一生哪！她还回国找你，你躲哪里去了？混得没脸见人，就逃避了？那是懦夫。没脸见人就不要老师了？就不要同学了？就不回母校了？愚蠢。聪明片晌、糊涂半生，小黠大痴，冬烘头脑。你辜负了一个好姑娘，你也辜负了我，使我衣钵无传。一个那么好的学问坯子，跑到新西兰搞什么环境治理，又搞什么神学研究。神学嘛，或许我狭隘，总觉虚无缥缈，难跟我们老祖宗留下的传统文化媲美。但你们都未承继，我也只能喟然兴叹。"

边说着，老主任边重重地发出一声叹息，那叹息声里，或许有着说不清的"意味深长"。

"她刚下飞机，风尘仆仆，就直接赶过来了。我刚才等她，耽误了些时间，但我还是在门口听你讲到要顽强地站起来，要跟大家一起再出发。这才对头嘛，这才是积极的人生观嘛！生途再艰难，命运再多舛，也绝不能垂头苟且、自我放逐。磨难算什么？人生路上的沟壑坎坡而已，雄关漫道真如铁，而今迈步从头越。男子汉大丈夫，顶天立地，什么时候都必须豪情万丈、傲雪凌霜！"

老五恭恭敬敬地站在老主任的轮椅前，满脸羞愧，任由老主任劈头盖脸地训斥。

虽是训斥，老主任看到老五腿都在哆嗦，依然坚持毕恭毕敬地站着听训，禁不住还是老泪纵横了。

老五和公主，曾经是老人家最得意的弟子，但两个人一个身体伤残，一个飘零异域，都历尽沧桑，谁都没能承继他的衣钵。人生叵测，造化弄人，老人家又是痛心又是难过。

他指了指轮椅，让老五坐下，略带伤感地对大家说："你们已经在社会上摸爬滚打了十几年了，或为人夫，或为人妻；或为人父，或为人母；或成功，或失败，对人生都有了一定的思考，也有了相当的阅历，不像老朽，墓木已拱，垂垂老矣。但请你们记住，青春易逝，韶华难再，岁月剥蚀的不仅是你们的容颜，还有锐气、锋芒和激情。"

他突然提高了嗓门，说："好在你们正值壮年，春秋鼎盛，要有养家糊口的责任，更要有造福社会的担当，要有舍我其谁的气魄，更要有击楫中流的行动，俱怀逸兴壮思飞，长风破浪今日始。我拿这些话，今日与你们共勉。"

老主任的话让在场的每个人内心都受到了激荡，我看到了巧生婆娑的泪眼里闪现出坚毅的目光。

晚上，老大特意安排了我跟公主住在一个房间，我俩都一夜无眠。我给她讲了我和老五的相识，讲了老五这十几年来历经的苦难，她流着泪，静静地听我讲述，默默地抽泣。

我告诉公主，孩子不是老五的，我与他只是名义上的夫妻，这十几年来，他心里装得满满的都是她，我与他之间什么都没有发生过。

"我俩也没有——"她略带羞怯地说，声音轻到只有她一个人听得见。

也就是在那天晚上，公主很平静地告诉我，她回来找过老五，去过汶川，甚至还到过我们所住的城市，这两年，她终于沉静下来，把心交给了上帝。

我听了，特别难过。

第二天，在学校门口，班长组织大家重拍了毕业照，这一次，一个都没有少。

下午，同学们还一起去了南湖公园，去了白桦林。我把老五交给公主，让他们单独说会儿话，快二十年了，这对苦命的鸳鸯总会有些话要说，而且，我知道，老五对见到公主，内心里充满了渴望。

公主推着老五的轮椅，到了他们过去曾经划过船的湖边。

老五从怀里拿出了一个破旧的本子，一页一页念着上面的文字，再一页一页撕掉，扔进湖里。

远处的同学们似乎只听到了一句："冷月伴梦残，往事隔天远，春光一去不复原。"

大家这才记起，老五还曾经是个诗人。